D1294884

LA CUISINE MEXICAINE

LA CUISINE MEXICAINE

JANE MILTON

Traduit de l'anglais par JOËLLE TOUATTI

MANISE

Édition originale 2000 en Grande-Bretagne
par Lorenz Books sous le titre
*The Practical Encyclopedia
of Mexican Cooking*

Responsable éditoriale : Joanna Lorenz
Éditrice : Linda Fraser
Éditrice adjointe : Joanne Rippin
Conseillère : Jenni Fleetwood
Maquettiste : Nigel Partridge
Photographies : Simon Smith (recettes) et
Janine Hosegood (introduction et ingrédients)
Préparation des plats pour les photos : Caroline Barty (partie recettes)
et Annabel Ford (introduction et ingrédients)

Traduit de l'anglais par Gisèle Pierson

ISBN 2-84198-166-5
Dépôt légal : avril 2001
Imprimé à Hong Kong

REMERCIEMENTS

Merci à ma mère qui a saisi informatiquement mes recettes
et à mon père pour sa relecture approfondie – je n'y serais
jamais parvenue sans ton aide. Mes remerciements aussi à Tom Estes
du Cafe Pacifico, pour m'avoir fait partager ses connaissances sur la tequila
et d'autres boissons, et pour sa participation enthousiaste à ce projet.
Les éditeurs souhaitent remercier South American Pictures qui les ont
autorisés à reproduire leurs photographies aux pages suivantes de ce livre :
8bg, hd ; 9hg, bd ; 10h ; 11hg, bd ; 12hg, hd, bg ; 13hg, m, bd ; 14hd, mg, bg ;
15hg, bd ; 16hd, bg ; 17hg, bd ; 18hd, md, bg ; 19hd, mg, bg.
(h = haut ; b = bas ; g = gauche ; d = droite ; m = milieu)

NOTES

Les mesures utilisées sont les suivantes :
1 cuil. à café = 0,5 cl ; 1 cuil. à soupe = 1,5 cl

Les œufs employés sont de taille moyenne, sauf indication particulière.

Sommaire

Introduction

Vaste pays de contrastes, sauvage et aride au nord, extrêmement chaud au sud, le Mexique possède une tradition culinaire aussi colorée, riche et festive que l'est sa culture. Les eaux du golfe du Mexique et de l'océan Pacifique regorgent de poissons ; les régions côtières abondent en fruits tropicaux tels l'ananas et la papaye ; de délicieux légumes prospèrent dans les potagers des hauts plateaux, tandis qu'au nord paissent de grands troupeaux de bétail. Autant de ressources qui offrent au gastronome une multitude de saveurs. Et, bien sûr, partout poussent des piments de toutes formes, tailles et couleurs, à l'arôme subtil ou cuisant, signature de l'une des cuisines les plus attrayantes du monde.

HISTOIRE DE LA CUISINE MEXICAINE

La cuisine est un aspect capital du mode de vie mexicain. Cultiver ou se procurer les ingrédients, les accommoder et les consommer sont des activités qui occupent une grande partie des journées. Quant aux fêtes, elles sont l'occasion de préparer et de déguster des plats spéciaux, tous plus succulents les uns que les autres.

Rappel de quelques influences historiques

À l'époque précolombienne, le Mexique possédait déjà une tradition agricole bien établie. La culture du maïs, des haricots, des piments et des poivrons était très répandue, tout comme celle de l'avocat, de la tomate, de la patate douce, de la goyave et de l'ananas ou encore de la *jicama*, de la chayote et de la sapote.

Durant l'ère maya, les prêtres, qui gouvernaient alors le pays, attribuèrent des terres arables à la population et organisèrent le stockage du grain et la distribution des surplus. Les Aztèques, peuple guerrier qui prit le pouvoir au XVe siècle, se montrèrent moins enclins à partager. Les hauts dignitaires s'approprièrent en effet la nourriture pour leur consommation personnelle, notamment le chocolat avec lequel était préparée une boisson mousseuse, aux propriétés prétendument aphrodisiaques.

Les Aztèques héritaient d'une riche tradition culinaire. Le marché principal de Tenochtitlán était réputé pour son fabuleux éventail de produits, et l'on dit que Moctezuma avait coutume d'ordonner à ses serviteurs de lui préparer plus de vingt plats par jour. Avant d'effectuer son tri, l'empereur déambulait parmi les tables croulant sous l'amoncellement des victuailles et discutait avec les cuisiniers de la composition des différents mets. Ensuite, son repas lui était servi par des jeunes femmes choisies spécialement pour leur beauté.

Christophe Colomb débarque au Mexique

En 1492, lorsqu'ils arrivèrent au Mexique, les Espagnols recrutèrent des cuisiniers parmi les autochtones, et ceux-ci leur firent découvrir des plats à base de maïs, de piments, de haricots et de tomates. Les piments, le chocolat et la vanille séduisirent particulièrement les nouveaux arrivants. Quant au bétail qu'ils avaient apporté avec eux, il fit la joie des Mexicains : ceux-ci ne connaissaient pour toute viande que la dinde, seule volaille du pays, et le sanglier, consommé de manière occasionnelle.

L'introduction du cochon domestique eut un effet majeur sur la cuisine des Mexicains : désormais, ils utilisaient non seulement la viande de porc, mais aussi le saindoux, ce qui leur permettait de frire les aliments – un mode de cuisson jusque-là inconnu dans un pays qui ne possédait ni graisse ni huile animales. Les Espagnols adaptèrent donc leurs recettes aux produits locaux et les Mexicains, à leur tour, modifièrent leur cuisine en fonction des habitudes espagnoles, notamment par l'apport de la viande. Peu à peu la fusion s'opéra.

Ci-dessous : Fresque moderne de Diego Rivera représentant des marchands de maïs de l'époque précolombienne.

Ci-dessus : La culture du maïs à l'époque précolombienne. Fresque de Diego Rivera.

En 1519, l'aventurier espagnol Hernán Cortés débarqua près de la ville appelée aujourd'hui Veracruz. En trois ans, il conquit le Mexique, et durant les trois siècles qui suivirent ce pays demeura une vice-royauté de l'Espagne. Cortés, qui se targuait d'être le libérateur des tribus opprimées par les Aztèques, usa de son zèle missionnaire pour justifier l'exploitation du peuple mexicain à ses propres fins. Afin de convertir les païens au catholicisme, il fit venir d'Espagne des moines et des religieuses. Dans leurs bagages, ceux-ci apportèrent non seulement des missels, mais aussi des graines, et bientôt les agrumes, la farine, le riz et les oignons vinrent enrichir la cuisine locale.

Le Texas devient américain

Après une longue guerre, l'indépendance du Mexique fut proclamée en 1821. La nouvelle république naquit trois ans plus tard, après la mort du général Iturbide. À cette époque, le Mexique possédait de vastes

Ci-dessus : Hernán Cortés, le conquérant espagnol du Mexique.

étendues de terres, dont le Texas, situées sur l'actuel territoire des États-Unis. Le Texas devint une république indépendante en 1836 ; neuf ans plus tard, il fut intégré aux États-Unis. S'ensuivit une guerre contre les États-Unis, à l'issue de laquelle le Mexique dut céder à l'Amérique tous les territoires au nord du Rio Grande. Sur le plan culinaire, cet événement est à l'origine de la cuisine dite « tex-mex » ; il explique également la popularité des plats mexicains en Californie et au Nouveau-Mexique.

L'occupation française

Financièrement très lourde, la guerre civile plaça le pays dans une situation d'endettement à l'égard de la France, de l'Angleterre et de l'Espagne. C'est pourquoi la France intervint au Mexique et tenta d'y établir un empire au profit de Maximilien d'Autriche, un parent de Napoléon né en Australie. Les Français se heurtèrent à une résistance farouche : le *Cinco de Mayo* (5 mai) commémore aujourd'hui la victoire des Mexicains sur les forces françaises. Ce succès fut néanmoins de courte durée puisque, en 1864, Maximilien se fit proclamer empereur. L'occupation française ne dura que trois ans, mais elle laissa en héritage à la cuisine mexicaine toute une variété de pains et de pâtisseries. Maximilien fut exécuté en 1867 et le Mexique connut alors une longue période de troubles politiques. Depuis 1920 cependant, la situation s'est stabilisée.

Autres influences

On qualifie souvent la culture mexicaine de *mestizo*. Ce terme, qui signifie « mélange », désigna d'abord les enfants nés de l'union entre les populations d'origine et les envahisseurs espagnols. Aujourd'hui, il recouvre les nombreuses influences culinaires qui se sont exercées au Mexique, comme l'introduction par les colons allemands des techniques de brassage de la bière ou bien le fromage, également d'origine allemande, que l'on appelle *queso de Chihuahua*, du nom de la ville située au nord du Mexique où s'étaient établis les colons. Les préparations aigres-douces sont, quant à elles, d'origine orientale, tout comme la distinction entre plats « chauds » et « froids » – dénomination qui porte non pas sur la température des plats, mais sur leur effet sur le corps. Les aliments « chauds » sont considérés comme faciles à digérer et susceptibles d'accroître la température du corps, alors que les aliments « froids » seraient indigestes et entraîneraient une baisse de température. Le café, le miel et le riz sont des mets chauds, le poisson, le citron vert et les œufs durs appartiennent à la catégorie des produits froids. Un juste équilibre entre les deux est censé assurer une bonne santé.

Sans doute la cuisine mexicaine n'a-t-elle pas fini d'évoluer, de s'approprier des traditions étrangères et de les adapter. Sans doute continuera-t-elle aussi à s'homogénéiser, par le biais de l'intégration dans le répertoire national des différentes recettes régionales. Tout comme le langage, les coutumes alimentaires d'un pays ne demeurent jamais statiques.

Ci-dessous : Indiennes mayas, en costume traditionnel, exécutant la danse des Mestizos.

LES CUISINES RÉGIONALES DU MEXIQUE

Au Mexique, il n'existe pas une seule cuisine, mais plusieurs. Troisième grand pays d'Amérique latine, le Mexique offre en effet un éventail de paysages qui va des sommets enneigés jusqu'aux plantations d'agrumes, ainsi que des zones climatiques bien distinctes. Ces facteurs géographiques ont permis l'existence de différents types d'alimentation. Avant la conquête espagnole, les nombreuses communautés indiennes, qui vivaient isolées du fait du caractère montagneux du pays, possédaient chacune leur propre tradition culinaire. Si les colons espagnols apportèrent des modifications majeures au régime alimentaire des régions où ils s'implantèrent massivement, en revanche, d'autres parties du pays demeurèrent totalement hermétiques à cette influence, et les autochtones continuèrent à préparer les repas de la même façon que leurs parents et leurs grands-parents l'avaient fait avant eux.

Ci-dessus : bananes et mangues, sur un marché de Chihuahua.

Aujourd'hui le tourisme a introduit au Mexique des ingrédients différents et de nouveaux concepts ; certaines enclaves n'ont pourtant que des contacts très limités avec le monde extérieur, si bien que des recettes très anciennes, dont l'origine remonte parfois jusqu'aux Aztèques, y sont toujours en usage.

Le climat du Mexique est défini par l'altitude plus que par la latitude. La région des côtes, qui ne dépassent pas une hauteur de 915 m, est appelée la *tierra caliente*, la zone chaude. Sous ce climat de type subtropical, mangues, ananas et avocats poussent à profusion. La *tierra templada*, dont l'altitude peut atteindre 1 800 m, constitue la zone tempérée. Les zones de haute altitude sont appelées la *tierra fria*, la terre froide.

La cuisine des régions

On trouve au Mexique nombre de légumes qui nous sont familiers, comme les haricots verts, les poivrons, les tomates, les choux, les choux-fleurs, les oignons, les aubergines et les courgettes. Mais la cuisine mexicaine est très différente d'une région à l'autre. Les secteurs géographiques du Mexique ne se ressemblent guère. En effet : les précipitations dans le

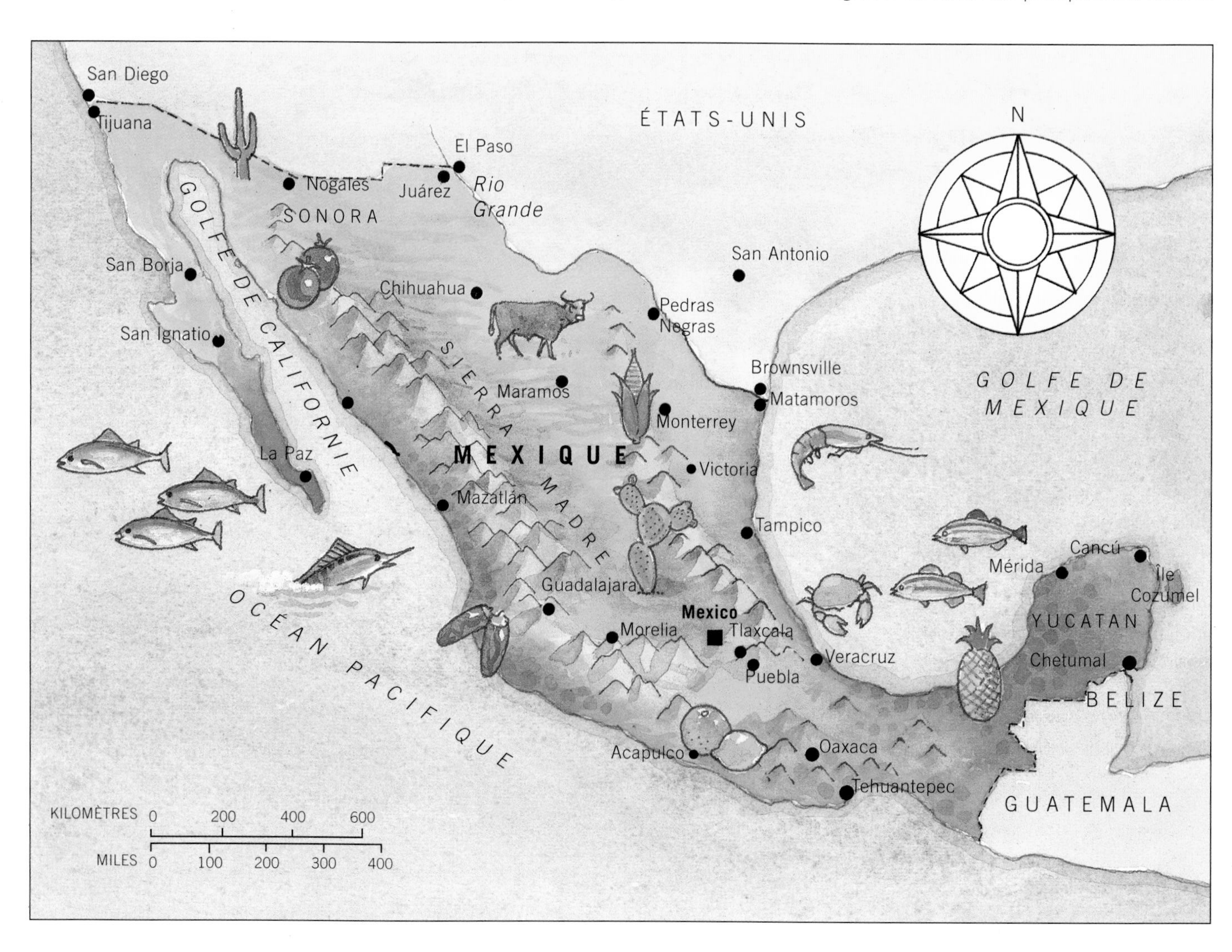

Ci-dessus : fabrication de tortillas dans une petite échoppe mexicaine.

nord-est ne dépassent que très rarement les 5 cm par an, alors que, dans le sud-ouest, elles atteignent parfois 300 cm. On comprend mieux ainsi la diversité des traditions culinaires. Certes, la modernisation des infrastructures, l'amélioration des moyens de transport, en permettant aux produits de circuler davantage, ne manqueront pas d'éroder les régionalismes en matière de gastronomie, mais pour l'instant chaque région peut encore revendiquer une identité marquée.

Le Nord

Le nord du Mexique, qui s'étend de Sonora, près du golfe de Californie, jusqu'à Monterrey, dans le Nuevo León, est une région de contrastes. Les zones montagneuses sont très peu peuplées, les conditions y étaient trop rudes. À Sonora et Chihuahua sont concentrés les élevages de bétail du pays, car c'est là que les Espagnols établirent leurs troupeaux en raison de la qualité des pâturages. Parmi les spécialités de la région, figurent le *caldido*, un ragoût de bœuf, et la *carne seca*, de la viande de bœuf d'abord salée, puis séchée, enfin assaisonnée avec du jus de citron et du poivre.

En famille ou au restaurant, les *frijoles* (haricots) font ici autant recette que dans le reste du pays. À la manière des *charros*, les cow-boys locaux, on les consomme souvent avec de la viande découpée en lamelles, des piments, des herbes et des épices.

Monterrey est le cœur industriel de la région et une grande partie de la population y est employée dans des brasseries. C'est aussi la ville d'origine des *frijoles borrachos*, des haricots cuits dans de la bière avec des oignons, des épices et de l'ail. Les légumineuses s'imprègnent ainsi du parfum de la bière, d'où le nom de ce plat, qui signifie « haricots bourrés ».

La région du Nord est également la principale productrice de fromage, aliment importé par les moines qui accompagnèrent les conquérants espagnols jusqu'au Nouveau Monde. Chihuahua est ainsi réputée pour ses *chiles con queso*, du fromage fondu avec des lamelles de piments. Enfin, le Nord demeure l'unique producteur de farine du Mexique, et donc le berceau de ce trésor culinaire qu'est la tortilla. Les *burritos*, petits paquets de viande, de haricots et de riz enveloppés dans une tortilla de farine de blé, sont typiques de la région.

Baja California, la péninsule au nord-ouest du pays, baignée par les eaux du Pacifique et du golfe de Californie, est la plus ancienne des régions viticoles du Mexique. Ces dernières années, ses vins, et notamment les blancs, ont acquis une renommée internationale.

Les régions côtières

Bordées de plages magnifiques, les eaux de la côte Pacifique, dans leur partie septentrionale, regorgent de poissons – en particulier des bars, des thons et des espadons. Le *ceviche*, ce délicieux plat de poisson frais dont la chair est « cuite » par le jus de citron, est une spécialité de la région. Souvent, il est préparé à partir de crevettes ou de fruits de mer.

Ici la terre est fertile, et légumes ou piments sont cultivés de manière intensive. Les tomates sont aussi réputées que les joueurs de l'équipe de basket locale, nommés d'ailleurs les *Tomateros* (les cultivateurs de tomates). La côte est en outre bordée sur toute sa longueur par des plantations de cocotiers, et l'on y prépare un potage à la noix de coco. Plus au sud, l'État de Jalisco est la patrie de la tequila. C'est également là qui est pêché le vivaneau qui, conformément à la tradition, sera cuit ensuite sur un feu de bois.

À l'intérieur des terres, la ville coloniale de Guadalajara est réputée pour le *pozole*, un ragoût de porc épaissi avec du maïs jaune ou blanc concassé et bouilli que les

Ci-dessous : l'agave, ici dans la vallée d'Oaxaca, sert à la fabrication de la tequila.

Ci-dessus : sur la côte pacifique du Mexique, des guirlandes de piments sèchent au soleil.

Indiens du Mexique consomment depuis des siècles. La *birria*, ragoût d'agneau ou de chevreau, est une autre spécialité de la région.

Acapulco, ville côtière plus au sud, est un lieu cosmopolite où se mêlent influences latines, orientales et indigènes. La cuisine de cette région, l'Oaxaca, a de forts accents espagnols. C'est pourtant ici que certains des plats mexicains les plus anciens ont vu le jour, comme les *moles*, ces riches ragoûts de viande agrémentés de noix et de chocolat. L'Oaxaca est aussi la région des oranges, et les agrumes entrent dans la composition de nombreuses recettes. L'*asadero*, un fromage proche du *provolone* italien, est également originaire de cette partie du Mexique.

Le Chiapas, l'État le plus au sud du pays, s'est inspiré des traditions culinaires du pays frontalier, le Guatemala. Ici, il n'est pas rare que les piments soient servis en accompagnement d'un plat, au lieu d'en faire partie intégrante.

La côte est, bordée par la mer des Caraïbes, a été baptisée côte du Golfe. Son climat tropical se reflète dans la nourriture. Le long de la côte, on cultive bananes, vanille, avocats, café et noix de coco ; au sud, mangues et ananas ; au nord, pommes et pêches.

La côte du Golfe abonde en poissons. Au sud, l'État de Tabasco, sur l'isthme de Tehuantepec, est renommé pour ses bars, ses crabes, ses homards et ses crevettes. Dans le port de Veracruz se tient un célèbre marché aux poissons, avec sur ses étals le vivaneau, la spécialité locale. La cuisine de la région est riche ; nombreuses sont d'ailleurs les villes à avoir donné leur nom à un plat ou à un ingrédient.

Ci-dessous : Chetumal, des noix de coco prêtes à être cueillies.

Ci-dessus : figuier de Barbarie à Santa Bulalia.

Dans cette partie du Mexique, les *tamales* sont roulées dans des feuilles de bananier, et non pas de maïs, comme dans le reste du pays. La *jicama*, autre spécialité locale, est un légume croquant, servi généralement cru, avec du jus de citron et des piments moulus.

Le Bajio, le Mexique central et Mexico

Situé au nord de Mexico, le Bajio est une région fertile, bordée de montagnes. On l'appelle parfois le « Mexique colonial » et bon nombre de ses plats sont en effet originaires d'Espagne, comme la langue farcie ou les ragoûts de bœuf. Mais certains produits sont aussi typiquement mexicains, dont les *nopales* et les figues de Barbarie (les feuilles et les fruits du cactus). Le *pulque*, une boisson confectionnée avec le jus de l'agave, est ici très populaire. La viande la plus consommée est celle du cochon, souvent présenté sous forme de *carnitas*, des morceaux de porc aromatisés à l'orange, cuits dans le saindoux, croustillants à l'extérieur, délicieusement fondants à l'intérieur.

Au milieu des terres, au sud de Mexico, les villes de Puebla et de Tlaxcala appartiennent au Mexique central. Puebla est le berceau des *chiles en nogada*, des beignets de piments servis avec une sauce aux noix. La ville est aussi associée au fameux *mole poblano*, qui aurait été inventé par les nonnes d'un couvent des environs : une recette complexe à base de dinde ou de poulet, que l'on met à cuire dans une pâte faite d'un mélange de piments, de cannelle et de clous de girofle séchés et moulus, de

graines de sésame et de noix hachées, d'oignon, d'ail et parfois de *tomatillos*.

Tlaxcala, dont le nom signifie « le lieu des multiples tortillas », est réputée pour sa gastronomie. Parmi les spécialités de l'endroit, le poulet farci avec des fruits et des noix ou bien l'agneau cuit dans des feuilles d'agave, deux plats que l'on déguste généralement avec le *pulque* local.

Tentaculaire, bourdonnante d'activité, Mexico est l'une des villes les plus cosmopolites du monde, une caractéristique que l'on retrouve au niveau de sa cuisine. On dit que les Mexicains sont des gourmands et que, s'ils le pouvaient, ils passeraient leurs journées à manger. À Mexico, rien ne semble pouvoir les arrêter. Les rues grouillent de marchands ambulants proposant toutes sortes de collations sur lesquelles se précipitent les banlieusards quand ils arrivent sur leur lieu de travail ou qu'ils le quittent : des tortas et tortillas fourrées à la viande (voire au chorizo, une spécialité de Toluca, ville proche de la capitale), au fromage, aux haricots ou aux piments, des *tamales*, des *sopes*, des *tacos*, etc. Sur les étals des marchés, on trouve le *cuitlacoche*, un champignon très parfumé qui se développe sur le maïs et qui, depuis l'époque précolombienne, est considéré comme un mets de choix. Une fois cuit, le *cuitlacoche* est servi dans des *crepas*, autrement dit des crêpes, un héritage des occupants français du XIXe siècle.

Ci-dessus : des piments séchés et des fruits, dans une rue de Mexico.

Ci-dessus : ces épaisses tortillas seront servies avec de la viande, des piments et des haricots.

Le Sud

Parmi toutes les régions du Mexique, le Yucatán est celle qui possède la personnalité la plus marquée. Pendant des siècles, il a en effet été séparé du reste du pays par une jungle dense et de vastes marécages. Avant l'arrivée des conquistadors au Mexique, c'est là que vivaient les Mayas, et leur influence sur la tradition culinaire est encore vivace, en particulier dans les plats *pibil*, une appellation due au *pib*, le trou dans lequel les Mayas les faisaient cuire.

La terre est pauvre et peu favorable aux cultures, pourtant le maïs parvient à pousser sur des terrains débroussaillés. Une fois moulu, le maïs donne la *masa harina*, la farine servant à la confection des tortillas et de nombreux autres plats mexicains. L'*epazote*, une herbe à la saveur piquante, apporte aux recettes locales un arôme caractéristique.

Le long de la côte, on pêche de délicieux poissons, des calmars et des crustacés, dont de grosses crevettes roses qui font la renommée de la région. Le *ceviche*, ici aussi très populaire, se prépare avec diverses sortes de poissons et crustacés, utilisés parfois sous forme de mélanges.

Typiquement yucatèques, les *huevos motuleños* ont pour base des œufs, des haricots « refrits » et de la sauce tomate. Les *recados*, autre spécialité de la région, s'obtiennent en mélangeant diverses épices séchées avec du vinaigre ou bien avec du jus de citron ; on obtient ainsi une pâte dont on enduit la viande avant de la faire cuire. Présentes dans tout le pays, c'est cependant au Yucatán que les *recados* sont le plus utilisées. Certaines sont préparées avec des graines d'achiote (les graines du rocouyer, un arbuste d'Amérique tropicale), au goût de terre, qui prêtent une couleur jaune vif aux plats. Autre signe marquant de la cuisine yucatèque : le habañero, un piment cuisant, cultivé seulement dans cette région.

Ci-dessous : épis de maïs séchant sur le plant.

LES REPAS MEXICAINS

La plupart des plats traditionnels exigent de longues heures de préparation, comme jadis, lorsque les femmes passaient des journées entières à rechercher les ingrédients nécessaires puis à les accommoder. Malgré l'industrialisation, les coutumes ancestrales sont toujours observées, surtout dans les zones rurales. En général, les Mexicains prennent leur repas principal en milieu de journée, et celui-ci est invariablement suivi d'une sieste. Même dans les villes, où l'on tend de plus en plus à s'aligner sur le modèle international – petit déjeuner, déjeuner, dîner –, la *comida* représente le repas le plus copieux de la journée.

Ci-dessus : dans leur cuisine, des femmes de la campagne préparent la comida *familiale.*

Le *desayuno*

C'est un repas léger, pris tôt le matin, immédiatement après le réveil. Il consiste généralement en une tasse de café, un petit pain ou une pâtisserie, par exemple des *churros* ou du *pan dulce* (pain sucré).

L'*almuerzo*

La plupart des Mexicains commencent à travailler très tôt le matin. Vers 11 heures, ils ont donc besoin d'une collation substantielle. L'*almuerzo* tient plus du brunch que du petit déjeuner. En général, il se compose d'un plat à base d'œufs (par exemple des *huevos rancheros* ou des œufs brouillés avec de la salsa et du fromage), de tortillas, d'un café, d'un verre de lait ou de jus de fruits.

Ci-dessus : la chayote *sert à la préparation de salades ou de plats de légumes.*

Ci-dessous : piments verts sur un marché mexicain.

La *comida*

Principal repas de la journée, il est consommé à partir de 15 heures et apparaît comme un moment de détente. Plusieurs plats entrent dans sa composition : presque toujours une soupe pour commencer, puis un plat de riz ou de pâtes, suivi du *platillo fuerte*, le « plat de résistance », accompagné de tortillas, de salade et de haricots mijotés ou « refrits ». La marmite en terre utilisée pour la cuisson des haricots, les *frijoles de olla*, leur confère une saveur particulière. Les haricots y mijotent avec de l'ail, de la coriandre et de l'oignon, dans un bouillon agrémenté de piments. Juste avant de servir, on l'additionne de crème ou de fromage. Le repas se termine par un *postre* (dessert) et un café.

La *merienda*

Il s'agit d'un souper léger, souvent préparé avec les restes de la *comida* enveloppés dans une tortilla pour en faire un *burrito*. Si le repas doit être plus consistant, on sert un *mole* (un ragoût), suivi d'un *cafe con leche* ou d'un chocolat chaud. La *merienda* a généralement lieu entre 20 et 21 heures.

La *cena*

Ce dîner plus élaboré est servi lorsqu'on reçoit des invités ou en des moments de fête. Il remplace alors la *merienda* et se compose de deux ou trois plats, que l'on déguste entre 20 heures et minuit.

Le repas principal

La *comida*, le repas le plus important de la journée, est un moment de détente en famille ou entre amis. Voici quelques exemples de plats servis à cette occasion.

La *sopa*

C'est une soupe légère, préambule à un repas copieux. Le *tlalpeno*, un potage à base de poulet et d'avocat, tout comme le potage glacé à la noix de coco constituent des entrées très appréciées.

La *sopa seca*

La « soupe sèche » est en fait un plat de riz ou de pâtes, servi entre la soupe et le plat principal. Il s'agit de riz ou de vermicelles, préalablement cuits dans un peu d'huile, puis mijotés à petit feu dans un bouillon

d'oignons, d'ail, de tomates et autres légumes. Presque tout le liquide est absorbé par le riz ou les pâtes, d'où le nom de cette préparation. Le riz est parfois agrémenté de petits pois, de coriandre et de piments : dans ce cas, le plat porte le nom de « riz vert ». Quant au « riz jaune », il est parfumé et coloré par des graines d'achiote moulues.

Pescado y legumbres

Parfois, du poisson précède le plat de résistance. En général, il s'agit d'un *ceviche*, du poisson « cuit » par le jus de citron vert. On peut également proposer des légumes, la *jicama* par exemple, qui est typiquement mexicaine, ou une salade assaisonnée au piment et au citron vert, ou encore des courgettes, des bananes plantains, très populaires au Mexique où elles sont frites avec du fromage et des piments verts.

Le *platillo fuerte*

Le plat de résistance est en général un ragoût, servi avec des tortillas de maïs et une salade. Il peut par exemple s'agir de boulettes de viande en sauce tomate pimentée, ou de porc à la sauce de cactus verte. C'est aussi souvent un ragoût du pêcheur à base de moules, de noix de Saint-Jacques, de crevettes et de cabillaud, accompagné d'une salade de cactus, ou de chayote, ou d'une salsa de *rajas con limon* (des lanières de piments avec du citron vert).

Ci-dessus : Comida *prise en famille dans un restaurant en plein air de Mexico.*

Les *frijoles*

Les haricots secs sont obligatoirement présents dans la *comida*. Autrefois, ils constituaient la principale denrée des indigènes du Mexique, et il existe donc une variété infinie de préparations à base de haricots. Si vous demandez à un Mexicain de vous citer un de ces plats, presque immanquablement il évoquera les haricots « refrits », qui ne sont pourtant que trop souvent une insipide bouillie de haricots roses piètrement assaisonnés. Préparée à la maison, cette recette peut toutefois se révéler succulente, notamment lorsqu'elle est parfumée avec des feuilles de laurier, de l'ail et des piments. Les *frijoles de olla* sont, eux aussi délicieux : il s'agit de haricots roses secs, mis à mijoter jusqu'à ce qu'ils deviennent fondants dans une marmite en terre avec de l'eau et un peu de saindoux. Traditionnellement, ce plat est accompagné de guacamole, de salsa, de crème aigre et de fromage frais émietté.

Postre y cafe

Après un repas aussi abondant, le dessert se limite souvent à une assiette de fruits ou à un *flan*, une sorte de crème caramel très rafraîchissante. Autre possibilité : le gâteau aux noix de pecan et au miel, qui fait aussi partie des desserts préférés des Mexicains. En général, la *comida* s'achève sur un café corsé, additionné de *piloncillo* (sucre de canne non raffiné, typique du Mexique), que l'on remue avec un bâton de cannelle. Parfois, le café est aussi servi avec un doigt de Kahlúa ou de tequila.

Les collations

Les Mexicains grignotent à toute heure. Dans les villes, les échoppes sont équipées d'une espèce de couscoussier qui permet de préparer des *tamales*, feuilles de maïs fourrées de viande ou de fromage épicé, que consomment les travailleurs, le matin, en guise d'*almuerzo*. Plus tard dans la journée, les marchands ambulants proposent des soupes de maïs ou du *menudo*, une soupe à base de tripes. À l'heure du déjeuner, des femmes dressent de nouveaux stands, sur lesquels elles servent une cuisine familiale : des potages, du riz, des pâtes, des ragoûts accompagnés de tortillas ou de pain, des desserts. Le soir, les étals se couvrent de *quesadillas*, d'*enchiladas* et d'*antojitos*, petites collations à déguster sur le pouce. Le long de la côte, les marchands ambulants vendent des brochettes de crevettes et de *ceviche*, ou des elotes, épis de maïs grillés et plongés dans de la crème, puis saupoudrés de fromage râpé.

Ci-dessous : les épis de maïs, cuits et vendus dans la rue, constituent un délicieux encas.

FÊTES ET JOURS FÉRIÉS

Avant l'introduction du christianisme, les Indiens vénéraient les dieux qui, selon eux, leur apportaient la nourriture. Les Aztèques étaient convaincus que s'ils cessaient leurs prières, sacrifices et rituels, le monde serait anéanti. Le maïs, aliment de base qui poussait miraculeusement sur tous les types de sols et sous tous les climats, était considéré comme un présent divin.

Au cours des jours de fête, qui étaient nombreux, des plats ou des aliments particuliers étaient donnés en offrande aux divinités. Lorsque le christianisme étendit son influence sur le pays, l'Église décréta que la plupart de ces dates seraient dédiées à la célébration de saints ou d'événements appartenant à son propre calendrier.

Le 6 janvier – *Día de los Santos Reyes*

Point culminant des deux semaines de festivité de Noël, la fête des Rois commémore la rencontre entre Jésus et les Mages. Les Mexicains célèbrent l'Épiphanie par des cérémonies qui leur sont propres, et c'est à cette date que s'échangent les cadeaux de Noël. Ce jour-là aussi, on déguste la brioche des Rois, en forme de couronne, fourrée de fruits confits, couverte d'un glaçage et décorée de fruits glacés.

Ci-contre : Indiens mayas en costume traditionnel, exécutant la danse de la bouteille.

Ci-dessous : danseuse mexicaine en robe traditionnelle d'inspiration espagnole.

Février – Le carnaval

Le carnaval commence la semaine précédant le début du carême, et dure cinq jours. Défilés de chars aux couleurs éclatantes, danses au milieu des rues et banquets figurent au programme des réjouissances.

Avril – La *Semana Santa*

La semaine sainte, clôturée par le lundi de Pâques, représente une période importante du calendrier mexicain, notamment pour les nombreux catholiques du pays. À cette occasion, une tradition purement mexicaine veut que, entre parents et amis, on s'ouvre sur la tête des œufs emplis de confettis.

Le 5 mai – *Cinco de Mayo*

Le 5 mai commémore la défaite de l'armée française à la bataille de Puebla, en 1862 – Napoléon envoya alors 30 000 soldats au Mexique, si bien qu'au bout d'un an les Français avaient reconquis le pouvoir. Si le *Cinco de Mayo* revêt une signification particulière dans l'État de Puebla, il est célébré dans le pays tout entier, ainsi que dans certains États américains à forte population mexicaine, notamment le Texas et le sud de la Californie. Cette fête nationale est aujourd'hui l'occasion de mettre à l'honneur la culture, la musique et les boissons mexicaines.

Ci-dessus : crânes en sucre vendus le Jour des morts, l'une des fêtes mexicaines les plus importantes.

16 septembre – Fête de l'Indépendance

Cette date marque le début, en 1810, de la révolte contre les Espagnols. Dans le monde entier, les bars et les restaurants mexicains ne manquent pas de célébrer cette fête.

1er et 2 novembre – *Los Días de los Muertes*

Communément appelée « Jour des morts », cette fête dure en fait 48 heures. Elle est à la fois la survivance d'une coutume aztèque et la célébration de la Toussaint chrétienne.

Selon une croyance ancestrale, les âmes des défunts reviendraient chaque année sur terre afin de partager quelques moments avec leur famille. Les Mexicains se réunissent donc à cette occasion autour de la sépulture de leurs parents disparus. Ils apportent les mets que ceux-ci préféraient de leur vivant, ainsi que des plats symboliques spécifiques à cette fête, dont un dessert sucré à la citrouille et des *tamales*. On allume des bougies sur la tombe, on fait brûler de l'encens et, dans une ambiance joyeuse, on prie, on mange et l'on boit. Bien qu'il s'agisse d'un hommage aux disparus, cette fête est considérée comme un moment de réjouissance. Car les Mexicains pensent que la vie doit être vécue pleinement et que la mort est seulement une étape du cycle de la vie.

25 décembre – *Navidad*/Noël

Durant les douze jours précédant le 25 décembre, les *posadas* – des processions mettant en scène Joseph et Marie sur l'âne, en quête d'un abri – annoncent la fête de Noël. Pour la plupart des Mexicains, le jour de Noël ouvre une période de deux semaines de vacances, qu'ils passent généralement en famille. L'après-midi est consacrée à un repas familial débutant traditionnellement par la *rosca*, une sorte de brioche dans laquelle est dissimulée une petite figurine de céramique à l'effigie de l'Enfant Jésus. Celui qui découvre la fève dans sa part de brioche doit organiser une fête chez lui le 2 février, pour *Día de Candelaria* (la Chandeleur). Le plat principal du repas de Noël, le *mole poblano*, se compose de dinde cuisinée avec des piments, des noix, des tomates, de l'ail, de la cannelle et du chocolat. Il est accompagné de *tamales blancos*, des feuilles de maïs farcies d'une préparation à base de farine de maïs.

Ci-dessous : à l'occasion du 1er novembre, une vitrine propose le « pain de la mort ».

Les mariages mexicains

Presque toujours, les mariages sont célébrés à l'église. Selon la tradition, les époux sont réunis par le *lazo*, un grand rosaire qui les entoure tous deux pendant la cérémonie. Les *padrinos*, un homme et une femme choisis par les conjoints, leur offrent des pièces d'or et d'argent, une Bible et un rosaire. Les pièces symbolisent la prospérité. Lors du banquet qui suit le service religieux, on sert généralement des biscuits de mariage à base d'amandes et de beurre, cuits au four puis saupoudrés de sucre glace, dont la consistance rappelle celle des sablés.

LA CUISINE MEXICAINE DANS LE MONDE

La mode des restaurants mexicains et des établissements offrant ce que l'on appelle aujourd'hui de la cuisine « tex-mex », c'est-à-dire des plats mexicains teintés d'une touche texane, a été lancée en Europe il y a une dizaine d'années, alors qu'elle était déjà bien ancrée aux États-Unis. Ces restaurants ne fournissent malheureusement pas toujours une image très représentative de la gastronomie mexicaine, délicieuse et si variée. On peut cependant leur reconnaître le mérite d'avoir su éveiller l'intérêt pour la cuisine de ce pays et, aujourd'hui, le véritable amateur recherche des préparations plus authentiques. En outre, le développement du tourisme au Mexique a contribué à faire connaître la véritable cuisine mexicaine.

Les États-Unis

Les Mexicains qui, pour des raisons politiques, économiques ou personnelles, ont émigré aux États-Unis y ont fondé leurs propres communautés. Au sud de la Californie et au Texas par exemple, régions historiquement liées au Mexique avec lequel elles partagent une frontière, les Mexicains sont nombreux, et c'est donc là que l'on peut déguster la meilleure cuisine mexicaine. Au fil des ans, les recettes ont cependant évolué afin de s'adapter au goût des Américains. Si l'on utilise ici des ingrédients authentiques, certains produits américains entrent aussi dans la composition des plats. Ce style de cuisine, auquel on accole souvent le terme de « fusion », consiste à associer dans une même préparation des saveurs issues de cultures différentes, d'où le risque de dénaturer les traditions culinaires de chaque pays et, par là même, de modifier la perception que l'on en a. Si, au sud de la Californie et au Texas, on peut aisément se procurer de véritables ingrédients mexicains – la frontière est proche, et la modernisation des moyens de transport a permis l'importation des produits frais –, il n'en est pas de même dans le reste des États-Unis. En effet, tous les produits mexicains ne sont pas commercialisés dans l'ensemble des États. Certains fruits notamment, ainsi que certaines variétés de piments sont parfois difficiles, voire impossibles à trouver. En revanche, les haricots roses, les courges, les avocats et le chocolat font aujourd'hui partie intégrante du régime alimentaire des Américains, si bien que l'on en oublie souvent leur origine mexicaine.

Ci-dessous : une fois séchés, les piments mexicains sont exportés dans le monde entier.

Ci-dessus et ci-dessous : les stands de restauration rapide proposant des plats mexicains et tex-mex se sont multipliés aux États-Unis, surtout dans le sud. Ces photos ont été prises au Nouveau-Mexique.

L'Europe

Le développement du tourisme et la mode des cuisines exotiques, ainsi que l'apparition d'une multitude d'émissions télévisées et de magazines consacrés au voyage ont suscité un véritable engouement pour la cuisine mexicaine. En Scandinavie, par exemple, cette mode fait fureur.

Dans les supermarchés et les épiceries spécialisées, on trouve de plus en plus de variétés de piments, frais ou séchés ; depuis quelques années, on peut aussi acheter des tortillas toutes prêtes, emballées sous vide, qui se conservent longtemps et qu'il suffit de réchauffer au micro-ondes. Le cuisinier moyen est donc désormais en mesure de préparer chez lui un grand nombre de plats mexicains. Grâce aux sauces et garnitures prêtes à l'emploi, la confection des *fajitas* et des *enchiladas* est devenue un jeu d'enfant. Ces produits industriels sont cependant loin d'égaler les préparations maison : le guacamole commercialisé dans les supermarchés, par exemple, est souvent additionné de mayonnaise, ce qui allonge sa conservation mais appauvrit sa saveur.

Ci-dessus : ballots de tequila, une boisson dont la popularité ne cesse de croître.

Ci-dessous : sur un stand américain, vente de maïs grillé à la mode mexicaine.

Parallèlement, les restaurants commencent à mettre en valeur les spécificités régionales. *Burritos*, *nachos* et *chichimangas*, par exemple, sont aujourd'hui des mets bien connus. Après avoir découvert que la cuisine indienne ne se limitait pas au poulet au curry, le grand public se familiarise maintenant avec la richesse et la diversité de la cuisine mexicaine.

Certains fournisseurs spécialisés vendent par correspondance, à des prix tout à fait raisonnables, des produits mexicains de qualité, et ceux-ci permettent de recréer chez soi des plats au goût authentique. Il est également possible de commander des ustensiles traditionnels tels que le *metate* (la meule servant à moudre la *masa harina*), le *molcajete* et le *tejolote* (le pilon et le mortier mexicains). Toutefois, ces instruments ne sont pas indispensables : un mixer peut remplir le même office.

Restaurants

En Amérique, et dans une moindre proportion en Europe, des chaînes de restauration se sont spécialisées dans la cuisine mexicaine et tex-mex. Cependant, comme les cartes de ces prétendus tex-mex se limitent souvent aux hamburgers, steaks ou préparations à base de tortillas, beaucoup de gens sont persuadés que la gastronomie mexicaine se résume à ces plats. Et même les restaurants se targuant de servir une cuisine authentique perpétuent le mythe qui veut que les Mexicains se nourrissent de monceaux d'aliments, souvent insipides, nappés de fromage fondu, de crème aigre, de guacamole et de salsa. Aux États-Unis néanmoins, de plus en plus de petits établissements offrent une gamme de plats typiques, en provenance de toutes les régions du Mexique. Cette tendance, nous l'espérons, ira en se développant.

Ci-dessus : le chocolat est aujourd'hui un aliment tellement répandu que l'on en oublie souvent qu'il nous vient du Mexique.

LES USTENSILES

La préparation des plats mexicains ne nécessite pas de matériel très spécialisé. Les cuisines mexicaines modernes sont aujourd'hui presque toutes équipées d'un mixer, qui permet de hacher ou de moudre la plupart des ingrédients. Les ustensiles énumérés ci-dessous vous faciliteront toutefois certaines tâches et, si vous devenez un adepte de la cuisine mexicaine, l'investissement mérite d'être envisagé.

À droite : presse à tortillas.

Ci-dessus : metate.

Ci-dessous : comal.

La presse à tortillas

Traditionnellement, les tortillas sont confectionnées à la main. Les plus habiles des cuisinières parviennent, en un temps record, à fabriquer un nombre impressionnant de tortillas aux formes parfaites. Cet art tend toutefois à disparaître au profit des presses à tortillas métalliques. Les presses en fonte, très fonctionnelles, doivent être graissées avant usage et entretenues avec le plus grand soin ; c'est pourquoi beaucoup de personnes leur préfèrent les presses en acier. Quelles que soient leurs dimensions, elles sont toujours très lourdes. Pour décoller plus facilement les tortillas de la presse, on peut couvrir les plaques d'un film plastique ou de papier sulfurisé. Les presses à tortillas sont vendues dans les magasins d'articles ménagers spécialisés, ou par correspondance.

Le *comal*

Il s'agit d'une plaque ronde et fine, qui sert à faire cuire les tortillas au feu de bois, comme l'exige la tradition. Une plaque en fonte ou une grande poêle à frire feront cependant tout aussi bien l'affaire.

Le *metate*

C'est la meule de pierre utilisée pour moudre le maïs destiné à la fabrication de la *masa*, le cacao et le *piloncillo* (sucre de canne non raffiné). Constitué d'une pierre volcanique inclinée et munie de trois petits pieds, le *metate* est un outil qui existe depuis plusieurs siècles. Avant la mise en service d'un *metate* neuf, on place sur la surface de la meule un mélange de riz séché et de sel, puis on écrase cette mixture avec le *muller* (l'instrument servant de pilon) afin d'éliminer tout résidu de sable ou de gravillon. Le *muller*, parfois aussi appelé *mano* ou *metlapil*, est fabriqué dans la même pierre que le *metate*. Rarement commercialisés en dehors du Mexique, ces ustensiles peuvent être achetés par correspondance.

Le *molcajete* et le *tejolote*

En pierre volcanique poreuse, le *molcajete* et le *tejolote* (le mortier et le pilon mexicains) doivent subir le même traitement que le *metate* avant leur utilisation. Ils sont parfaits pour moudre l'achiote, les noix et les graines nécessaires à la confection du *mole poblano*.

Le chauffe-tortillas

Petit panier rond ou plat en terre muni d'un couvercle, il permet de garder les tortillas au chaud. Ses dimensions, quand on l'achète en dehors du Mexique, conviennent aux tortillas de 15 cm de diamètre. On le trouve dans les boutiques d'articles ménagers spécialisées.

Ci-dessous : molinollo *et fouet métallique.*

À droite : molcajete *et* tejolote.

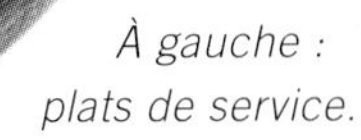

À gauche : plats de service.

Ci-dessus : Ollas.

Les *ollas*

Ces marmites traditionnelles en terre sont employées pour la cuisson des ragoûts et des sauces, auxquels elles confèrent une saveur unique. Du fait de leur fragilité, on en trouve malheureusement peu à l'étranger. En revanche, les plats de service, aux bords décorés, sont très répandus des frontières mexicaines.

Le *molinollo*

Cet ustensile en bois sculpté, il sert à fouetter le chocolat au lait. Certains sont très beaux et plaisent beaucoup aux touristes. On peut le remplacer par un fouet métallique.

Les ingrédients

Le Mexique est un vaste pays, où sols et climats varient en fonction des régions. L'éventail des ingrédients entrant dans la composition des plats mexicains est donc extrêmement large. Les Mexicains ont aussi su adapter les denrées et les recettes importées par les colons. Si certains de leurs aliments préférés vous seront familiers, d'autres vous sembleront plus surprenants, et d'autres vous seront totalement inconnus. Mais comme la popularité de la cuisine mexicaine ne cesse de croître, on trouve un peu partout dans le monde un choix de plus en plus grand des produits. Ce chapitre fait l'inventaire des principaux ingrédients nécessaires, et fournit des conseils pour les choisir, les préparer et les conserver.

LE MAÏS (GRAINS ET FARINE)

Les Indiens du Mexique considéraient le maïs comme un présent divin. En effet, comment expliquer autrement, que cet aliment aux usages multiples puisse être si résistant et s'adapter à tous les types de terrains, à tous les climats ? Les Indiens comblaient donc d'offrandes le dieu du maïs ; ils lui consacraient de nombreuses cérémonies et inséraient dans leurs peintures de minuscules grains de pollen de maïs pour conférer à l'œuvre d'art des vertus miraculeuses.

Le maïs revêt une telle importance culturelle que, dans la cérémonie de mariage traditionnelle des Indiens navajos, la grand-mère de la mariée offre au couple un panier de farine de maïs, et les futurs époux en échangent une petite poignée.

Ci-dessus : maïs blanc.

Selon un mythe populaire, le maïs serait la matière première à partir de laquelle les dieux ont créé l'homme, et cette céréale conserve toute son importance puisque, aujourd'hui encore, elle représente 20 % de l'alimentation humaine dans le monde.

Les Mexicains utilisent toutes les parties de l'épi de maïs : les soies servent à préparer des médicaments ; les grains sont consommés par les humains, les tiges par les animaux. Les feuilles sont employées dans la préparation des *tamales* (à Oaxaca, les *tamales* sont enroulées dans des feuilles de bananier, qui leur confèrent une saveur particulière), mais aussi pour envelopper d'autres aliments : après cuisson, elles se décollent de la garniture et ne sont pas consommées.

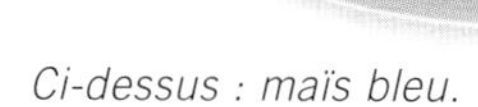

Ci-dessus : maïs bleu.

Ci-dessous : feuilles de maïs.

Variétés et usages

« Maïs » est un terme générique qui désigne une céréale. Avec le blé et le riz, le maïs constitue l'une des principales ressources céréalières du monde. Originaire des Amériques, il a été introduit en Europe par Christophe Colomb. Bon nombre de produits sont élaborés à partir du maïs, notamment le bourbon et la farine.

Il est très facile d'obtenir des variétés hybrides, car le maïs mute et s'adapte parfaitement à l'environnement. Les principaux types de maïs propres à l'alimentation humaine se divisent chacun en plusieurs variétés.

Le maïs indien, ou **maïs à grains**, peut être rouge, bleu, brun ou pourpre ; c'est pourquoi il est aujourd'hui très souvent employé dans les nouvelles formes de cuisine, pour la confection de tortillas bleues ou rouges par exemple. Le pop-corn se prépare avec une variété de maïs indien. Ce type de maïs, dont les grains sont très durs, est toutefois principalement utilisé dans l'industrie agroalimentaire ou pour l'alimentation des animaux.

Le maïs jaune porte parfois le nom de maïs « denté », à cause de la forme de ses grains. Le maïs jaune présente de gros grains, riches en saveur, que l'on utilise dans l'industrie agroalimentaire et dans la fabrication du sirop, de la farine et de l'huile de maïs.

Le maïs blanc est à la base de la *masa*, une pâte très employée dans la cuisine mexicaine. L'adjectif « blanc » peut sembler étrange, car la *masa* tire plutôt sur le jaune, mais les grains sont nettement plus pâles que ceux des variétés dites jaunes.

Le maïs à farine, en grande partie composé d'une fécule tendre, est facile à moudre. On en fait de la farine à pâtisserie. Cette farine très blanche est le principal constituant de la crème anglaise instantanée en poudre.

Ci-dessous : maïs rouge.

Préparer les feuilles de maïs
Avant d'être utilisées, les feuilles de maïs séchées doivent retrouver leur élasticité. Voici comment procéder.

Faites tremper les feuilles de maïs plusieurs heures dans de l'eau froide. Quand elles sont devenues souples, retirez-les de l'eau et séchez-les.

Posez les feuilles sur une surface sèche. Mettez la garniture et confectionnez des petits paquets. Attachez-les avant de les cuire à la vapeur.

Le maïs doux contient plus de sucre que les autres variétés. Une fois grillés, les grains se mangent à même l'épi. Les *elotes con crema* constituent l'un des encas préférés des Mexicains : il s'agit d'épis de maïs grillés, trempés dans de la crème, puis saupoudrés de fromage frais. Si on les détache de l'épi, les grains s'accommodent en soupes ou en plats de légumes. Aussitôt l'épi cueilli, le sucre contenu dans les grains commence à se transformer en fécule et le maïs perd alors de sa douceur naturelle : c'est pourquoi il faut le consommer le plus frais possible. Avant de faire cuire les épis à l'eau, à la vapeur ou au four, ôtez les feuilles et les soies (les longs fils qui portent le pollen). Le maïs doux se cuit également au gril ou au barbecue. Les grains deviennent croquants et acquièrent un délicieux goût fumé. C'est ainsi que sont préparés les épis que vendent les marchands ambulants mexicains.

La *masa* et la *masa harina*
Masa est le terme mexicain qui désigne la pâte fraîche utilisée dans la confection des tortillas et autres plats à base de maïs. Traditionnellement, la farine – ou *masa harina* – est confectionnée avec des grains de maïs blancs séchés au soleil ou sur le feu, que l'on fait cuire à l'eau avec de la chaux. Ensuite, les grains trempent toute une nuit dans cette eau de cuisson. La chaux contribue à faire gonfler les grains et induit une transformation chimique qui améliore nettement le goût de la *masa*. Encore imbibé, le maïs est moulu sur le *metate* – la meule de pierre que toute cuisinière mexicaine qui se respecte se doit de posséder. La *masa* ainsi obtenue est utilisée pour la préparation des tortillas. Pour les *tamales*, on y ajoute du bouillon de poulet et du saindoux.

Aux États-Unis, on peut acheter de la *masa* fraîche dans les usines de production de tortillas. Ailleurs, elle n'est pas commercialisée. Préparer soi-même la *masa* prend beaucoup de temps, et il n'est pas facile de se procurer de la chaux alimentaire. Si vous décidez de tenter l'expérience, faites-en une grande quantité et vous en congèlerez ensuite une partie. La *masa* se prête bien à la congélation, mais elle ne se conserve que quelques jours au réfrigérateur.

Dans certaines régions du Mexique, on sert des plats à base de *masa* préparée avec du maïs bleu. La méthode de fabrication est la même, seul le type de maïs est différent.

Ci-dessus : maïs imbibé, moulu sur le metate *traditionnel.*

À droite : deux types de masa harina.

Les tortillas de maïs

Prévoyez une presse à tortillas et deux sacs en plastique, découpés si nécessaire, afin de reposer à plat sur les plaques de la presse. Traditionnellement, les tortillas sont cuites sur une plaque spéciale, le *comal*, mais on peut utiliser une plaque en fonte ou une poêle à frire à fond épais.

Pour 12 tortillas de 15 cm

INGRÉDIENTS
275 g de *masa harina*
1 pincée de sel

1 Mettez la *masa harina*, le sel et 25 cl d'eau chaude dans une jatte. Mélangez avec une cuillère en bois pour obtenir une pâte.

2 Posez la pâte sur une surface légèrement farinée et pétrissez-la 3 à 4 min jusqu'à ce qu'elle soit ferme, lisse et non collante. Remettez la pâte dans la jatte et couvrez-la d'un film plastique. Laissez reposer 1 h à température ambiante.

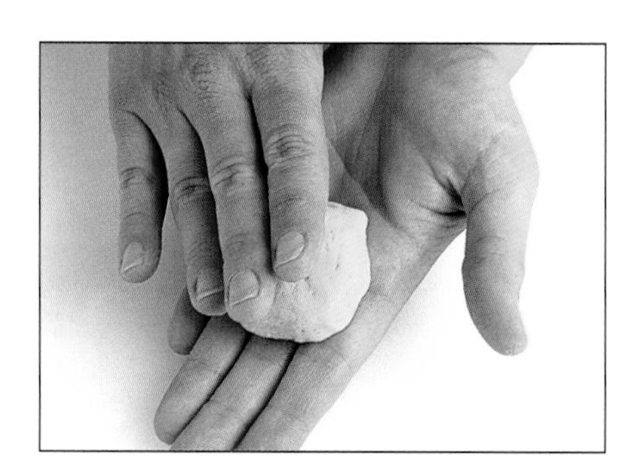

3 Divisez la pâte en 12 morceaux égaux. Pour éviter qu'ils se dessèchent, sortez-les de sous le film plastique au fur et à mesure, et travaillez-les pour former des boules.

4 Ouvrez la presse et placez une feuille de plastique sur la base. Posez une boule de pâte dessus et pressez avec la paume de la main pour l'aplatir légèrement.

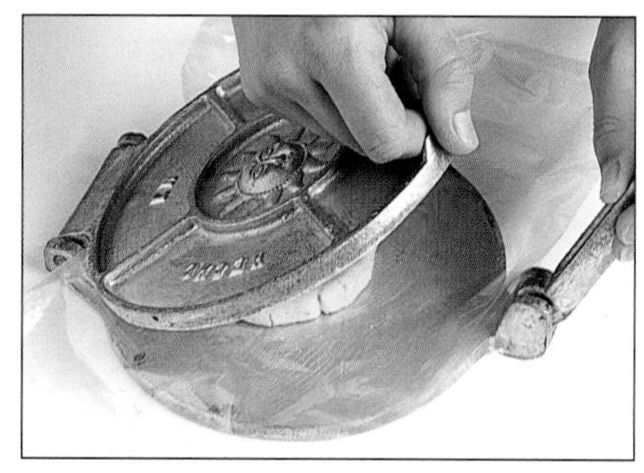

5 Placez une autre feuille de plastique sur la pâte et refermez la presse. Appuyez plusieurs fois afin de donner à la boule la forme d'un disque plat.

6 Mettez une grande poêle ou une plaque en fonte sur feu moyen. Ouvrez la presse et retirez la tortilla, en la maintenant entre les deux feuilles de plastique. Décollez précautionneusement la première feuille, retournez délicatement la tortilla sur la paume de votre main et enlevez la seconde feuille.

7 Déposez la tortilla dans la poêle (ou sur la plaque) chaude et faites-la cuire environ 1 min, jusqu'à ce que le dessous soit légèrement cloqué et commence à dorer. Retournez la tortilla avec une spatule.

8 Mettez un torchon propre dans un grand plat allant au four. Transférez la tortilla cuite dans le plat, enveloppez-la avec le torchon et couvrez avec un couvercle. La tortilla est ainsi maintenue au chaud pendant que vous faites cuire les suivantes.

CONSEIL

Si vous ne possédez pas de presse à tortillas, placez la pâte entre deux feuilles de plastique et étalez-la au rouleau.

La *masa* et les tortillas

Traditionnellement, les tortillas sont confectionnées avec de la *masa*. Ce mélange de maïs blanc séché et de chaux alimentaire est difficile à se procurer en petites quantités. Pour préparer les tortillas, le cuisinier a souvent recours, y compris au Mexique, à de la *masa harina*, la farine à base de *masa* séchée et moulue. Il ne faut pas confondre la *masa harina* avec la farine de maïs ou la Maïzena : ces deux dernières ne sont ni trempées ni cuites dans de la chaux. Le goût des tortillas à base de *masa harina* diffère un peu de celles qui sont préparées avec de la *masa fraîche*, mais l'utilisation de la farine les rend beaucoup plus faciles à cuire et évite d'avoir recours au *metate*.

Les tortillas de blé

Dans le nord du Mexique, et notamment dans les régions de Sonora et Chihuahua qui produisent beaucoup de blé, on prépare souvent les tortillas avec de la farine de froment. À la différence des tortillas de maïs, elles contiennent du saindoux, ce qui les rend plus souples. Pour obtenir un résultat satisfaisant, il faut choisir une farine de bonne qualité.

Pour 12 tortillas de 25 cm

INGRÉDIENTS

- 500 g de farine tamisée
- 1/2 cuil. à café de levure chimique
- 1 pincée de sel
- 100 g de saindoux

1 Dans une jatte, mélangez la farine, la levure et le sel. Ajoutez le saindoux et travaillez du bout des doigts. Incorporez assez d'eau pour obtenir une pâte ferme.

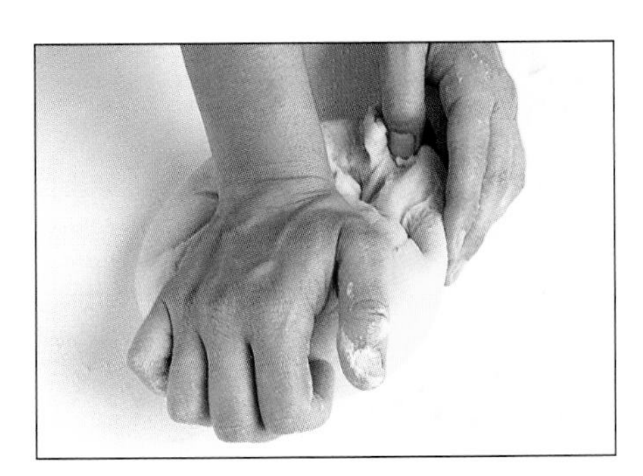

2 Transférez la pâte sur un plan de travail légèrement fariné et pétrissez-la pendant 10 à 15 min pour la rendre élastique.

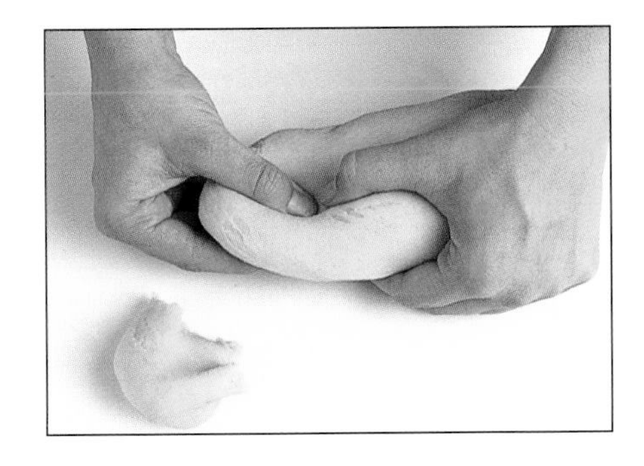

3 Divisez la pâte en 12 morceaux égaux. Transformez-les boules dans la paume de la main. Pendant que vous travaillez un morceau, couvrez les autres avec un film plastique pour éviter qu'ils se dessèchent.

4 Étalez chaque boule au rouleau sur une surface légèrement farinée. Après chaque passage, faites décrire un quart de cercle au rouleau afin d'obtenir un disque d'environ 30 cm de diamètre.

5 Sur feu moyen, mettez à chauffer une plaque en fonte ou une poêle à fond épais, sans matière grasse. Faites-y cuire les tortillas une par une, jusqu'à ce que le dessous commence à cloquer et à brunir. Retournez la tortilla et faites-la cuire environ 1 min de l'autre côté.

6 Pour que les tortillas restent chaudes et souples pendant que vous préparez les suivantes, posez-les dans un torchon.

CONSEILS

- Si les tortillas de maïs se cassent lorsque vous les pressez, remettez la pâte dans la jatte et ajoutez-lui un peu d'eau.
- Si vous souhaitez réchauffer des tortillas, arrosez-les de quelques gouttes d'eau, enveloppez-les dans du papier d'aluminium et placez-les environ 10 min au four préchauffé à 140 °C (th. 4). Ou bien enveloppez-les dans du film plastique et passez-les environ 20 s au micro-ondes, à la puissance maximale.

Quelques idées de garniture pour les tortillas

- Coupez un blanc de poulet, sans peau, en fines tranches et faites-le sauter avec des lamelles de poivrons rouge et jaune. Lorsque la viande est cuite, ajoutez le jus d'un citron vert et un peu d'origan frais. Salez et poivrez à votre goût. Garnissez de cette préparation les tortillas réchauffées. Ajoutez, si vous le souhaitez, du fromage râpé et une cuillerée à café de crème aigre.
- Mélangez des restes de riz avec des haricots « refrits », et réchauffez dans une poêle avec un peu d'huile. Déposez la garniture sur les tortillas et ajoutez du fromage râpé, des tranches de tomates et de la ciboule hachée.
- Faites sauter des champignons avec une grande quantité de poivre noir. Ajoutez un filet de sauce soja et un peu de crème fraîche épaisse. Complétez l'assaisonnement et déposez sur les tortillas.

Plier et faire cuire les tortillas

Beaucoup de préparations mexicaines utilisent les tortillas. Mais changent la façon de les plier, la garniture, le mode de cuisson.

Les *burritos*

Il s'agit de tortillas de blé contenant diverses garnitures, pliées de manière classique, dont les bords sont soudés avec de la farine et de l'eau.

Les *chichimangas*

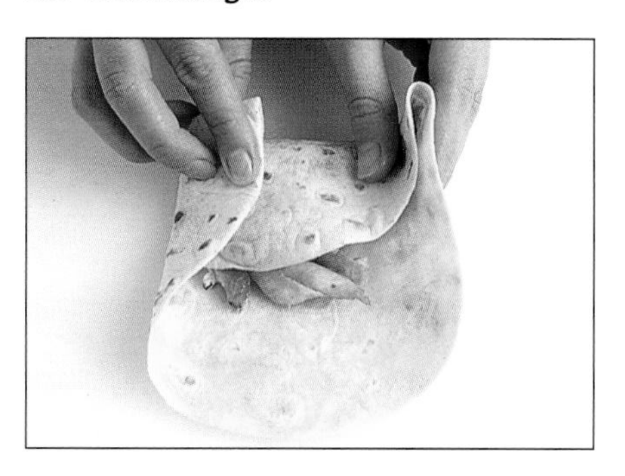

Le *chichimanga* est un *burrito* plié, puis placé au réfrigérateur pour souder ses bords. Ensuite, on le fait frire jusqu'à ce qu'il devienne croustillant et doré.

Les *chalupas*

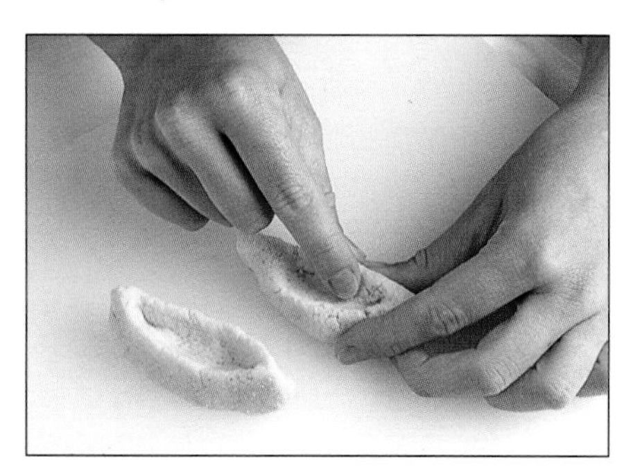

Ce sont des morceaux de *masa* travaillés en forme de bateaux, puis frits jusqu'à ce qu'ils deviennent opaques et dorés. Ils sont garnis de haricots, de salsa et de fromage.

Les *enchiladas*

Elles sont faites avec des tortillas de maïs, ou de blé. Un peu de garniture est placée au centre de chaque tortilla, puis celle-ci est roulée en forme de tube, un peu comme des cannellonis. Rangées côte à côte dans un plat, les tortillas farcies sont nappées de sauce et cuites au four. Parfois, la cuisson est terminée en mode gril.

Les *fajitas*

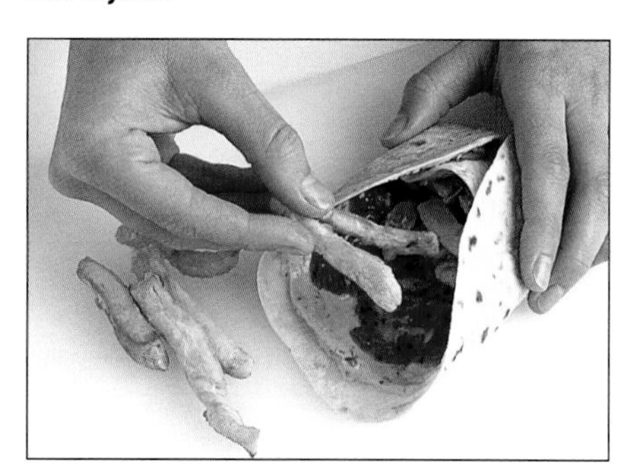

Voici une bonne idée pour une soirée entre amis : sur la table, on pose des tortillas bien chaudes et un assortiment de garnitures. Chaque convive fait son propre choix, puis il plie sa tortilla de façon qu'elle forme une poche autour de la garniture.

Les *flautas*

Ce sont des tortillas de maïs fourrées d'une préparation à base de poulet ou de porc, roulées très serré, puis frites.

Les *quesadillas*

Nappée sur une moitié d'une fine couche de salsa, une tortilla de maïs ou de blé est placée dans une poêle chaude. Parfois, on y ajoute des morceaux de poulet ou quelques crevettes, puis on saupoudre de fromage frais. La seconde moitié est repliée par-dessus la garniture, et la *quesadilla* ainsi obtenue est mise à cuire environ 1 min de chaque côté.

Les *tacos*

Les tortillas croquantes vendues sous le nom de *tacos* sont une invention tex-mex. Les véritables *tacos* mexicains sont des tortillas de maïs garnies et pliées en deux, mais qui demeurent toujours souples. Les *taquitos* sont des *tacos* miniatures, parfaits pour les pique-niques ou les buffets.

Les *tostadas*

Ce sont des petites tortillas de maïs frites, croquantes. Elles sont garnies de viande hachée, de haricots « refrits », de salsa, de guacamole, de crème aigre et d'un peu de fromage frais. La version conçue pour être mangée avec les doigts s'appelle *tostaditas*.

Les *totopos*

Ce sont des triangles de tortillas de maïs, frits jusqu'à devenir croustillants. Ils sont délicieux chauds, avec une salsa.

Les tortillas prêtes à l'emploi

Aujourd'hui, on trouve dans le commerce des tortillas et des chips de maïs toutes prêtes, qui facilitent grandement la préparation des mets mexicains.

Les tortillas de maïs

Beaucoup de supermarchés proposent, en général au rayon boulangerie, des tortillas de maïs fraîches de 15 cm. Elles conviennent parfaitement pour la confection des *tacos*, *tostadas*, *totopos* et *enchiladas*. Si elles ne se conservent pas très longtemps, elles supportent bien la congélation. Pour les réchauffer, conformez-vous aux instructions figurant sur l'emballage.

Les tortillas de blé

Elles sont commercialisées en différentes tailles : 15 cm, 20 cm ou 25 cm. Les plus petites sont idéales pour les *fajitas* ou les *quesadillas* ; celles de 20 cm conviennent pour les grosses *quesadillas* (à partager). Utilisez les plus grandes pour les *burritos* et les *chichimangas*, qui contiennent de garniture. Comme les tortillas de maïs, les tortillas de blé fraîches sont généralement vendues au rayon boulangerie des supermarchés ou, emballées sous vide, avec les produits exotiques. Celles qui se conservent longtemps sont souvent un peu plus sèches et plus rigides que les fraîches. Ces dernières peuvent être congelées. Les tortillas de maïs vendues dans le commerce contiennent fréquemment du saindoux ; c'est pourquoi elles sont plus souples que celles préparées à l'huile ou à la graisse végétale.

Ci-dessus : chips de maïs bleues et jaunes. Les chips nature, légèrement salées, sont idéales pour tremper dans de la salsa.

Les *tacos*

Invention tex-mex, ils sont si peu commodes à manipuler qu'ils détournent bon nombre de personnes de la cuisine mexicaine. Mais si la confection des *chalupas* représente une tâche trop lourde, les *tacos* les remplaceront avantageusement. Garnissez-les de salsa, de haricots et de fromage frais émietté.

Ci-dessus : tortillas de maïs.

Ci-dessous : bien qu'ils soient difficiles à manger, les tacos *permettent parfois de gagner du temps.*

Ci-dessous : tortillas de farine de froment.

Les chips de maïs

Leur qualité et leur authenticité varient beaucoup. Préférez celles qui sont vendues au rayon des produits exotiques à celles proposées avec les biscuits apéritif, souvent additionnées d'arômes artificiels et n'ayant qu'un lointain rapport avec ce que l'on sert au Mexique. Les chips nature, sont idéales pour tremper dans de la salsa.

Dans les épiceries spécialisées et les boutiques de produits diététiques, vous trouverez des chips de maïs biologiques ou naturellement colorées en rouge ou en bleu (à partir de grains de maïs de couleur). Présentées avec des chips jaunes, elles seront du plus bel effet. Réchauffez-les au four (thermostat faible, ou au micro-ondes).

LES HARICOTS ET LE RIZ

Les haricots jouent un rôle capital dans l'alimentation mexicaine. Très tôt, ils ont été cultivés par les Indiens en même temps que le maïs, et ces deux cultures coexistent de manière remarquable. À la longue, les plantations de maïs épuisent le sol dans lequel elles poussent, tandis que les haricots l'enrichissent par un apport d'azote. Les premiers habitants du Mexique en étaient déjà conscients, et pour cette raison ils cultivaient conjointement ces deux plantes. Les haricots contiennent par ailleurs des nutriments que ne renferme pas le maïs, et ils sont une bien meilleure source de protéines. Introduit dans le pays par les Espagnols, le riz constitue également une des denrées de base.

LES HARICOTS

Aujourd'hui encore, les haricots font partie des aliments les plus consommés au Mexique. Dans chaque maison, chaque jour, une marmite de haricots séchés mijote sur le feu. Les Mexicains consomment des haricots frais, mais la plupart du temps ils se servent de haricots secs, qui se conservent mieux. Leurs variétés et leurs couleurs égayent les étals des marchés.

Les variétés courantes

Les haricots roses et les haricots noirs sont les plus répandus. Frais ou séchés, les haricots de Lima sont également utilisés dans de nombreux plats ou accompagnements.

Les pois chiches, qui au Mexique portent le nom de *garbanzos*, ont été importés du Moyen-Orient. Devenus très populaires, ils entrent aujourd'hui dans la composition de nombreuses recettes.

Les haricots roses ou **haricots pinto** – terme qui, en espagnol, signifie « peint » et fait référence aux taches rouge-brun mouchetant la peau rose pâle de cette variété. Originaires d'Amérique latine, ils sont très répandus dans de nombreux pays hispanophones. Riches en protéines et en fer, ils ne sont commercialisés que séchés. Ils servent à préparer de nombreux plats, dont les *frijoles de olla*, recette simple servie quotidiennement dans la plupart des familles mexicaines. Cuits, ils constituent l'ingrédient de base des *refritos* (haricots « refrits ») et entrent dans la préparation de certaines sauces.

Les haricots noirs sont petits et ont une saveur très douce. Ils ont une peau noire et une chair de couleur crème. Attention à ne pas les confondre avec les cornilles, une variété blanche avec un petit œil noir. Après cuisson, la peau des haricots noirs devient luisante. On les utilise dans les soupes et les salsas, et ils remplacent aussi fréquemment les haricots roses dans les *frijoles de olla*. Malgré leur petite taille, ils exigent une longue cuisson : assurez-vous toujours qu'ils sont suffisamment tendres avant de les égoutter.

Ci-dessus : haricots roses.

Achat et conservation

Les haricots secs se conservent très bien, mais ils ne durent pas éternellement. Achetez-les en petites quantités. Une fois trempés puis cuits, ils révéleront toute leur saveur et leur fondant. Trop vieux, les haricots séchés deviennent secs et durs : ils ne sont plus bons qu'à servir de poids pour les pâtes à pâtisserie. Conservez-les à l'intérieur d'un récipient hermétique, dans un endroit frais et sec.

Préparation

Mettez les haricots secs dans une passoire, triez-les et ôtez les corps étrangers, puis rincez-les soigneusement sous le robinet d'eau froide. Égouttez les haricots, puis transférez-les dans une grande jatte que vous remplirez d'eau froide. Laissez

Ci-dessus : haricots noirs.

tremper plusieurs heures, de préférence jusqu'au lendemain. Si vous souhaitez les utiliser le jour même, faites-les bouillir 3 à 4 min dans une grande quantité d'eau, couvrez et laissez tremper 1 h avant de les faire cuire.

Conseils d'utilisation

Au Mexique, les haricots entrent dans la préparation de soupes, de garnitures pour tortillas, de diverses préparations de viande, ou bien ils constituent des plats à eux tout seuls.

Après le trempage, égouttez-les et mettez-les dans une grande casserole d'eau. Ne les salez pas, car le sel fait durcir leur peau. Portez à ébullition et laissez-les cuire aussi longtemps que l'exige votre recette – en général de 1 h à 1 h 30. La cuisson peut prendre un temps très variable, c'est pourquoi il vaut mieux goûter les haricots afin de s'assurer qu'ils sont suffisamment tendres.

LE RIZ

Le riz a été introduit au Mexique au XVIe siècle par les Espagnols. Au départ, le pays producteur qui alimentait le Mexique (et aussi l'Espagne) était les Philippines.

Les variétés disponibles

Les Mexicains cultivent et consomment du riz à grains longs, c'est-à-dire dont la longueur est quatre fois plus importante que la largeur. Le plus répandu est un riz blanchi à grains longs perlé, qui n'a toutefois pas été aussi raffiné que le riz blanc vendu dans les pays occidentaux.

Achat et conservation

En général, dans les pays occidentaux, le riz est vendu en paquets. Il se conserve fort bien au frais et au sec mais, une fois le paquet ouvert, il est conseillé de le transférer dans un récipient hermétique et de le consommer le plus rapidement possible. Pour les préparations mexicaines, mieux vaut utiliser un riz qui absorbe bien les saveurs des autres ingrédients. Le riz blanc à grains longs ordinaire convient parfaitement, cependant vous pouvez essayer d'autres variétés.

Conseils d'utilisation

Le riz entre dans la préparation de nombreux plats mexicains, de la *sopa seca* (la « soupe sèche »), servie lors de la *comida*, au riz au lait. Servi en accompagnement, il est généralement agrémenté d'autres ingrédients : piments verts, par exemple, pour le riz vert, ou *achiote* (graines de rocouyer) pour le riz jaune. Moulu, il se transforme en farine (*harina de arroz*) pour la confection de gâteaux ou de biscuits. La *horchata* est une boisson à base de riz trempé puis finement moulu. Pour réduire le temps de cuisson et rendre le riz plus perméable aux autres arômes, les Mexicains ont coutume de le faire tremper au moins 10 min dans de l'eau bouillante avant de le mettre à cuire. Après le trempage, égouttez-le soigneusement avant de le cuire.

À droite : riz à longs grains (en haut) et riz moulu.

CHOCOLAT, NOIX ET GRAINES

Les Mexicains raffolent des friandises et des pâtisseries. Les ingrédients qui entrent dans la composition de ces mets sucrés, comme le chocolat et divers types de noix et de graines, constituent des éléments importants de la cuisine mexicaine.

LE CHOCOLAT

Lorsque les Espagnols débarquèrent au Mexique, ils découvrirent une multitude d'aliments qui leur étaient jusqu'alors inconnus – dont la pomme de terre, la vanille, l'avocat et la courge. L'une des trouvailles les plus extraordinaires fut cependant le chocolat. Les Aztèques étaient particulièrement friands de cette boisson qu'ils préparaient avec les graines du cacaoyer et parfumaient avec divers ingrédients. Très vite, les Espagnols, puis le reste du monde, s'éprirent aussi de ce nouveau breuvage, et plus particulièrement de sa variante agrémentée de maïs, de miel et d'épices.

Ce furent les conquistadors qui rapportèrent le chocolat en Espagne. Il acquit sans tarder ses lettres de noblesse dans les villes d'Europe les plus en vogue. Dans un premier temps, on ne le consomma qu'en boisson, mais les femmes espagnoles apprirent bientôt à le mélanger avec du sucre, de la cannelle, des œufs et des amandes pour en faire une confiserie. Deux cents ans plus tard les Européens, fabriquaient des tablettes de chocolat – les femmes guatémaltèques avaient déjà découvert que, en pressant la poudre de chocolat, elles obtenaient des barres, plus facilement stockables. Puis les Mexicains se mirent à leur tour à produire leurs propres tablettes de chocolat, sucré et épicé, à la mode espagnole.

Le chocolat mexicain

À base de chocolat noir amer, de sucre, de noix moulues et de cannelle, il est conditionné en disques. Le chocolat mexicain a une texture granuleuse, due à la présence du sucre et des amandes, et il s'effrite facilement quand on le brise. L'une des marques les plus populaires est le chocolat Ibarra, reconnaissable à sa boîte jaune hexagonale. On le trouve à l'étranger chez certains fournisseurs spécialisés.

Achat et conservation

Le chocolat mexicain est vendu en paquets de cinq ou six disques emballés séparément dans du papier sulfurisé. Conservez-le dans un endroit frais et sec.

À gauche : chocolat Ibarra.

Préparation du chocolat mexicain

Si vous ne parvenez pas à vous procurer du chocolat mexicain, vous pouvez le confectionner vous-même avec du chocolat noir amer contenant au minimum 70 % de cacao.

Au mixer, réduisez en poudre fine 115 g de chocolat noir cassé en morceaux, 25 g d'amandes moulues, 50 g de sucre en poudre et 2 cuillerées à café de cannelle moulue. Si elle est placée dans un récipient hermétique, la poudre ainsi obtenue peut se conserver pendant 2 semaines au réfrigérateur.

Conseils d'utilisation

Au Mexique, le chocolat est surtout servi en boisson. Les Mexicains adorent la *champurrada*, un breuvage à base de chocolat et de maïs, ainsi que le classique chocolat chaud, fouetté avec un ustensile spécial, le *molinollo*, jusqu'à ce qu'il soit bien mousseux. Le chocolat chaud se déguste avec des *churros*, beignets allongés que l'on trempe dans le bol, ou du *pan dulce*, pain sucré consommé au petit déjeuner ou comme encas de fin de journée. Les ingrédients entrant dans la composition du chocolat mexicain le rendent impropre à la préparation des *moles* : on utilise donc du chocolat amer ou du cacao.

LES NOIX ET LES GRAINES

Les trois types de noix les plus fréquemment utilisées dans la cuisine mexicaine sont la noix de pecan, la noix et l'amande. Les noix de pecan sont cultivées dans le nord du Mexique. À l'origine importées d'Europe, les noix poussent aujourd'hui dans les régions montagneuses et froides du Centre. Les amandes, elles, furent apportées par les Espagnols à l'époque coloniale. Ils en interdirent cependant la culture intensive, de crainte que les Mexicains ne cessent de les importer d'Espagne.

Depuis des siècles, les graines de citrouille et de courge constituent un ingrédient capital de la cuisine mexicaine. La citrouille fut d'ailleurs principalement cultivée pour ses graines et l'on ne consommait pas sa chair. Les graines de sésame sont utilisées dans la confection de pâtes ou pour décorer des plats comme le *mole poblano*. Les pignons de pin sont employés dans bon nombre de desserts ou de pâtisseries, et les noix de coco sont très appréciées pour leur chair et leur lait rafraîchissant.

Achat et conservation

Une fois écalées, toutes les noix ont une durée de vie limitée car l'huile qu'elles contiennent rancit vite. Achetez-les au fur et à mesure de vos besoins et stockez-les dans un endroit frais et sec. Utilisez-les le plus rapidement possible. Les noix peuvent être congelées.

Conseils d'utilisation

Salées ou enrobées de sucre, les noix de pecan servent d'encas, mais elles sont surtout employées dans la préparation de desserts, dont le fameux gâteau aux noix de pecan. Entières, effilées ou en poudre, les amandes sont utilisées dans diverses recettes salées ou sucrées, et même dans les soupes. Les Mexicains ont aussi recours aux amandes moulues pour épaissir les sauces ou en guise de farine dans certains gâteaux et biscuits, tels les *polvorones de Nuez*, biscuits traditionnellement confectionnés au moment de Noël. Les amandes se prêtent aussi à la préparation de plats salés comme les *chiles en nogada*, des piments farcis à la sauce aux noix. Grillées et salées, les graines de citrouille se grignotent en encas. Moulues, elles entrent dans la composition de sauces comme le *pepián*. Les pignons de pin servent à la préparation de plats tel le *picadillo* ou, moulus, à la confection de desserts et de gâteaux.

Ci-dessus : noix de pecan, amandes et noix.

PILONCILLO – LE SUCRE MEXICAIN

Le Mexique produit un sucre de canne non raffiné appelé *piloncillo*. Il se présente sous forme de petits cônes et confère une saveur et une couleur spécifiques à toutes les préparations. Il n'est malheureusement pas encore commercialisé hors du Mexique, remplacez-le par de la cassonade.

À gauche : graines de citrouille (en haut), graines de sésame (à droite) et pignons de pin (en bas).

Faire griller des graines

Lorsque vous faites rôtir ou griller des graines de citrouille ou de sésame, surveillez-les de très près. Utilisez une poêle à fond épais, sur feu doux. Remuez ou secouez fréquemment afin que les graines soient constamment en mouvement. Si vous les laissez brûler, leur amertume gâchera la saveur du plat dans lequel vous désirez les incorporer.

LES FRUITS

Lorsqu'il traverse un marché mexicain, le visiteur est toujours frappé par l'assortiment bigarré de fruits de toutes tailles, formes et couleurs. Si certains lui sont familiers, comme les mangues, les papayes et les ananas, d'autres ne ressemblent à rien de ce qu'il connaît. Les fruits représentent une part importante de l'alimentation mexicaine et leurs vitamines permettent d'équilibrer un régime à base de maïs et de haricots. La plupart des fruits consommés au Mexique sont cultivés sur place. Parfois, les excédents sont exportés en Europe.

LES AGRUMES

Tous les types d'agrumes poussent au Mexique et, comme les fruits mûrissent sur l'arbre, ils sont généralement succulents.

Les variétés disponibles

Les citrons verts ont une peau très fine qui finit par jaunir si le fruit reste longtemps sur l'arbre. La pulpe est verte et juteuse. Les *limones* mexicains sont plus petits que d'autres variétés. De forme ronde, ils sont très parfumés.

Ci-dessous : citrons et citrons verts.

Les citrons sont plus allongés et leur peau, plus épaisse, est doublée d'une peau blanche. La pulpe est jaune et acide, avec un goût très différent de celui des citrons verts. **Les oranges** poussent à profusion au Mexique et l'on trouve facilement du jus fraîchement pressé, en particulier dans le sud. De teinte assez claire, les oranges mexicaines sont très sucrées et très juteuses.

Achat et conservation

On trouve rarement en Europe des citrons verts mexicains, mais on peut les remplacer par n'importe quelle autre variété. Prenez ceux qui sont de couleur vert foncé, avec une peau lisse, non desséchée. Le fruit doit sembler lourd par rapport à sa taille. Des petites taches brunes sur la peau ne signifient pas que le citron aura moins de saveur ou sera moins juteux. Au réfrigérateur ou dans une pièce froide, les citrons verts se conserveront pendant une dizaine de jours s'ils sont placés, entiers, dans un sac en plastique. Les citrons jaunes doivent être charnus, avec une peau non talée d'une belle couleur vive. Évitez les citrons dont la peau est teintée de vert : le fruit n'est pas assez mûr. Les oranges doivent se montrer plus lourdes que leur taille ne le laisse prévoir. Leur peau ne sera ni meurtrie, ni ratatinée, ni moisie. Les oranges se conservent à température ambiante.

Ci-dessus : oranges.

Préparation

En filaments ou râpé, le zeste des agrumes sert à décorer ou à aromatiser. Lorsque vous prélevez le zeste, veillez à ne pas entamer la peau blanche et amère ; vous l'enlèverez avant de couper le fruit en tranches ou en morceaux.

Conseils d'utilisation

Les citrons verts, les citrons et les oranges ont des utilisations multiples. Le jus de citron ou de citron vert permet de faire des conserves de légumes, par exemple des achards d'oignons (*cebollas en escabeche*). On l'utilise aussi pour rehausser le goût des ragoûts, des salades de fruits et des plats de légumes frais. Le principal emploi du citron vert – en dehors de la tequila – est sans doute le *ceviche* : le poisson ou les crustacés crus marinent dans le jus de citron vert jusqu'à ce que leur chair devienne aussi blanche et ferme que si elle était cuite. Le jus des agrumes retarde aussi l'oxydation de certains fruits et légumes, notamment l'avocat. La peau des oranges, des citrons et des citrons verts est parfois moulue pour en extraire l'essence, utilisée alors comme aromate.

LES GRENADILLES

Les grenadilles appartiennent à la famille des fruits de la Passion. Originaires d'Amérique du Sud, elles sont rondes avec une petite tige et ressemblent à des boules de Noël. L'écorce, très dure, est orange vif. La pulpe est gris-vert et contient de nombreuses graines. Son goût et son odeur rappellent les agrumes. La chair est moins parfumée que celle des fruits de la Passion, plus petits, d'un noir violacé.

Achat et conservation

Contrairement aux fruits de la Passion, dont la peau est fripée et mouchetée quand ils sont mûrs, les grenadilles doivent être lisses, non talées. À température ambiante, elles peuvent être conservées pendant une semaine. La pulpe est juteuse quand le fruit est bien mûr, mais elle se dessèche si on garde la grenadille trop longtemps.

Préparation

Coupez le fruit en deux. À l'aide d'une cuillère à café, extrayez la pulpe. Les graines sont comestibles, mais vous pouvez aussi les retirer en utilisant un filtre.

Conseils d'utilisation

Avec ou sans les graines, la pulpe de grenadille se déguste en dessert. Souvent, elle arrose les glaces ou les salades de fruits, nature ou en coulis. Filtrée et mélangée avec du jus d'orange, cette pulpe de grenadille devient une délicieuse boisson.

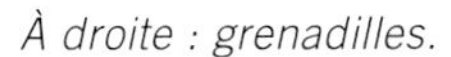

À droite : grenadilles.

LES GOYAVES

Originaires des zones tropicales d'Amérique du Sud, les goyaves, qui portent au Mexique le nom de *guayabas*, poussent dans les régions les plus chaudes du Mexique. Le goyavier peut atteindre dix mètres. Son écorce est lisse, ses fleurs sont blanches et odorantes. La goyave est une excellente source de vitamine C. Depuis des siècles, les Mexicains confectionnent des confitures et des gelées de goyaves. Dégustez-les telles quelles ou avec du fromage frais à pâte molle.

À gauche : goyaves.

Description

La couleur, la forme et la taille des goyaves sont très variables. La goyave jaune est la variété la plus répandue au Mexique. Mûre, elle dégage une odeur légèrement musquée, fort peu agréable. L'écorce est assez épaisse. Elle contient une pulpe crémeuse, qui renferme de nombreuses graines comestibles. La chair a une saveur douce, légèrement acide.

Achat et conservation

Choisissez des goyaves fermes et non meurtries. Si elles ne sont pas à maturité, elles mûriront très vite à température ambiante. Les goyaves mûres, en revanche, doivent être conservées dans un endroit frais et sombre – ou au réfrigérateur –, car elles fermentent très rapidement et cessent alors d'être mangeables.

Préparation

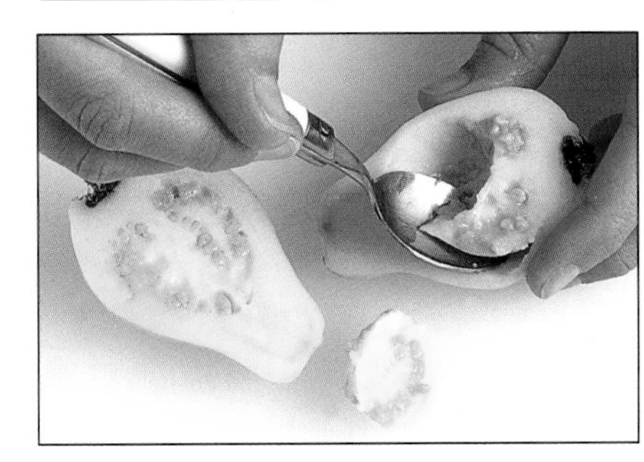

Coupez le fruit en deux et raclez la chair avec une cuillère. Les graines sont comestibles, mais vous pouvez les enlever en vous servant d'un filtre.

Conseils d'utilisation

Les goyaves se consomment généralement en dessert, mais leur saveur se marie bien avec les plats salés. Les coulis de goyaves servent à napper les gâteaux ; les sauces salées à la goyave sont excellentes avec les poissons.

Au Mexique, on fait bouillir la chair de la goyave avec du sucre, du jus de citron, de la cannelle et d'autres épices jusqu'à l'obtention d'une purée épaisse ; une fois refroidie, elle est dégustée nature ou avec du fromage. Avec les goyaves, on fait également des condiments et des achards.

Préparer une mangue

1 Posez la mangue sur une planche à découper, côté effilé vers vous. Taillez une grosse tranche dans la longueur, en enfonçant le couteau le plus près possible du noyau. Retournez le fruit et procédez de la même manière de l'autre côté. Prélevez la chair qui adhère encore au noyau.

2 Incisez la chair de chaque tranche en dessinant des croisillons espacés d'1 cm. Veillez à ne pas entamer la peau.

3 Retournez chaque moitié de mangue. Les dés de chair s'écartent. Séparez-les de la peau ou laissez-les tels quels, pour une présentation en « hérisson ».

LES MANGUES

Sans doute le plus populaire des fruits tropicaux, la mangue, lorsqu'elle est bien mûre, dégage un parfum délicieux. Sa chair, succulente, a la consistance du beurre. Cependant les mangues mexicaines ont parfois une saveur légèrement résineuse.

Les variétés disponibles

Il existe une infinie de variété de mangues. Dans un premier temps, toutes sont vertes ; puis, lorsqu'elles mûrissent, elles deviennent jaunes, dorées ou bien rouges.

Achat et conservation

Pour savoir si une mangue est mûre, approchez votre nez : une mangue mûre dégage un arôme très prononcé. Ensuite, pressez-la délicatement : le fruit doit être souple au toucher. Pour faire mûrir des mangues, placez-les dans un sac en papier avec une banane. Mangez-les dès qu'elles sont mûres.

Préparation

On prétend que c'est en prenant un bain que l'on apprécie les mangues à leur juste valeur. Quoi qu'il en soit, utilisez un couteau bien aiguisé et taillez une tranche, dans la longueur, de chaque côté du fruit, aussi près du noyau que possible. À la cuillère, extrayez la chair de la peau puis prélevez au couteau la chair qui adhère encore au noyau.

Conseils d'utilisation

Les Mexicains consomment les mangues nature, mais aussi dans toute une gamme de desserts et de boissons, alcoolisées ou non. Les margaritas à la mangue sont délicieuses.

LES ANANAS

L'ananas est originaire d'Amérique du Sud. Des documents historiques attestent la culture de l'ananas par les populations indigènes du Mexique bien avant l'arrivée des conquistadors. En revanche, les Espagnols et les Portugais introduisirent ce fruit dans d'autres pays tropicaux.

Les variétés disponibles

Surmontés d'une touffe de feuilles vertes, les ananas ont une peau dure, à motif d'écailles, dont la couleur peut varier. Lorsqu'ils sont mûrs, la plupart sont jaunes ou orange, mais la variété Sugar Loaf, qui pousse au Mexique, est verte. Sa chair jaune est très juteuse. La saveur

Ci-dessus : mangues.

peut être sucrée, piquante, voire légèrement âpre.

Conseils d'utilisation

L'ananas mexicain est délicieusement sucré. On le déguste souvent nature, en dessert. Il se marie bien avec le riz, dans des préparations salées ou sucrées. On l'utilise également en pâtisserie ou en confiserie. Les Mexicains consomment aussi beaucoup l'ananas sous forme d'*agua fresca*, en jus, fait maison ou acheté chez les commerçants ambulants.

Achat et conservation

Choisissez des ananas souples au toucher, avec une couleur soutenue et des feuilles bien vertes, craquantes. Les ananas doivent être mûrs au moment de l'achat car, à partir du moment où ils sont cueillis, la fécule qu'ils contiennent cesse de se transformer en sucre. Ces fruits se conservent pendant trois jours au réfrigérateur.

Ci-dessus : ananas.

Préparer un ananas

1 Découpez la calotte supérieure afin de supprimer la touffe de feuilles vertes.

2 Avec un couteau bien aiguisé, pelez l'ananas sur une épaisseur suffisante pour prélever la plus grosse partie des « yeux ».

3 À l'aide d'un petit couteau, ôtez les « yeux » encore incrustés dans la chair.

4 Coupez l'ananas en quatre dans le sens de la longueur et enlevez la partie centrale. Taillez la chair en cubes ou en tranches, selon l'utilisation prévue.

LES FIGUES DE BARBARIE

Les figues de Barbarie proviennent de différentes espèces de cactus. Elles poussent à l'état sauvage, ou sont cultivées, dans toute l'Amérique latine. Dans les zones rurales les plus pauvres du Mexique, elles constituent encore l'un des aliments de base de la population. Les feuilles charnues des figuiers de Barbarie, les *nopales*, sont utilisées comme des légumes (voir page 45).

Description

Les figues de Barbarie sont ovales. Leur couleur varie du rouge foncé à l'orange verdâtre. La peau extérieure, dure, présente des petites touffes d'épines parfois très acérées. Le fruit est apprécié pour sa pulpe, à la saveur douce, très parfumée, qui rappelle, en plus subtile encore, celle du melon. La pulpe contient des petites graines marron, comestibles lorsqu'elles sont crues, mais qui durcissent à la cuisson.

À droite : figues de Barbarie.

Achat et conservation

Pour savoir si une figue de Barbarie est mûre, pressez-la délicatement (attention de pas vous piquer!). Évitez les fruits mous ou ceux de couleur vert foncé et très durs. Choisissez des figues de Barbarie fermes : vous les laisserez mûrir quelques jours à température ambiante.

Préparation

En règle générale, les figues de Barbarie sont vendues sans leurs épines. Si ce n'est pas le cas, supprimez les épines avec une brosse dure avant de peler les fruits. Prenez soin, pour cette opération, d'enfiler des gants de cuisine.

Conseils d'utilisation

Pelez le fruit et coupez-le en deux. Avec une cuillère à café, extrayez la chair de la peau. Filtrée, la chair s'accommode en coulis. Vous pouvez aussi présenter la figue de Barbarie sur un plateau de fruits : du jus de citron vert et du piment en poudre rehausseront sa saveur. On prépare également de la gelée ou de la confiture avec les figues de Barbarie.

Peler les figues de Barbarie

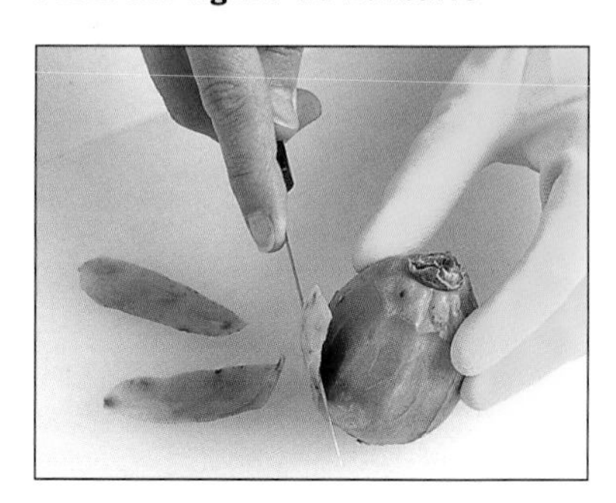

1 Enfilez des gants de cuisine et ôtez les épines. Maintenez le fruit à la verticale et, de l'autre main, pelez-le avec un couteau.

2 Autre possibilité : enfoncez une fourchette dans la figue de Barbarie et coupez une fine tranche au sommet et à la base du fruit. De chaque côté, incisez la peau du haut vers le bas, puis enlevez-la. Vous pouvez déguster la figue de Barbarie entière, ou bien présenter sa chair sur une assiette.

3 Troisième choix possible : coupez la figue de Barbarie en deux, sans la peler, et retirez sa chair avec une cuillère à café. Si vous le souhaitez, vous pouvez lui additionner ensuite du jus de citron vert.

Ci-dessus : noix de coco.

Autres fruits tropicaux

Les papayes, en forme de poire et d'un jaune éclatant, possèdent une chair savoureuse. Leur jus est très désaltérant. Les Mexicains dégustent les papayes avec du jus de citron vert et du piment moulu, en encas ou en hors-d'œuvre. Bien qu'elles soient comestibles, on consomme très rarement leurs graines rondes et noires, au goût poivré. **Les grenades** sont utilisées dans des sauces et dans les *chiles en nogada*, ces fameux piments farcis à la sauce aux noix que l'on sert en des occasions spéciales. Elles donnent encore une *agua fresca* très rafraîchissante, vendue au Mexique par les marchands ambulants. N'utilisez que les graines : les membranes blanches ont au goût amer.

La sapotille a une chair couleur miel ; son goût évoque la crème de bananes à la vanille. **Les noix de coco**, qui poussent dans certaines régions du Mexique, se trouvent souvent sur les étals des marchands ambulants des grandes villes, débitées en morceaux que le vendeur tient au frais dans un récipient rempli d'eau. Le potage glacé à la noix de coco est une spécialité du nord de la côte Pacifique. **La sapote** est un fruit fort courant au Mexique. Sa chair est d'un rose saumon soutenu. Très douce, elle peut sembler écœurante, mais elle produit des confitures et des marmelades excellentes.

Ci-dessus : papayes.

Préparer une grenade

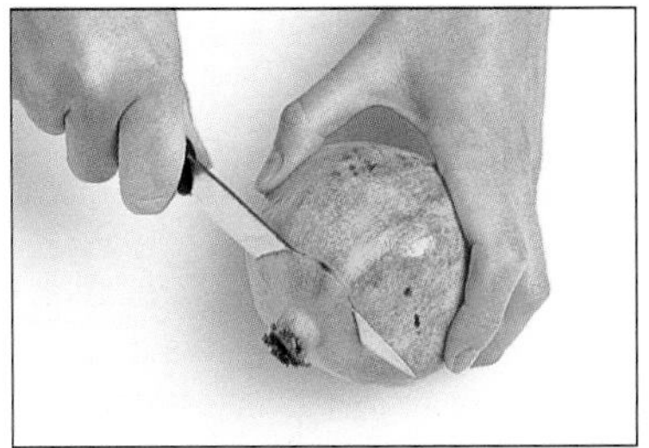

1 Coupez une tranche à un bout.

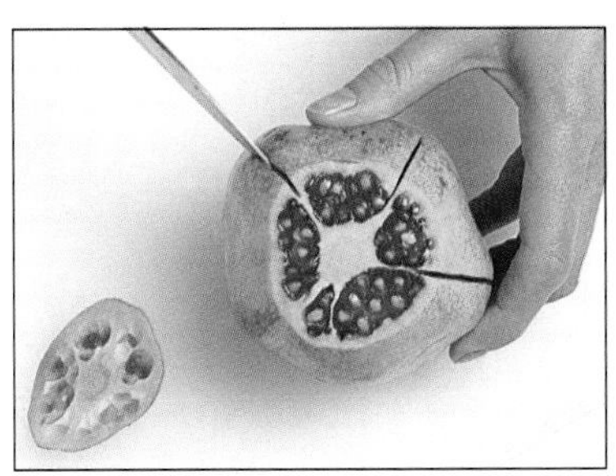

2 Maintenez le fruit verticalement et incisez-le à intervalles réguliers, avec un couteau bien aiguisé.

3 Tirez les morceaux vers le bas et, avec les doigts, faites tomber les graines dans une jatte.

4 Supprimez la peau et les membranes avant d'utiliser les graines.

LES LÉGUMES-FRUITS

Certains fruits utilisés dans les préparations salées sont considérés comme des légumes. C'est le cas des tomates, des avocats, des poivrons et des piments. Le Mexique possède un grand nombre de légumes-fruits, dont le *tomatillo*, souvent appelé tomate verte mexicaine bien qu'il appartienne en réalité à la famille des physalis.

LES AVOCATS

On pense que les Aztèques ont introduit les premiers plants d'avocats au Mexique aux XIIIe et XIVe siècles, sous l'appellation d'*ahuacatl*. Avant de lui donner le nom sous lequel on le connaît aujourd'hui, les Espagnols ont appelé ce fruit « poire alligator ».

Les variétés disponibles

Il existe plusieurs variétés d'avocats. La plupart ont la forme d'une poire et renferment un noyau. La chair a la consistance du beurre ; sa couleur varie du jaune crème au vert vif. La saveur de l'avocat est douce, mais très spécifique.

L'avocat du Mexique possède une chair verte et parfumée ; le noyau est assez gros. Lorsqu'elle est fine, la peau peut être consommée, mais elle est le plus souvent dure et impropre à la consommation. Certaines variétés, dont les hass, ont une peau noire et granuleuse, très coriace. La chair des avocats hass est crémeuse et très parfumée. L'*avocado fuerte*, une autre variété, a une peau verte et luisante ainsi qu'une chair jaune-vert.

À gauche : avocat.

Achat et conservation

Pour savoir si un avocat est mûr, pressez délicatement son extrémité supérieure : elle doit être souple au toucher. Si le fruit est mou, c'est qu'il est trop mûr. Il sera alors difficile à peler et sa chair aura la consistance d'une bouillie. Les avocats talés révéleront une chair noircie.

Trouver un avocat parfait relève du coup de chance. Malgré tout le soin que vous prendrez à le choisir, et même si vous veillez à ne pas le meurtrir durant le trajet, sa chair sera peut-être finalement mouchetée de marron.

Si les avocats sont mûrs, conservez-les au réfrigérateur ; sinon, laissez-les mûrir quelques jours dans une pièce assez chaude. Une fois coupés, les avocats s'oxydent très rapidement. Bien que ce processus puisse être quelque peu retardé, il est préférable de préparer les avocats à la dernière minute.

Conseils d'utilisation

Les avocats entrent dans la préparation de nombreuses recettes mexicaines. La plus connue est sans doute le guacamole, une sorte de purée d'avocats. On utilise aussi les avocats dans des potages, chauds ou froids, ou encore pour préparer une sauce piquante servie avec les viandes. L'avocat frais s'apprête en salade et se marie à merveille avec les fruits de mer. On en garnit encore les tortillas ou les *tortas*, les sandwichs mexicains.

À peine l'avocat coupé, sa chair commence à noircir. Le jus de citron, ou de citron vert, ralentit quelque peu l'oxydation. Selon les Mexicains, le guacamole ne noircira pas si vous prenez soin d'y enfouir un noyau d'avocat.

Les feuilles d'avocatier

Au Mexique et dans d'autres pays où pousse cet arbre, les feuilles de l'avocatier, fraîches ou séchées, servent à aromatiser les plats, un peu comme des feuilles de laurier. On peut soit les piler soit les ajouter entières à diverses préparations ; dans ce cas, on les retire avant de servir. Les feuilles d'avocatier séchées sont généralement grillées avant emploi. Elles viennent parfumer les haricots « refrits », les ragoûts, les marinades, ou aromatiser la viande qui passera sur le gril ou le barbecue.

Le guacamole

Le guacamole est la spécialité mexicaine la plus connue dans le monde. C'est une purée d'avocats agrémentée d'oignon, d'ail, de dés de tomates, de piments hachés, de jus de citron (ou de citron vert) et de divers aromates. Bien que de consistance crémeuse, il ne contient aucune graisse saturée. Le guacamole est souvent servi en jatte, avec des chips de maïs. On le présente aussi avec les *fajitas*, en garniture des *tortas*, ou encore en accompagnement de viandes ou de poissons.

Recette de base

1 Coupez 2 avocats en deux. Ôtez les noyaux et séparez la chair de la peau. Passez-la au mixer jusqu'à l'obtention d'une purée onctueuse. Transférez dans une jatte et ajoutez le jus d'1/2 citron vert.

2 Ajoutez le 1/4 d'un petit oignon finement haché, 1 gousse d'ail écrasée et 1 poignée de coriandre fraîche finement ciselée.

3 Salez et aromatisez à votre goût. Servez aussitôt, en jatte, avec des chips de maïs. Dans un récipient hermétique, le guacamole peut se garder 2 à 3 jours au réfrigérateur.

Variante

Hachez des tomates et des piments pour les ajouter à votre guacamole : ils lui donneront saveur, texture, piquant.

Préparer un avocat

1 Si vous voulez couper un avocat en deux, incisez tout le tour avec un petit couteau bien aiguisé, en commençant par le haut et en enfonçant la lame jusqu'au noyau.

2 Utilisez le couteau comme levier pour détacher le noyau.

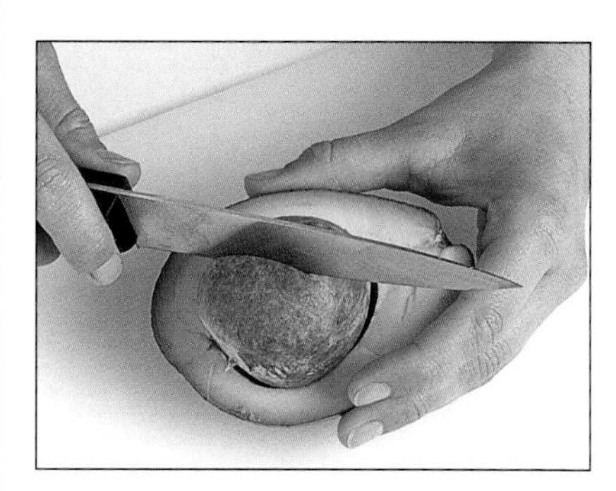

3 Enfoncez la lame dans le noyau et ôtez-le. Enlevez les fragments de la peau du noyau qui subsisteraient sur la chair de l'avocat. Garnissez les moitiés d'avocats de crevettes ou de fines tranches de jambon et servez avec une vinaigrette. Ou bien, à l'aide d'une cuillère, transférez la chair dans une jatte et réduisez-la en purée.

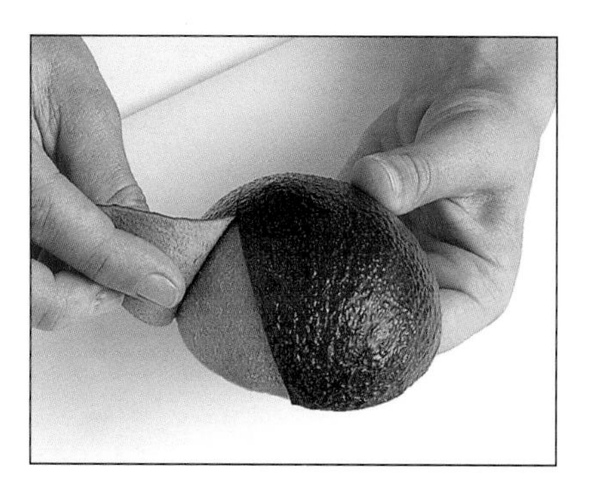

1 Pour émincer un avocat, coupez le fruit en deux, ôtez le noyau, puis incisez la peau au sommet de chaque moitié et décollez-la jusqu'à ce qu'elle se détache complètement. Un avocat mûr se pèle très facilement.

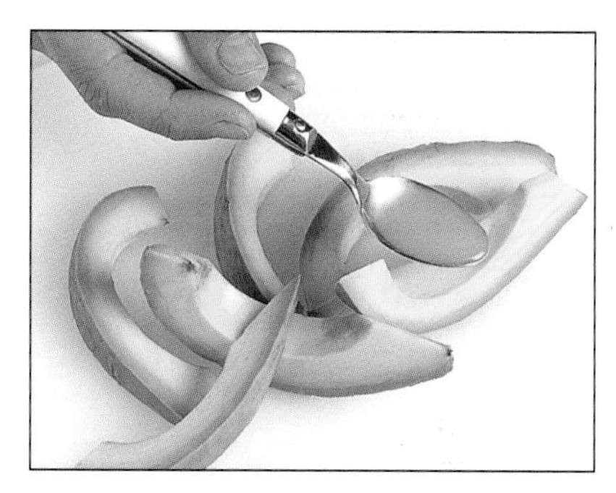

2 Taillez des tranches dans les moitiés d'avocat pelées, sans les détacher complètement si vous souhaitez les présenter en éventail. Arrosez de jus de citron ou de citron vert pour retarder l'oxydation.

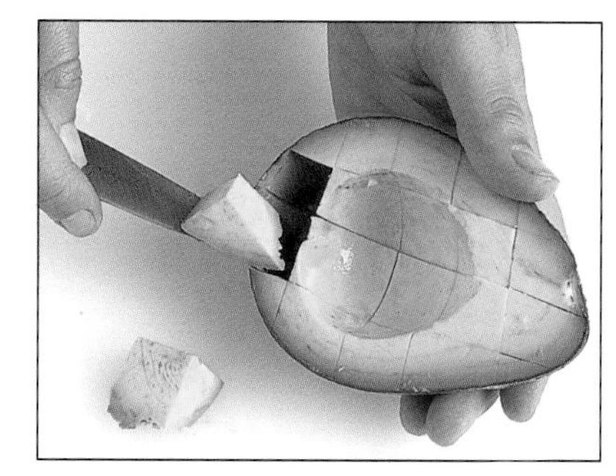

Pour obtenir des dés, incisez la moitié d'avocat et enfoncez délicatement la pointe du couteau dans chacun des cubes pour les retirer un à un.

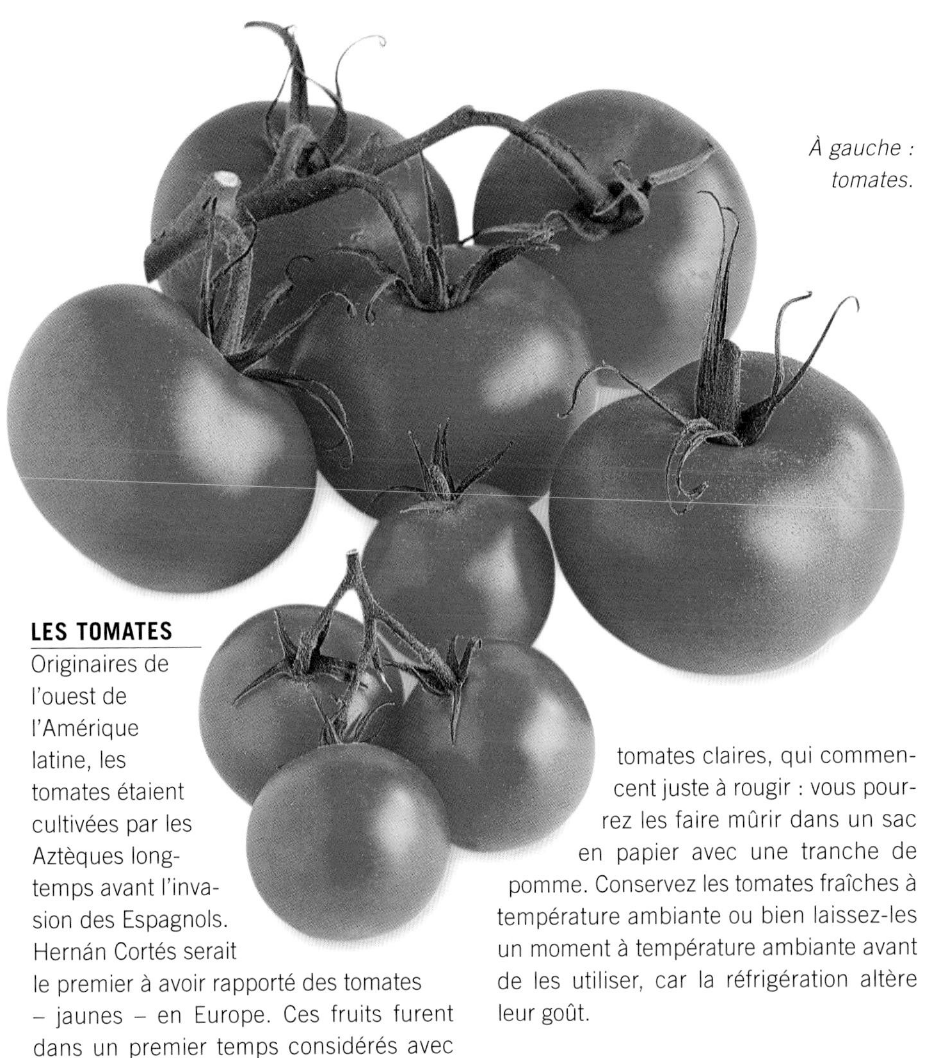

À gauche : tomates.

LES TOMATES

Originaires de l'ouest de l'Amérique latine, les tomates étaient cultivées par les Aztèques longtemps avant l'invasion des Espagnols. Hernán Cortés serait le premier à avoir rapporté des tomates – jaunes – en Europe. Ces fruits furent dans un premier temps considérés avec suspicion mais, à partir du XVIIIe siècle, lorsque deux jésuites rapportèrent des tomates rouges en Italie, elles n'ont pas cessé de gagner en popularité.

Les variétés disponibles

Il existe d'innombrables variétés de tomates, des minuscules tomates cerises jusqu'aux grosses marmande côtelées, qui peuvent avoir 10 cm de largeur. Les olivettes, ou tomates-prunes, allongées, sont très répandues au Mexique. Riches en saveur, contenant moins de pépins que la plupart des variétés, elles conviennent parfaitement pour les salades et les salsas.

Achat et conservation

Mûries naturellement, les tomates vendues sur les marchés mexicains sont gorgées de saveur. Pour la préparation de plats mexicains, utilisez de préférence des tomates du jardin ou des variétés allongées. Réservez les tomates trop mûres aux soupes ou aux purées, en évitant celles qui présentent des traces de moisissure. N'achetez pas de tomates vertes, mais des tomates claires, qui commencent juste à rougir : vous pourrez les faire mûrir dans un sac en papier avec une tranche de pomme. Conservez les tomates fraîches à température ambiante ou bien laissez-les un moment à température ambiante avant de les utiliser, car la réfrigération altère leur goût.

Préparation

Pour épépiner une tomate, coupez-la en deux et pressez-la délicatement ; ou bien ôtez délicatement les pépins avec une cuillère à café. Pour peler une tomate, incisez sa base en croix et plongez-la 3 min dans l'eau bouillante, puis dans l'eau froide ; égouttez bien. À partir de l'entaille, la peau se détache facilement. Débitez la chair en dés ou en tranches, en fonction de la recette choisie. Il est recommandé de trancher les tomates dans le sens de la largeur plutôt que dans la longueur.

Conseils d'utilisation

Les tomates figurent dans un si grand nombre de préparations mexicaines (potages chauds ou froids, salsas, salades, plats de viande, de poisson...) qu'il serait impossible de les énumérer. Elles sont associées aux haricots dans les *frijoles*, à l'avocat dans le guacamole, et entrent même dans la composition de la *sangrita*, une boisson que les Mexicains alternent avec la tequila.

Tomato salsa : une recette rapide

Facile à réaliser, la salsa de tomates ne nécessite que quelques minutes de préparation. Servez-la en accompagnement d'un plat de viande ou de poisson, ou à l'apéritif, avec des chips de maïs.

INGRÉDIENTS

3 tomates fraîches hachées
1 oignon rouge finement haché
1 gousse d'ail écrasée
1/2 poivron vert finement haché
1 cuil. à soupe de piment jalapeño ou fresno finement haché
2 cuil. à soupe de coriandre hachée
3 cuil. à soupe de jus de citron vert fraîchement pressé
sel et poivre noir du moulin, à votre goût

1 Mettez les tomates, l'oignon, l'ail, le poivron vert et le piment dans une grande jatte et mélangez.

2 Ajoutez la coriandre hachée et le jus de citron vert. Goûtez, puis salez et poivrez à votre goût. Servez aussitôt ou placez dans un récipient hermétique que vous conserverez au réfrigérateur.

LES *TOMATILLOS*

En dépit de leur nom – et bien qu'on les appelle aussi parfois tomates vertes –, les *tomatillos* n'appartiennent pas à la famille des tomates. Ils font partie de l'espèce des physalis, ces jolis petits fruits orange protégés par une lanterne de feuilles dont la texture évoque celle du papier et qui décorent parfois les plats. Les *tomatillos* sont cultivés au Mexique depuis l'époque aztèque, où ils portaient le nom de *miltomatl*. Aujourd'hui, les Mexicains leur attribuent de nombreuses appellations locales, comme *fresadilla* ou *tomate milpero*.

Description

De teinte variant entre le vert jaunâtre et la couleur du citron vert, les *tomatillos* sont des fruits ronds et fermes. Leur taille est celle d'une petite tomate, mais ils sont plus légers car ils ne contiennent pas de

À gauche :
tomatillos *dans leur enveloppe.*

jus. Les *tomatillos* frais possèdent une enveloppe de feuilles brunes, dont la texture évoque celle du papier. La saveur du *tomatillo* se rapproche de celle d'une pomme âpre, avec un arrière-goût légèrement citronné. La cuisson rehausse le goût. La *salsa cruda* de *tomatillos* crus est un régal.

Achat et conservation

Il est assez rare de trouver des *tomatillos* frais ailleurs qu'en Amérique latine. Vous pourrez toutefois vous en procurer dans certaines épiceries spécialisées ou, en saison, les acheter par correspondance. Les inconditionnels de leur saveur si particulière, légèrement acide, pourront essayer d'en planter. Si vous découvrez un fournisseur de *tomatillos* frais, choisissez des fruits fermes, dont l'enveloppe est bien fermée : ils se conserveront une semaine au réfrigérateur.

Comme beaucoup d'autres légumes, les *tomatillos* en conserve sont plus mous et moins parfumés que les frais. Plutôt que de passer à côté de ce fruit exceptionnel, on se contentera toutefois de cette alternative. Si vous achetez des *tomatillos* en boîte, n'oubliez pas que, une fois le liquide égoutté, le poids diminue considérablement – parfois jusqu'à 1/3 du total.

Conseils d'utilisation

Les *tomatillos* servent à la préparation de salsas et de la *tomate verde salsa* que l'on verse sur les *enchiladas* avant cuisson. S'ils remplacent les tomates dans le guacamole, ils lui donnent une saveur piquante. Pour faire cuire des *tomatillos* frais, ôtez leur enveloppe et faites-les griller dans une poêle à fond épais, sans matière grasse, jusqu'à ce que la peau commence à noircir et que la chair soit tendre. Ou mettez-les dans une casserole, couvrez d'eau, portez à ébullition puis laissez cuire à feu doux jusqu'à ce qu'ils se désagrègent. Si votre recette nécessite du bouillon, utilisez le liquide de cuisson.

Ci-dessus :
tomatillos *en conserve.*

Salsa cruda de *tomatillos*

1 Passez 450 g de *tomatillos* crus au mixer, ou hachez-les finement. Dans une jatte, mélangez-les avec 1 petit oignon haché et 1 gousse d'ail écrasée. Ajoutez 2 piments jalapeño épépinés et hachés. Salez à votre goût.

2 Hachez finement un petit bouquet de coriandre fraîche et incorporez-le dans la préparation.

3 Remuez bien, transférez dans le plat de service et servez cette salsa avec des chips de maïs fraîches.

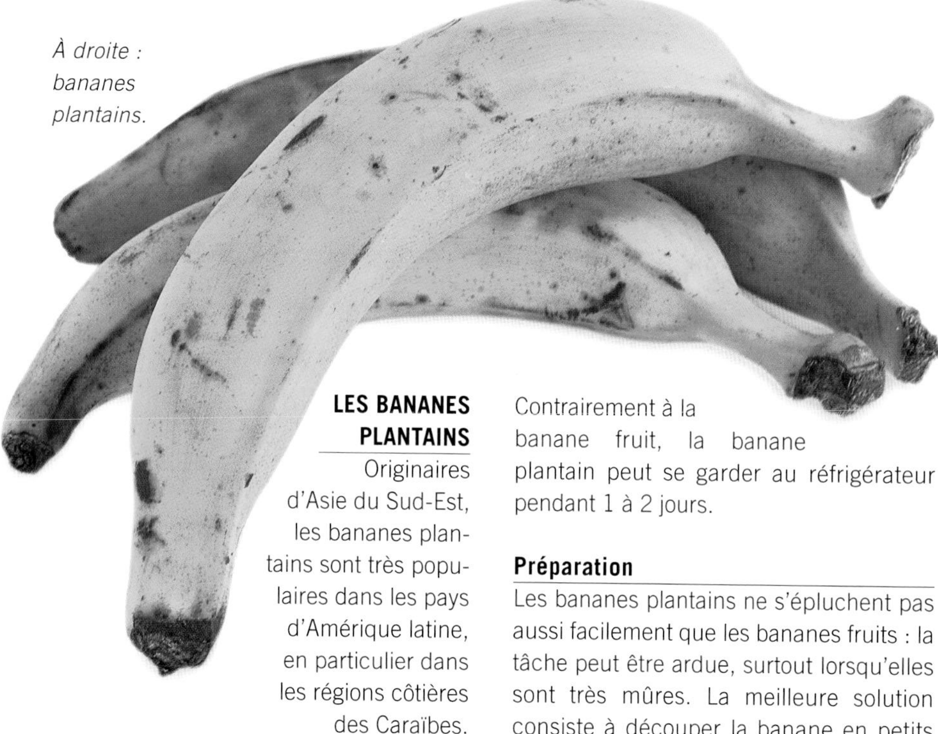

À droite : bananes plantains.

LES BANANES PLANTAINS

Originaires d'Asie du Sud-Est, les bananes plantains sont très populaires dans les pays d'Amérique latine, en particulier dans les régions côtières des Caraïbes.

Les variétés disponibles

La banane plantain est plus grosse que la banane fruit, avec une peau plus dure. Il en existe plusieurs espèces. Vertes au départ, elles peuvent devenir jaunes en mûrissant, puis noires, ou rose foncé puis rouges. Fibreuse et farineuse, la chair doit être cuite avant d'être consommée. Sa saveur peut être fade, proche de celle de la courge, mais, une fois frite, la banane plantain acquiert un goût plus sucré qui ressemble à celui de la banane fruit.

Achat et conservation

Les bananes plantains s'utilisent aussi bien vertes que mûres. Vous en trouverez dans les épiceries antillaises ou africaines. Les bananes plantains mûres sont légèrement molles au toucher. Si vous souhaitez faire mûrir des bananes plantains, laissez-les 1 ou 2 jours dans une pièce chaude.

> **Feuilles de bananier**
>
> Dans certains quartiers de Mexico, la nourriture est enveloppée de feuilles de bananier pour la cuisson. Les feuilles doivent être auparavant ramollies dans l'eau puis séchées. Elles apportent une légère saveur citronnée aux aliments ainsi cuits.

Contrairement à la banane fruit, la banane plantain peut se garder au réfrigérateur pendant 1 à 2 jours.

Préparation

Les bananes plantains ne s'épluchent pas aussi facilement que les bananes fruits : la tâche peut être ardue, surtout lorsqu'elles sont très mûres. La meilleure solution consiste à découper la banane en petits segments, puis à inciser la peau le long d'une des arêtes naturelles afin de pouvoir l'ôter plus aisément. Si vous ne les utilisez pas immédiatement, mettez les segments dans une jatte d'eau acidulée (additionnée de jus de citron vert), afin d'éviter qu'ils s'oxydent. Pour confectionner des chips de bananes plantains, tranchez la banane sans la peler. Faites tremper les rondelles pendant environ 30 min dans de l'eau salée, puis égouttez-les : la peau s'enlèvera plus facilement.

Conseils d'utilisation

Les bananes plantains interviennent aussi bien dans des plats salés que sucrés. Frites, en rondelles, elles sont délicieuses avec une sauce aux piments ou arrosées d'un filet de jus de citron vert et saupoudrées de piment en poudre. Cuites au beurre, elles deviennent des légumes d'accompagnement. Douces, elles se marient avec les plats épicés. Elles s'associent très bien avec la viande. Pour réaliser un délicieux dessert, faites-les revenir au beurre avec de la cannelle, du sucre et une bonne dose de rhum.

LES POIVRONS

Originaires d'Amérique centrale, les poivrons ont également longtemps constitué l'aliment de base des Incas du Pérou.

Description

Les poivrons peuvent être verts, jaunes, orange ou rouges. Il existe même une variété d'un noir violacé. Leur saveur est douce, leur chair, croquante et juteuse. Les poivrons peuvent se manger crus ou cuits.

Achat et conservation

Choisissez des poivrons dont la peau est d'une couleur vive et brillante. Évitez les poivrons mous, ratatinés ou à la peau « cloquée ». Dans une pièce fraîche ou au réfrigérateur, ils pourront se conserver pendant une semaine.

Préparation

Le cœur blanc et les graines du poivron ne se consomment pas. Si les poivrons doivent être utilisés entiers, découpez un petit cercle autour du pédoncule et retirez par cet orifice le cœur et les graines ; il est toutefois plus facile d'évider les poivrons après les avoir coupés en deux ou en quatre. Pour peler facilement les poivrons, comme le demandent la plupart des recettes, faites-les griller directement sur la flamme ou dans une poêle, sans matière grasse.

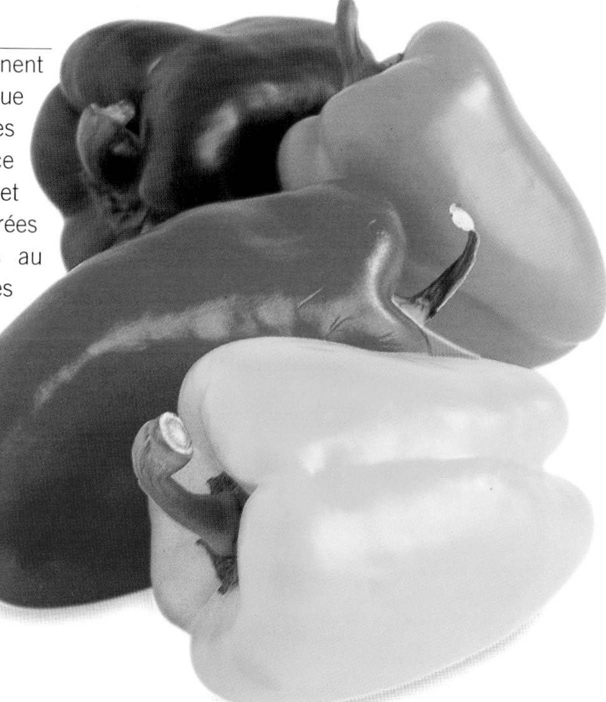

À droite : poivrons.

À droite : nopales.

Enfermez-les ensuite dans un sac en plastique, jusqu'à ce que la vapeur ait décollé la peau. Ôtez toute la peau avant d'émincer ou de hacher la chair.

Conseils d'utilisation

La cuisine mexicaine fait beaucoup appel aux poivrons, qui apportent couleur et saveur aux salsas, ragoûts et farces de viande, ainsi qu'aux plats de poisson, aux assortiments de légumes et aux salades. Pour ces dernières, ôtez le cœur et les graines, puis hachez le poivron non pelé. Pour les plats cuisinés, il est préférable de faire griller les poivrons et de les peler.

Préparer les poivrons

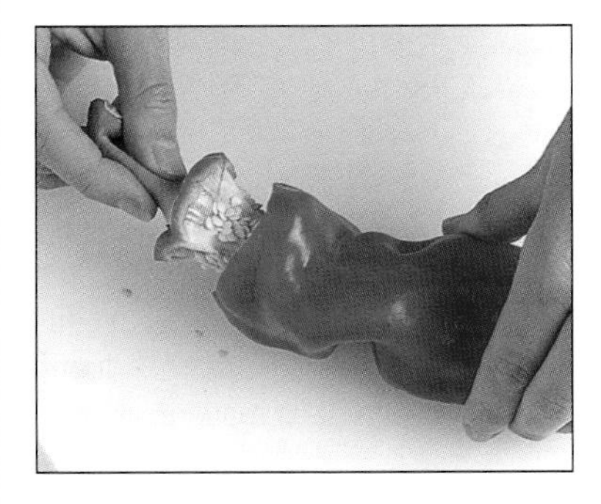

1 Si les poivrons doivent être servis entiers, découpez un petit cercle autour de la queue avec un couteau bien aiguisé, puis retirez le cœur et les graines par cet orifice. Sinon, taillez les poivrons en deux ou en quatre, en veillant à ne pas entamer le cœur, puis retirez le centre et les graines.

2 Faites griller les poivrons directement sur la flamme, sur une plaque en fonte ou dans une poêle, sans matière grasse.

3 Enfermez ensuite les poivrons dans un sac en plastique résistant. Attendez que la vapeur décolle la peau. Pelez les poivrons, puis émincez ou hachez leur chair.

LES *NOPALES*

Les *nopales* sont les feuilles comestibles, grasses et charnues, de diverses espèces de figuiers de Barbarie. Les Mexicains les accommodent et les consomment depuis des milliers d'années.

Description

Les feuilles de cactus sont de forme ovale, couvertes d'épines piquantes. Leur couleur varie du vert pâle au vert foncé, selon la variété et l'âge. Leur saveur se rapproche de celle des haricots verts, en légèrement plus acide.

Achat et conservation

Hors du Mexique et des États d'Amérique qui lui sont voisins, il est assez difficile de se procurer des *nopales* frais. Si vous en trouvez, choisissez-les fins et petits, de couleur pâle, car les *nopales* vieux, même une fois cuits, ont une texture fibreuse. Les *nopales* frais peuvent se garder pendant une semaine au réfrigérateur. Généralement débarrassés de leurs épines et émincés, les *nopales* en bocaux – les *nopalitos* – sont conservés dans de la saumure ou du vinaigre. Vous en trouverez dans certaines épiceries spécialisées.

Préparer les *nopales*

1 Enfilez des gants ou tenez les feuilles avec une pince de cuisine. Avec un couteau bien aiguisé, coupez les aspérités qui contiennent les épines. N'essayez pas d'enlever la couche externe verte, contentez-vous des parties épineuses.

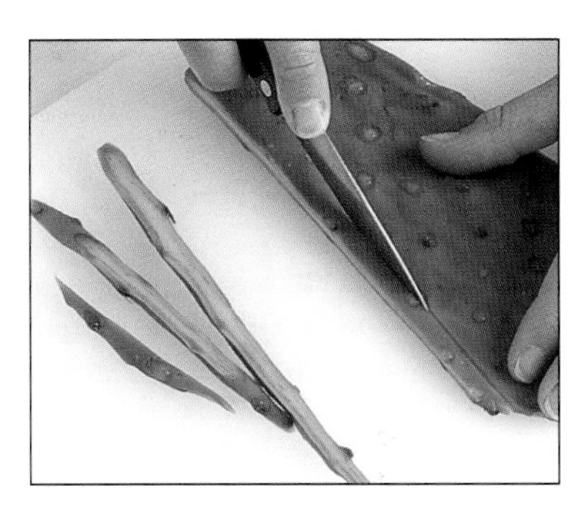

2 Supprimez la base épaisse de chaque feuille. Rincez soigneusement les feuilles, puis hachez-les ou détaillez-les en lamelles.

Conseils d'utilisation

Les *nopales* s'accommodent en ragoûts et en soupes, en particulier dans la région de Tlaxcala. Sous forme de pickles, on peut les mettre dans les salades. Parfois, ils agrémentent aussi les œufs brouillés.

Cuisson des *nopales*

Une fois cuit, le cactus peut être visqueux. Pour éviter cela, démarrez la cuisson avec des quartiers d'oignons et des gousses d'ail, puis retirez-les lorsque les *nopales* cessent de rendre leur liquide. Vous pouvez aussi faire bouillir les *nopales* à l'eau, les égoutter, puis les rincer à l'eau froide. Recouvrez-les d'un torchon humide et laissez reposer 30 min. Les *nopales* ne seront plus gluants.

LES PIMENTS

À gauche : piments poblano.

En Amérique latine, les piments sont cultivés depuis des milliers d'années. Au Mexique il en pousse plus de 150 variétés. En 1493, Christophe Colomb rapporta des piments en Europe et, à partir de cette date, ils se répandirent rapidement.

On dit que la cuisine mexicaine est très relevée, ce qui est vrai pour certains plats ; en revanche, nombreuses sont les préparations dans lesquelles les piments n'apportent qu'un arôme très doux. Le piquant du piment est lié à sa teneur en capsicine, une substance qui se concentre principalement dans les nervures et les graines. En ôtant ces parties du piment, vous l'adoucirez donc considérablement. Les piments en conserve ou crus sont plus forts que les piments cuits. Le piquant du piment s'évalue en unités Scoville, sur une échelle de 0 (pour le poivron) à 300 (pour le habañero, le plus cuisant de tous). Simplifiée, cette échelle va de 1 à 10. La saveur d'une variété de piment dépend du type de sol sur lequel elle a été cultivée, de la date de la cueillette, de l'irrigation, du climat et de quantité d'autres facteurs. Une même plante pouvant donner des fruits différents selon les récoltes, les indications en unités Scoville ne constituent pas référence absolue.

Ci-dessous : piments jalapeño et serrano.

Les piments frais

Voici les variétés de piments les plus couramment utilisées à l'état frais.

Serrano piquant 8. C'est un petit piment, d'environ 4 à 5 cm de long, d'1 cm de large, au bout pointu. De vert, le piment serrano devient rouge en mûrissant. On trouve des verts et des rouges dans le commerce. Leur saveur est pure et mordante. On les utilise dans les plats cuisinés, les salsas et le guacamole.

Jalapeño piquant 6. L'un des piments les plus courants et les plus populaires, il possède à peu près la même longueur que le serrano mais est plus charnu. Les jalapeños sont commercialisés à tous les stades du mûrissement : vous en trouverez donc des verts comme des rouges. Les jalapeños verts sont souvent conservés dans la saumure ou le vinaigre. Farcis de fromage, les jalapeños s'accommodent en beignets.

Poblano piquant 3. Comme la plupart des piments, les poblanos sont au départ verts, puis ils deviennent rouge foncé en mûrissant. Ce sont de gros piments, d'environ 8 cm de long et 5,5 cm de large. On dit parfois qu'ils ont la forme d'un cœur. Bien qu'ils ne soient pas très forts,

Griller et peler les piments

1 Faites griller les piments sur une plaque en fonte ou dans une poêle, sans matières grasses, jusqu'à ce que la peau soit carbonisée. Ou enfilez-les sur une broche métallique et faites-les griller sur la flamme jusqu'à ce que leur peau cloque et noircisse. Veillez à ne pas brûler la chair.

2 Enfermez les piments grillés dans un sac en plastique résistant et laissez agir la vapeur pendant 20 min.

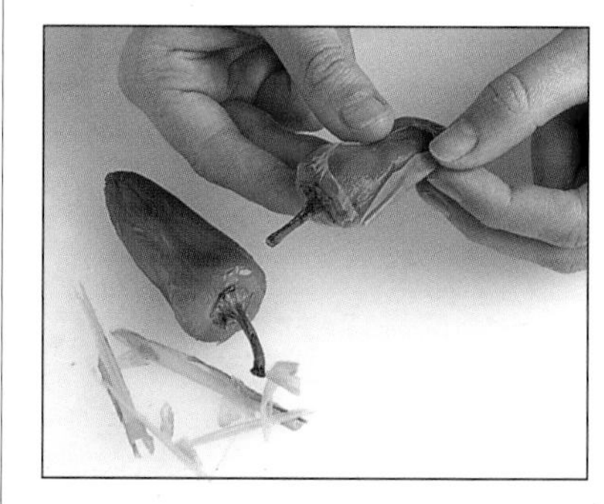

3 Retirez les piments du sac et pelez-les. Après avoir coupé leurs queues, incisez les piments et ôtez les graines.

Ci-dessus : piments fresno.

ils ont une saveur riche, plus intense quand ils sont grillés et pelés. Ils entrent dans la composition de nombreux plats mexicains, notamment celle des *chiles rellenos*, les piments farcis. La variété anaheim, très courante aux États-Unis et parfois commercialisée en Europe, peut remplacer les poblanos.

Fresno piquant 8. Semblables à des poivrons allongés, les fresnos mesurent généralement 6 cm de long sur 2 cm de large. Ils ont une saveur à la fois douce et cuisante. On les utilise dans les salsas, les plats de viande, de poisson et de légumes. Leur arôme est particulièrement mis en valeur dans la salsa aux haricots noirs et dans le guacamole.

Achat et conservation des piments frais

Choisissez des piments frais fermes, à la peau brillante. Évitez les piments ternes ou mous, qui ne sont plus en parfaite condition. Enfermés dans un sac plastique, les piments frais se conservent très bien au réfrigérateur pendant trois semaines. Après les avoir épépinés et hachés, vous pouvez les congeler pour les utiliser par la suite selon vos besoins.

Conseil

Si vous avez croqué dans un piment extrêmement piquant, avalez une cuillerée de sucre. Ne vous laissez pas tenter par un verre d'eau ou de bière, qui ne ferait qu'augmenter la sensation de brûlure.

Préparation des piments frais

Les piments frais doivent être manipulés avec beaucoup de précautions, car la capsicine peut irriter les peaux sensibles, en particulier au niveau du visage. Mettez des gants ou lavez-vous soigneusement les mains au savon après avoir touché des piments. Si vous vous brûlez la peau par inadvertance, rincez la zone douloureuse sous l'eau froide. Évitez de vous gratter ou de frotter la zone endolorie, cela ne ferait qu'aggraver les symptômes.

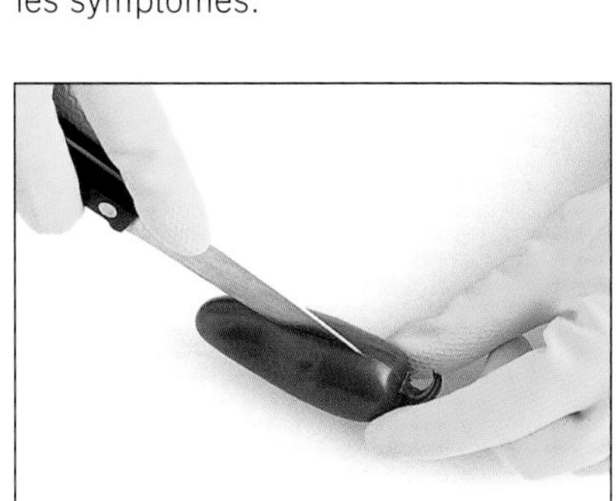

1 Tenez fermement le piment du côté de la queue et coupez-le en deux dans le sens de la longueur avec un couteau bien aiguisé.

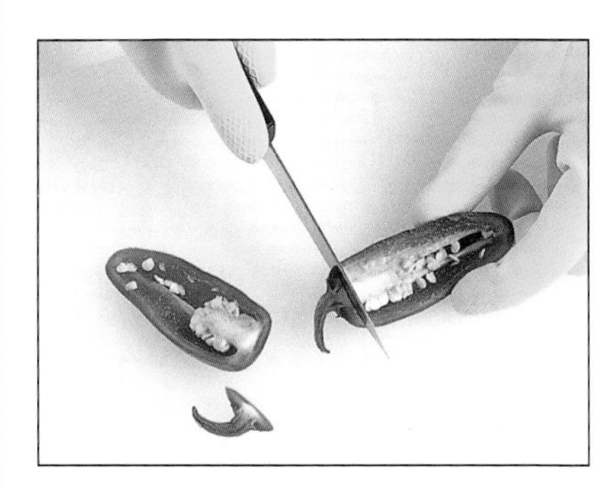

2 Coupez la queue de chaque moitié du piment, en supprimant une fine tranche de la zone supérieure du piment. Il sera ainsi plus facile de retirer la membrane blanche.

3 Éjectez soigneusement toutes les graines et ôtez le cœur avec un petit couteau pointu.

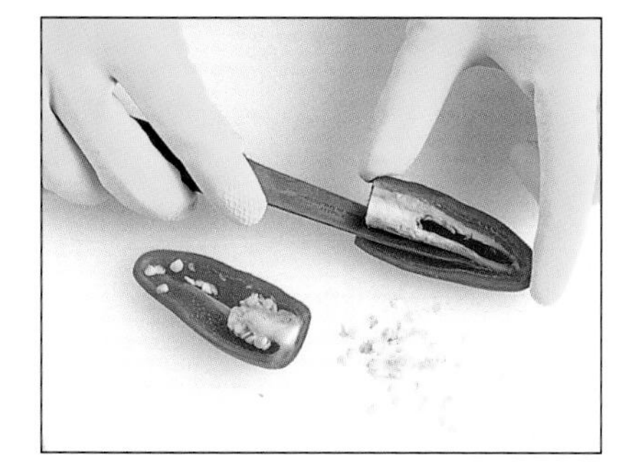

4 Enlevez la membrane blanche qui se trouve à l'intérieur. Maintenez le couteau contre la chair, de façon à découper la totalité de cette membrane.

5 Vérifiez que vous avez bien éliminé les graines et la membrane, puis détaillez chaque moitié selon vos besoins. Pour hacher un piment finement, coupez d'abord chaque moitié en fines lamelles ; vous les rassemblerez ensuite en bouquet pour les hacher en tout petits morceaux. Vous pouvez hacher le piment plus grossièrement s'il est destiné à un plat qui doit cuire longuement.

Les piments séchés

Ci-dessous : piments cascabel.

Autrefois, le séchage – des piments comme bien d'autres produits – était la seule technique de conservation. À l'origine, les piments étaient séchés au soleil. Aujourd'hui, il est plus courant d'utiliser un four. D'une manière ou d'une autre, les piments séchés constituent un précieux ingrédient, que nous vous recommandons à plusieurs reprises au fil de cet ouvrage, tout simplement parce qu'ils sont plus faciles à trouver que des piments frais.

En règle générale, le séchage intensifie la saveur des piments. Le goût peut même parfois s'en trouver modifié, comme c'est le cas du jalapeño séché et fumé, qui prend alors le nom de chipotle. Le fait qu'un piment puisse avoir deux appellations selon qu'il est frais ou séché ne simplifie pas les choses ; c'est pourquoi il vaut mieux considérer piments frais et séchés comme deux variétés distinctes. Le degré de piquant des piments mentionnés ci-après est indiqué en unités Scoville, comme pour les frais. Avec le séchage cependant, la capsicine semble se diffuser dans toute la plante ; il est donc inutile d'épépiner et d'ôter la membrane des piments séchés. Les graines du piment séché étant toutefois pauvres en saveur, n'hésitez pas à les jeter si elles se détachent. Les piments séchés peuvent être réduits en poudre ou détaillés en lamelles. Sauf si le plat dans lequel ils seront incorporés contient une grande quantité de liquide, il est conseillé de les laisser tremper avant leur utilisation.

Ci-dessus : poudre de piment.

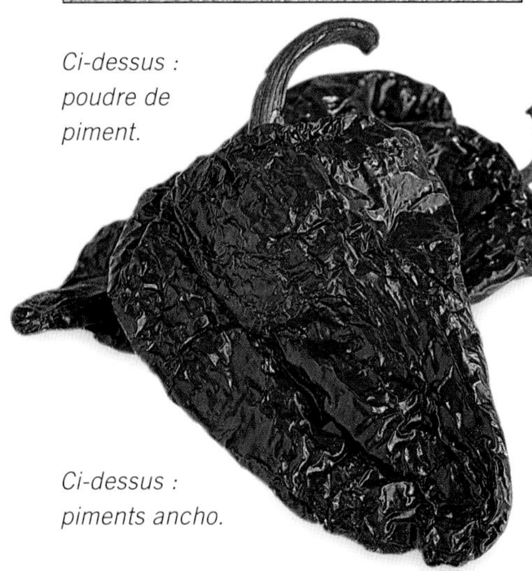

Ci-dessus : piments ancho.

Achat et conservation des piments séchés

Les piments séchés de bonne qualité sont souples et non cassants. Conservez-les dans un récipient hermétique, dans un endroit frais et sec. Pour une conservation de courte durée, le réfrigérateur convient parfaitement, mais vous pouvez aussi les congeler. Au-delà d'un an cependant, leur saveur se dégrade.

Voici une liste des piments séchés les plus répandus. Ils sont tous utilisés dans les recettes des pages suivantes.

Ancho piquant 3. Piment séché mexicain le plus courant, l'ancho est un piment poblano rouge séché, à la saveur fruitée, légèrement piquante. Réhydraté, on l'utilise, non pelé, pour la préparation des *chiles rellenos*, les piments farcis.

Cascabel piquant 4. Le nom de ce piment, qui signifie « petite crécelle », fait référence au son produit par ses graines. La peau du cascabel est de couleur chocolat ; elle demeure sombre même après le trempage. Le cascabel a une saveur légèrement noisetée. Il entre dans la préparation de certaines salsas, notamment celle de *tomate verde.*

Chipotle piquant 6. Le chipotle est un jalapeño fumé. Il apporte un merveilleux goût

À droite : piments chipotle.

Moudre des piments

Voici une méthode qui confère à la poudre de piment un goût fumé très particulier.

1 Laissez tremper les piments, séchez-les puis faites-les griller dans une poêle, sans matière grasse.

2 Transférez-les dans un mortier et utilisez le pilon pour les réduire en une poudre fine, que vous conserverez dans un récipient hermétique.

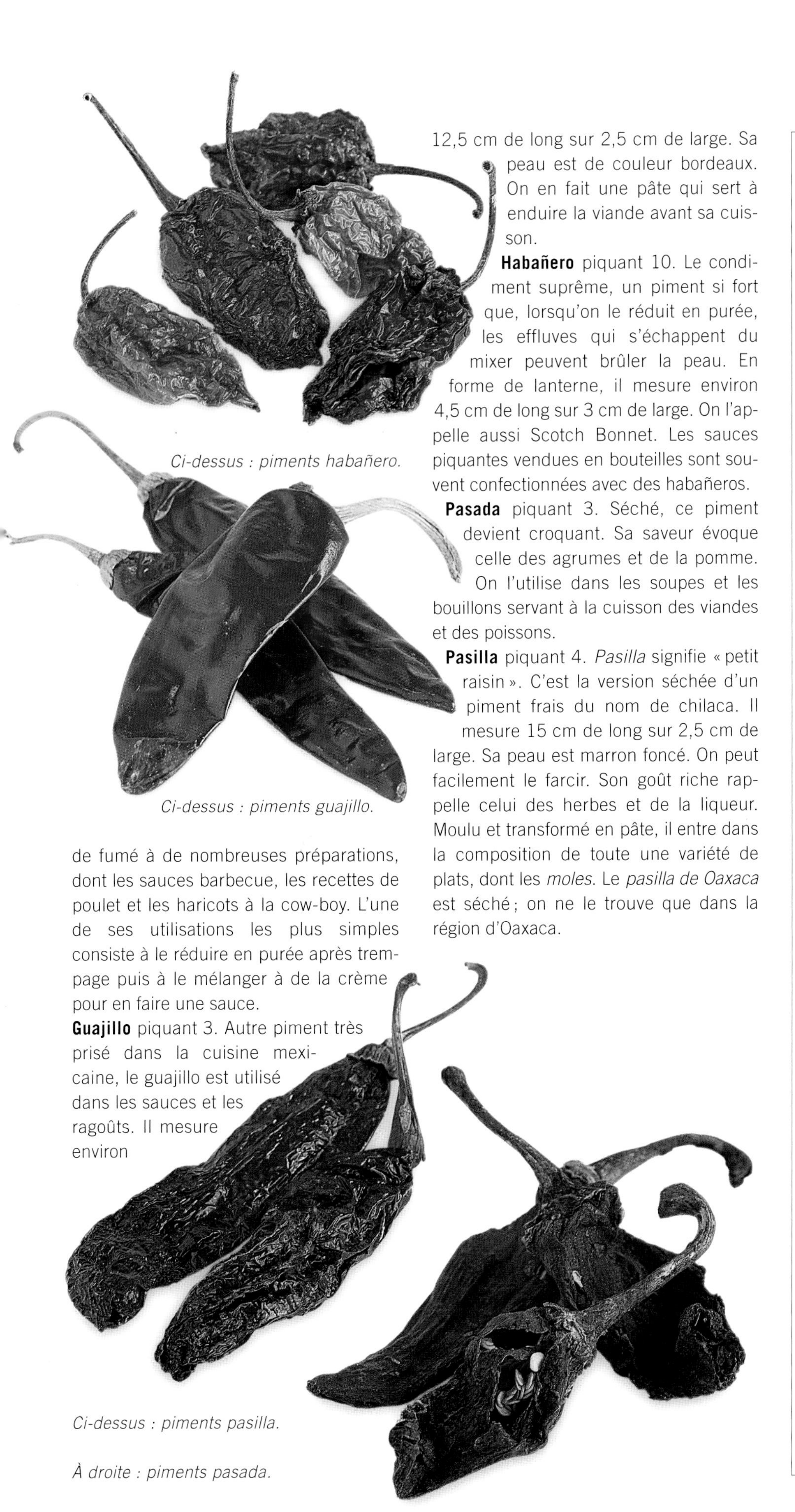

Ci-dessus : piments habañero.

Ci-dessus : piments guajillo.

de fumé à de nombreuses préparations, dont les sauces barbecue, les recettes de poulet et les haricots à la cow-boy. L'une de ses utilisations les plus simples consiste à le réduire en purée après trempage puis à le mélanger à de la crème pour en faire une sauce.

Guajillo piquant 3. Autre piment très prisé dans la cuisine mexicaine, le guajillo est utilisé dans les sauces et les ragoûts. Il mesure environ 12,5 cm de long sur 2,5 cm de large. Sa peau est de couleur bordeaux. On en fait une pâte qui sert à enduire la viande avant sa cuisson.

Habañero piquant 10. Le condiment suprême, un piment si fort que, lorsqu'on le réduit en purée, les effluves qui s'échappent du mixer peuvent brûler la peau. En forme de lanterne, il mesure environ 4,5 cm de long sur 3 cm de large. On l'appelle aussi Scotch Bonnet. Les sauces piquantes vendues en bouteilles sont souvent confectionnées avec des habañeros.

Pasada piquant 3. Séché, ce piment devient croquant. Sa saveur évoque celle des agrumes et de la pomme. On l'utilise dans les soupes et les bouillons servant à la cuisson des viandes et des poissons.

Pasilla piquant 4. *Pasilla* signifie « petit raisin ». C'est la version séchée d'un piment frais du nom de chilaca. Il mesure 15 cm de long sur 2,5 cm de large. Sa peau est marron foncé. On peut facilement le farcir. Son goût riche rappelle celui des herbes et de la liqueur. Moulu et transformé en pâte, il entre dans la composition de toute une variété de plats, dont les *moles*. Le *pasilla de Oaxaca* est séché ; on ne le trouve que dans la région d'Oaxaca.

Ci-dessus : piments pasilla.

À droite : piments pasada.

Trempage des piments séchés

Afin qu'ils révèlent toute leur saveur, il est recommandé de faire tremper les piments séchés avant de les moudre ou de les incorporer à des préparations. La durée du trempage nécessaire à leur réhydratation varie selon la variété, la grosseur et l'épaisseur de la peau. Dans tous les cas, il est recommandé de les faire tremper 1 h au minimum.

1 Essuyez les piments et éliminez toutes les graines qui se sont détachées.

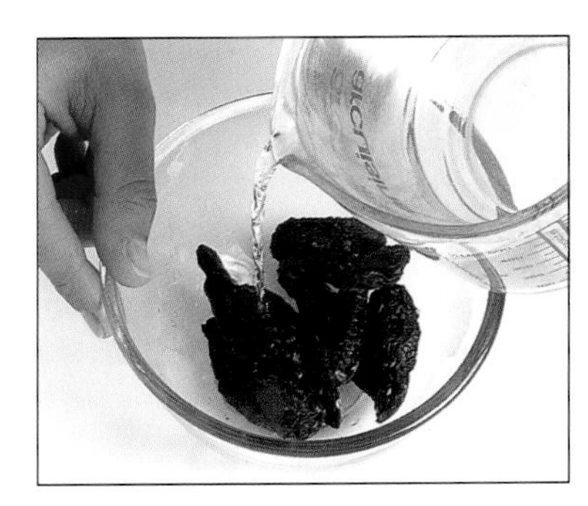

2 Faites tremper les piments séchés dans l'eau chaude pendant 10 min au minimum, jusqu'à ce que leur peau ait repris de la souplesse et que leur couleur se soit ravivée.

3 Égouttez, coupez les queues, puis incisez les piments et raclez les graines avec un petit couteau pointu. Émincez ou hachez la chair. Pour réduire les piments en purée, passez-les au mixer avec un peu d'eau de trempage, jusqu'à l'obtention d'une consistance homogène.

LES LÉGUMES

Les indigènes du Mexique étaient de bons agriculteurs. Lorsque les Espagnols envahirent leur pays, ils y découvrirent toutes sortes de légumes, dont le maïs, la patate douce, la *jicama*, la citrouille et la courgette. Pour leur part, ils introduisirent au Mexique l'oignon, l'ail, le haricot vert, le chou et le chou-fleur, autant d'ingrédients très rapidement intégrés par la cuisine locale.

LE MAÏS

Le maïs doux est cultivé aux Amériques depuis plus de 5 000 ans. Les Espagnols l'introduisirent en Europe à la fin du XVe siècle, mais il constituait depuis longtemps un aliment de base des indigènes du Mexique, qui en consommaient toutes les parties, y compris les feuilles et les soies.

Description

Le maïs se compose d'un épi ferme de gros grains jaunes, protégé par de longues feuilles vertes. Les fils longs et fins situés entre les feuilles et les grains portent le nom de soies. Traditionnellement, les Mexicains s'en servent pour attacher les *tamales*, mais elles n'ont pas d'autre utilisation.

Achat et conservation

Choisissez des épis fermes, aux feuilles vert tendre. Pour vérifier la fraîcheur de l'épi, pressez délicatement l'un de ses grains : il doit produire un liquide laiteux. Le maïs doux sera cuit dans les 24 heures suivant l'achat, car dès que l'épi est coupé le sucre commence à se transformer en amidon. En vieillissant, le maïs doux perd de sa saveur sucrée.

Préparation

Ôtez les feuilles, puis les soies. (Au besoin, frottez les épis avec une brosse à légumes, afin d'éliminer les soies restantes.) Si vous souhaitez faire cuire les épis au barbecue, vous pouvez abaisser les feuilles pour enlever les soies, et les replacer ensuite autour de l'épi.

Conseils d'utilisation

Les épis de maïs se font cuire dans de l'eau bouillante (non salée, car le sel durcirait les grains), au four ou au barbecue. Au Mexique, on peut acheter des épis de maïs à chaque coin de rue. On les trempe dans la crème, puis on les saupoudre de fromage. Une autre variante consiste à faire cuire les grains dans la crème avec des piments jalapeños et du fromage.

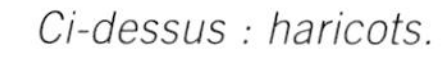

Ci-dessus : haricots.

Ci-dessus : maïs.

LES HARICOTS VERTS

Les haricots verts sont cultivés sur le continent américain depuis des centaines d'années. Au Mexique, on utilise aussi beaucoup les haricots de Lima.

Achat et conservation

Les cosses doivent être brillantes et croquantes. Dans la mesure du possible, utilisez les haricots le jour même de l'achat.

Préparation

Équeutez les haricots et ôtez tous les fils se trouvant sur le côté de la cosse. Avant d'être utilisés, les haricots de Lima et les fèves doivent être retirés de leur cosse tendre et charnue, voire parfois blanchis.

Conseils d'utilisation

Les Mexicains servent les haricots en salade ou en légume d'accompagnement. Les haricots de Lima sont souvent accommodés à la sauce tomate. Pour qu'ils conservent leur couleur, leur texture et leur saveur, blanchissez les haricots ou faites-les cuire à la vapeur jusqu'à ce qu'ils deviennent tendres.

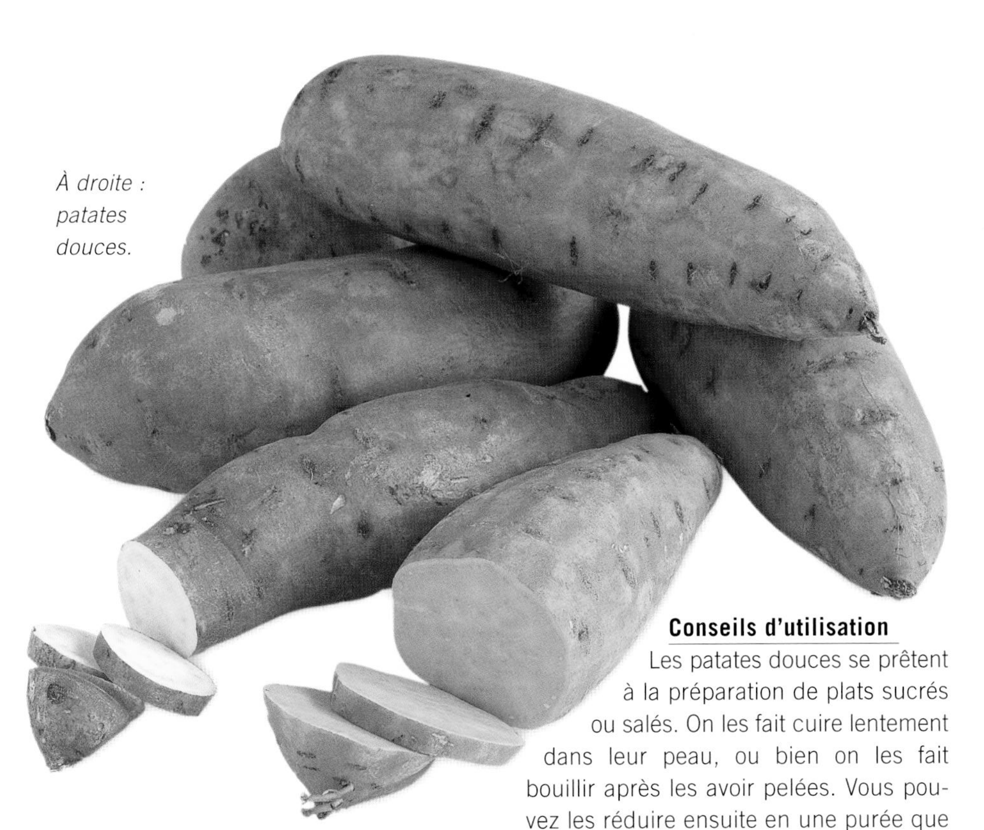

À droite : patates douces.

LES PATATES DOUCES

La patate douce, qui fut l'un des aliments essentiels des indigènes de la période précolombienne, est aujourd'hui encore très consommée au Mexique.

Description et variétés

La patate douce est un tubercule. Elle ne se mange que cuite. Selon les variétés, la chair peut être friable ou moelleuse. La couleur de la peau varie du rose au violet foncé, celle de la chair du blanc crème à l'orange vif. Comme son nom l'indique, la patate douce a une saveur sucrée, légèrement épicée.

Achat et conservation

Les patates douces ont une peau lisse, qui ne doit être ni talée ni molle. Les petites patates ont souvent une saveur plus fine que les grosses. Dans un endroit frais et sombre, elles peuvent se conserver pendant une semaine.

Préparation

Faites cuire les patates douces avec leur peau, ou bien pelez-les juste avant de les mettre à bouillir.

Conseils d'utilisation

Les patates douces se prêtent à la préparation de plats sucrés ou salés. On les fait cuire lentement dans leur peau, ou bien on les fait bouillir après les avoir pelées. Vous pouvez les réduire ensuite en une purée que vous agrémenterez d'une noisette de beurre, d'un peu de crème, de noix de muscade, de sel et de poivre noir. La purée de patates douces, avec des tomates et des piments, est un accompagnement parfait pour les viandes au barbecue. Grillé, ce légume se marie à merveille avec le rôti de porc. On l'utilise aussi dans les ragoûts et les recettes en cocotte.

Ci-dessous : jicamas.

LES *JICAMA*

Autrement appelée igname, la *jicama* est originaire d'Amérique centrale. Introduite aux Philippines par les Espagnols, elle a ensuite voyagé jusqu'en Chine, où elle est aujourd'hui encore très consommée. C'est pour cette raison qu'elle figure couramment dans les supermarchés chinois. En chinois, la *jicama* s'appelle *saa got*; elle est aussi parfois commercialisée sous le nom de navet chinois.

Description

La *jicama* est la racine d'une variété de haricots grimpants. Comestible lorsqu'elle est jeune, elle devient vénéneuse en vieillissant. Sa forme ressemble à celle du navet ou de la betterave, avec une base conique. La peau est beige clair, assez fine. De couleur crème, la chair est moelleuse, avec un goût légèrement fruité. Sa texture ressemble à celle de la pomme verte croquante ou de la châtaigne d'eau. La *jicama* se consomme crue ou cuite.

Achat et conservation

Choisissez des *jicamas* fermes, de la taille d'un gros navet. Les grandes ont parfois une texture fibreuse. Pour préserver leur croquant, conservez-les au réfrigérateur, pendant une semaine au maximum.

Préparation

Ôtez la peau fine, semblable à du papier, à la main ou avec un couteau bien aiguisé, puis émincez finement la chair.

Conseils d'utilisation

Arrosée de jus d'oranges frais, assaisonnée de piment en poudre et de sel, la *jicama* crue constitue un délicieux encas. On l'accommode aussi en salades et en salsas. Pour préserver sa texture croquante, ne la faites pas cuire trop longtemps. Les Mexicains agrémentent parfois leurs desserts de *jicama* râpée.

LES COURGES

Citrouilles, courges, concombres et chayotes : tous ces membres de la famille des cucurbitacées sont cultivés depuis la nuit des temps. Au Mexique, on a retrouvé des graines de citrouille datant de 7000 avant Jésus-Christ. Les Indiens ne faisaient pas cuire les courges et, parmi les nombreuses variétés, certaines sont délicieuses quand elles sont crues.

Description

Les courges se répartissent en deux catégories principales : les variétés d'été et celles d'hiver. Aujourd'hui, on trouve des courges d'été tout au long de l'année, mais il peut s'avérer utile de savoir reconnaître les différentes espèces.

Les courges d'été poussent sur des plantes rampantes. Elles possèdent une peau fine, comestible, et renferment des graines tendres. Courgettes, pâtissons et courges sont des variétés d'été. Leur chair est tendre, généralement de couleur claire ; elle contient beaucoup d'eau. Les graines sont disséminées dans toute la chair, si bien qu'on les consomme. Ces légumes, à la saveur douce, ne nécessitent qu'une cuisson rapide. Les courgettes se dégustent aussi crues, en salade.

Ci-dessus : courges d'été.

Les courges d'hiver ont une peau et des graines dures. Poussant parfois sur des plantes rampantes, elles sont plus souvent le fruit de plantes grimpantes. En général, on ne consomme pas leur peau. Toutefois, quand elle est rôtie, la peau de la courge s'attendrit et devient alors comestible. La courge de Hubbard, la courge musquée, la courge spaghetti et le potiron sont les espèces d'hiver les plus courantes. Souvent jaune ou orange, la chair est assez dure et nécessite une cuisson plus longue que celle des courges d'été. En général, on retire leurs graines avant de les cuire. Cependant, les graines de certaines citrouilles constituent un aliment à part entière.

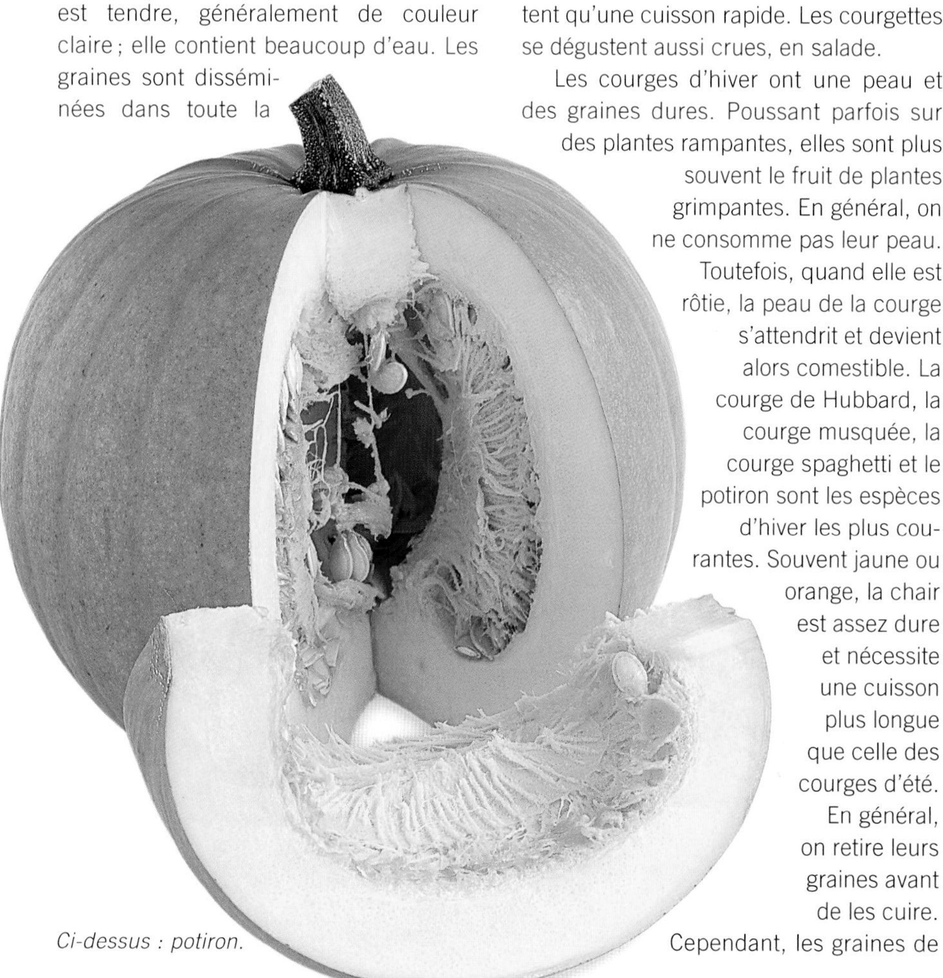

Ci-dessus : potiron.

Les fleurs des courges d'hiver et d'été sont également comestibles, et elles figurent dans de nombreuses recettes mexicaines. Au Mexique, les fleurs sont vendues séparément. En Europe, on en trouve parfois dans les épiceries spécialisées. Sinon, cueillez-les vous-mêmes dans un potager. En beignets, les fleurs des courges sont un mets succulent.

Achat et conservation

C'est lorsqu'elles sont petites, effilées et tendres que les courges d'été, en particulier les courgettes, sont les meilleures. Leur peau doit être brillante, lisse, sans tache ni éraflure. Conservez-les au réfrigérateur, pendant un maximum de 3 à 4 jours. Les courges d'hiver, à la peau plus épaisse, se gardent mieux. Vous pourrez les conserver jusqu'à un mois dans une pièce fraîche, mais cette durée varie en fonction de leur degré de maturité au moment du ramassage et du temps écoulé entre la cueillette et la vente. Choisissez des courges d'hiver qui semblent lourdes par rapport à leur taille, avec une peau ne présentant pas de meurtrissures.

Conseils d'utilisation

Les courges d'été se font cuire à la vapeur ou au four, sauter ou bouillir. On les accommode également en beignets. Leur chair est tendre, et elles ne demandent que quelques minutes de cuisson si l'on veut qu'elles restent craquantes. La tarte à la courgette ou les courgettes au fromage et aux piments verts sont des recettes très populaires au Mexique.

En général, les courges d'hiver doivent être coupées en morceaux et épépinées. On les fait cuire au four, à la vapeur ou à l'eau. Leur chair est plus ferme que celle des variétés d'été, c'est pourquoi leur cuisson est plus longue. On peut les peler avant de les faire cuire, ou bien après.

Les Mexicains dégustent le potiron en dessert, rôti au four avec de l'eau, du sucre et des épices, une recette qui s'applique tout aussi bien à d'autres variétés d'hiver. Les courges sont en outre utilisées dans la confection de garnitures pour des *empanadas* salées ou sucrées.

LES CHAYOTES

La chayote est originaire du Mexique. Membre de la famille des courges, elle pousse sur une plante grimpante. Ce légume est connu sous diverses appellations, dont *chocho* ou *chow-chow*, *mirliton* et *choko*. En France, on l'appelle aussi christophine.

En forme de poire, la chayote a une peau vert pâle, lisse et épaisse, avec des côtes profondes, parfois épineuses. Elle contient une amande centrale plate, semblable à celle de la mangue, mais qui, elle, est comestible. De couleur pâle, la chair de la chayote est croquante. Son goût rappelle celui des pommes vertes ou des châtaignes d'eau.

Achat et conservation

Choisissez des chayotes fermes, à la peau lisse, non ratatinée et sans éraflures ni meurtrissures. Les petites chayotes sont plus parfumées que les grosses. Elles peuvent se conserver un mois au réfrigérateur.

Ci-dessus : courges d'hiver.

À gauche : chayotes.

Conseils d'utilisation

Les chayotes ont un goût peu prononcé. Elles s'accommodent en salade ou en salsa, pelées, avec un filet de jus d'orange ou de citron vert et des piments. Si vous faites cuire les chayotes, assaisonnez-les généreusement. De saveur douce, elles accompagneront des préparations épicées. Pelez-les et faites-les cuire de la même manière que des courges d'été, ou bien mettez-les au four.

La chayote cuite au four

Coupez les chayotes en deux, badigeonnez leur chair d'huile, puis farcissez-les d'une garniture de légumes. Vous pouvez aussi les saupoudrer simplement de sel, de poivre et d'épices. Faites cuire au four préchauffé à 190 °C (th. 6) pendant environ 25 min : la chayote doit être tendre lorsque vous la piquez.

CHORIZO, VIANDE SÉCHÉE ET POISSON SALÉ

Dans les pays chauds, il est courant d'utiliser le séchage pour conserver les aliments. Au Mexique, on utilise fréquemment des ingrédients séchés pour aromatiser les plats.

LE CHORIZO

Le chorizo est une saucisse très relevée, à base de viande de porc grossièrement hachée, d'ail et d'épices. On l'utilise dans de nombreuses recettes, comme les *huevos con chorizo* (les œufs au chorizo), les soupes, les ragoûts et les plats en cocotte. Le chorizo mexicain est confectionné avec du porc frais, contrairement au chorizo espagnol, préparé avec du porc fumé. La chair du chorizo peut être préparée au fur et à mesure des besoins et être cuite immédiatement. Elle peut aussi être enfermée dans du boyau, puis être suspendue dans une pièce fraîche.

LES VIANDES SÉCHÉES

On appelle *mahaca* de la viande, généralement de bœuf, salée et séchée au soleil avant d'être hachée. Cette manière d'apprêter la viande est typique du nord du Mexique. Mélangée à des œufs brouillés, des haricots et du fromage, la *mahaca* est souvent servie dans une tortilla de blé. La *carne seca* (expression qui se traduit tout simplement par « viande séchée »), coupée en morceaux, se déguste aussi en hors-d'œuvre, avec du jus de citron vert.

Ci-dessous : chorizo.

Préparation du chorizo frais

Le chorizo vendu dans le commerce est généralement de bonne qualité. Néanmoins, il égale rarement les préparations maison. Facile à réaliser, le chorizo peut être fabriqué en grande quantité car il supporte très bien la congélation.

Pour environ 1 kg de chorizo

INGRÉDIENTS
- 1 kg de porc haché
- 2 cuil. à café de sel et 2 cuil. à café de poivre noir du moulin
- 1/2 cuil. à café de noix de muscade
- 1 cuil. à café de thym séché
- 1/2 cuil. à café d'anis moulu
- 1/2 cuil. à café de feuilles de laurier moulues
- 3 gousses d'ail écrasées
- 12 cl de xérès ou de cognac
- le jus de 2 citrons verts

1 Dans une jatte, mélangez la viande avec tous les autres ingrédients. Couvrez et mettez au réfrigérateur au moins 4 h (de préférence jusqu'au lendemain).

2 Insérez cette préparation dans des boyaux pour confectionner des saucisses individuelles que vous utiliserez ou que vous mettrez au congélateur.

3 Piquez les saucisses en plusieurs endroits puis immergez-les dans une casserole d'eau bouillante. Laissez bouillir environ 10 min, jusqu'à ce que la viande soit bien cuite.

4 Vous pouvez, si vous le souhaitez, arrondir la chair à saucisse en forme de boulettes que vous ferez frire sur chaque côté avec un peu de matière grasse. Servez le chorizo chaud, accompagné d'une sauce tomate bien relevée.

LA VIANDE ET LE POISSON SALÉS

Avant l'avènement du réfrigérateur, la salaison était l'une des seules techniques de conservation de la viande. Lorsqu'une famille tuait un cochon ou une vache, la viande non consommée dans l'immédiat était séchée ou conditionnée en saucisses, si bien que la bête fournissait des réserves pour plusieurs mois. Autrefois produit de première nécessité, le poisson séché, lui, est aujourd'hui considéré comme un mets de choix. La morue salée, par exemple, dont le traitement ne correspond plus vraiment à des fins de conservation, a beaucoup d'amateurs aussi bien au Mexique qu'en Espagne,

Trempage du poisson salé

Le poisson salé ne peut être consommé que s'il a trempé plusieurs heures, voire une nuit entière. Non seulement le trempage permet d'éliminer les impuretés, mais il attendrit aussi la chair. Mettez le poisson dans une grande jatte d'eau fraîche. Changez l'eau fréquemment. Après un certain temps de trempage, goûtez l'eau pour voir si elle est encore salée. Une fois trempée, la chair du poisson devient douce et souple.

À droite : morue salée.

LA MORUE SALÉE

Achat et conservation

La morue salée est vendue dans les épiceries exotiques et dans certains supermarchés. On peut la conserver plusieurs mois dans un placard. Les morceaux exposés en rayon ont généralement un aspect peu appétissant et semblent durs comme la pierre. Souvent, ils ne sont même pas emballés, et leur aspect n'est pas très net. Cela ne doit toutefois pas vous décourager : une fois lavé, réhydraté et cuit, le poisson salé est un aliment parfaitement sain.

Conseils d'utilisation

Faites tremper la morue salée pendant plusieurs heures avant de la mettre à cuire. Changez l'eau régulièrement afin d'éliminer toute impureté et de réduire la teneur en sel. La *bacalao a la vizcaina*, un ragoût de morue salée d'origine espagnole, constitue actuellement le plat traditionnel du réveillon de Noël mexicain. Cuite, la morue salée se déguste aussi avec une sauce au piment ou bien une salsa à base de tomates fraîches ou d'agrumes.

Préparation maison de la *mahaca*

Cette technique de préparation peut sembler étrange ; elle produit néanmoins une viande séchée d'une saveur typiquement mexicaine.

INGRÉDIENTS

- 1 kg de steaks d'aloyau d'environ 5 mm d'épaisseur
- 3 cuil. à soupe de sel marin moyen, moulu

1 Retirez les nerfs de la viande et saupoudrez de sel chacun des côtés.

2 Faites un trou dans chacun des steaks et enfilez dans l'orifice une ficelle ou un crochet de boucher.

3 Suspendez la viande dans une pièce sèche et fraîche, et laissez-la sécher pendant 3 jours. Vous pouvez aussi la faire sécher sur une grille surélevée, la suspendre à un tournebroche de façon que l'air circule autour, ou la mettre au four, au thermostat le plus faible.

4 Lorsque la viande est complètement séchée, mettez-la dans une jatte et couvrez d'eau. Comptez environ 30 minutes pour sa réhydratation.

5 Égouttez la viande et hachez-la grossièrement à l'aide de 2 fourchettes.

6 Étalez les morceaux pour les faire sécher. Une fois secs, conservez-les au réfrigérateur dans un récipient fermé.

LES FROMAGES

Protéine animale, le fromage a constitué un apport capital dans l'alimentation mexicaine. Jusqu'à son arrivée, les haricots et le maïs représentaient les principales sources de protéines végétales de l'alimentation. Présent aujourd'hui dans de nombreuses recettes mexicaines, le fromage diffère d'un plat à l'autre. La façon de l'apprêter – en miettes, fondu ou râpé – est aussi importante que sa saveur.

Le fromage a été introduit tardivement au Mexique. Avant la conquête du pays en 1521, les Mexicains ne consommaient que de la viande de porc. Les Espagnols créèrent d'importants élevages d'animaux laitiers, et se mirent à produire du lait, de la crème et du beurre. Puis les moines enseignèrent aux populations locales la fabrication du fromage. Après avoir dans un premier temps confectionné des fromages de type espagnol, comme le manchego, les Mexicains élaborèrent leurs propres variétés. Aujourd'hui, le Mexique produit du fromage de vache, de chèvre et de brebis, et l'on trouve encore dans le pays diverses sortes de fromages importées par les derniers immigrants.

Parmi ces nombreuses variétés, seules quelques-unes méritent cependant d'être citées. Les fromages mexicains ne sont que rarement commercialisés hors des frontières du pays. Si vous ne parvenez pas à vous les procurer, nous vous suggérons ci-après des alternatives acceptables.

Ci-dessous : la feta et la ricotta peuvent servir de substituts aux fromages mexicains.

*Ci-dessous : l'*asadero *peut être remplacé par de la mozzarella.*

LE *QUESO FRESCO*

Comme son nom l'indique, le *queso fresco* (fromage frais) est un produit jeune, qui n'a pas été affiné. *Queso fresco* est en fait une appellation générique qui s'applique à différentes variétés dotées de caractéristiques communes : une couleur crème, un goût très doux et une texture friable. En général, ce type de fromage est émietté sur certains plats comme les œufs brouillés, les *nopales* (feuilles de cactus) ou autres légumes cuits. Il est aussi utilisé pour garnir les *tacos* ou autres encas à base de tortilla. Le *queso fresco* a une saveur prononcée. On peut aussi le faire fondre. Si vous ne parvenez pas à vous en procurer, remplacez-le par de la ricotta ou de la mozzarella de bonne qualité, achetées de préférence chez un épicier italien.

L'*ASADERO*

Asadero signifie « fromage rôti ». C'est un fromage à pâte molle, de saveur douce, meilleur fondu, idéal pour farcir les piments ou autres légumes et les viandes, car il ne coule pas. La mozzarella constitue l'équivalent le plus proche.

À gauche : queso anejo.

LE *QUESO ANEJO*

Anejo signifie « vieux ». Le *queso anejo* est un fromage très affiné, dur et sec, au goût prononcé, salé. Il se râpe facilement. On en parsème souvent le dessus des *enchiladas*. Le parmesan constitue une bonne alternative.

LE *QUESO CHIHUAHUA*

Il ressemble à l'*anejo*, en moins salé. Remplacez-le éventuellement par du cheddar moyennement affiné, ou par du comté.

LE *QUESO DE OAXACA*

Très filant, fondant facilement, il se prête très bien à la cuisson. Son goût est légèrement aigre. Vous pouvez le remplacer par du cheddar ou de l'emmental.

Le monterey jack

Le monterey jack est un fromage californien que l'on a d'abord appelé *queso del pais* (« fromage de pays »). Ce sont les missionnaires espagnols qui, au début du XVIIIe siècle, ont appris aux Californiens à le fabriquer. Il y a environ deux cents ans, la recette, encore employée de nos jours, fut perfectionnée à Monterey. David Jacks était le propriétaire de la laiterie où l'on confectionnait ce fromage, d'où l'ajout du terme « jack » à son appellation.

Ce fromage a une saveur douce et une texture crémeuse. Il se déguste tel quel ou bien cuit. En vieillissant, il acquiert un goût sucré et noiseté. On peut l'utiliser à la place du *queso de Oaxaca*, de l'*asadero* ou du fromage de Chihuahua. Le monterey jack est très populaire dans toute l'Amérique du Nord. Aujourd'hui, on le trouve aussi en Europe. Si vous ne parvenez pas à vous en procurer, remplacez-le par un cheddar doux ou par de l'emmental.

Le *minguichi*

Les piments et le fromage se marient à merveille. *Minguichi* est le nom donné, dans la région de Michoacán, à la recette appelée ailleurs *chiles con queso* (piments au fromage). Il en existe d'innombrables variantes, confectionnées à partir des ingrédients les plus divers. Servez les *chiles con queso* avec des tortillas ou des chips de maïs, ou incorporez-les dans un plat de *frijoles de olla*, afin de lui conférer plus de corps. Les *chiles con queso* se préparent avec des piments ancho, mais ils sont également excellents avec des piments chipotle (jalapeños fumés). Au Mexique, on les prépare avec de la *crema*, une crème épaisse à la saveur légèrement acide que l'on ne trouve que rarement dans les autres pays. Vous pouvez toutefois la remplacer par de la crème fraîche.

Pour environ 75 cl de minguichi

INGRÉDIENTS
- 25 cl de crème fraîche
- 225 g de cheddar moyennement affiné ou de gruyère râpé
- 2 piments ancho épépinés et grillés

1 Réchauffez la crème fraîche à feu doux dans une casserole à fond épais.

2 Ajoutez le fromage et remuez jusqu'à ce qu'il fonde. Émiettez les piments et mélangez bien le tout. Versez dans un plat de service et servez aussitôt.

LES HERBES, AROMATES ET ÉPICES

La cuisine mexicaine utilise un large éventail d'aromates, dans lequel les piments viennent bien sûr en tête de liste. Il en existe une telle variété que cet ingrédient peut produire une multitude de saveurs, cuisantes, relevées ou merveilleusement subtiles. Le piment n'est toutefois pas le seul aromate employé au Mexique, loin s'en faut. La cannelle et le poivre de la Jamaïque, ainsi que diverses herbes, interviennent également dans nombre de préparations. Certaines épices, comme l'*epazote*, sont originaires du pays ; d'autres ont été introduites au Mexique par les Espagnols et par divers immigrants.

L'ACHIOTE

C'est la graine dure, rouge orangé, du rocouyer, un arbre des zones les plus chaudes de l'Amérique du Sud, qui pousse dans certaines régions du Mexique. Moulue, cette herbe est incorporée dans divers plats pour leur conférer couleur et saveur. Les graines d'achiote fraîches, de bonne qualité, donnent aux aliments un goût terreux, très particulier. L'achiote est très employée au Yucatán : on en confectionne des pâtes servant à enduire la viande avant sa cuisson.

Ci-dessus : poivre de la Jamaïque (en haut), bâtons de cannelle et cannelle moulue, achiote (en bas).

Ci-dessous : coriandre à gauche, cumin à droite et clous de girofle en bas à droite.

LE POIVRE DE LA JAMAÏQUE

Bien évidemment originaire de la Jamaïque, il pousse cependant à l'état sauvage sur les côtes mexicaines, dans la région de Tabasco. Christophe Colomb l'aurait rapporté en Europe en croyant qu'il s'agissait de grains de poivre ; voilà pourquoi les Espagnols lui ont donné le nom de *pimienta*, qui signifie « poivre ». Les baies de poivre de la Jamaïque, séchées, s'utilisent entières ou moulues. Elles servent à la préparation des *escabeches*, dans lesquels on fait mariner des légumes ou des poissons, ainsi que pour assaisonner les plats de viande ou pour parfumer desserts et cocktails.

LA CANNELLE

La cannelle du Sri Lanka est utilisée dans quantité de recettes mexicaines, des plats salés aussi bien que sucrés. Cet aromate a été introduit au Mexique à l'époque coloniale. On en parfume le chorizo, le riz au lait et certaines boissons, dont le *rompope*. Le chocolat mexicain qui sert à la préparation du chocolat chaud contient de la cannelle. Elle est utilisée soit en bâton, soit moulue.

LES CLOUS DE GIROFLE

Les clous de girofle sont venus d'Asie jusqu'au Mexique, *via* l'Espagne. Ils entrent dans la composition des mélanges d'épices complexes utilisés pour la préparation des *moles* et des *pepiáns*.

LA CORIANDRE

Les feuilles de coriandre fraîches se prêtent à la préparation de nombreux plats

À droite : origan.

salés et de salsas. Bien qu'originaire d'Europe, cette herbe à la saveur et au parfum délicieux est cultivée en Amérique du Sud. Certaines recettes mexicaines exigent des graines de coriandre. Feuilles et graines, en effet, ont un goût différent ; elles ne peuvent être remplacées les unes par les autres.

À droite : tamarin.

LE CUMIN

Associées à d'autres épices, les graines de cumin moulues entrent dans la composition de certains plats salés. On les utilise toujours avec parcimonie, jamais seules, car leur goût masque la saveur des aliments plus neutres. Originaire d'Égypte, le cumin a été introduit au Mexique à l'époque coloniale.

À droite : vanille.

L'EPAZOTE

Très utilisée dans la cuisine mexicaine, cette herbe ne se trouve malheureusement pas en dehors du pays, à moins de la cultiver soi-même. Sa saveur âcre, très caractéristique, n'a pas d'équivalent. On fait parfois cuire de l'*epazote* avec les haricots noirs, car cette herbe fraîche réduit les flatulences.

L'ORIGAN

On cultive au Mexique plusieurs variétés d'origan. La plus populaire, de la famille des verbénacées, a une saveur plus marquée et plus aromatique que les espèces européennes. Frais ou séché, l'origan apporte une note sucrée à l'*escabeche*, aux ragoûts et aux plats de viande.

LE TAMARIN

C'est la gousse marron foncé, en forme de haricot, du tamarinier. Cultivé en Inde depuis des siècles, cet arbre fut introduit aux Antilles au XVIIe siècle par les Espagnols. Le tamarin se vend généralement en blocs composés des gousses et de la pulpe, semblables aux blocs de dattes dénoyautées et pressées. Vous en trouverez dans les épiceries indiennes. Le tamarin dégage un goût aigre-doux, très rafraîchissant.

LA VANILLE

Les Aztèques connaissaient déjà la vanille, et certains documents historiques attestent son utilisation au Mexique, pour parfumer le chocolat chaud, dès le XVIe siècle. Les gousses de vanille poussent sur des plantes grimpantes. Jusque dans les années 1800, la vanille fut cultivée exclusivement au Mexique. Les gousses de bonne qualité sont d'un marron très foncé, grasses et malléables. La vanille dégage un arôme riche, sa saveur est sucrée. On s'en sert pour parfumer desserts et boissons.

Le sucre vanillé

Mettez une gousse de vanille dans un pot de sucre en poudre : il gagnera un délicieux parfum. Utilisez le sucre pour la préparation de gâteaux, entremets et desserts. Avant que sa saveur s'atténue, une même gousse peut parfumer plusieurs pots.

LES BOISSONS ALCOOLISÉES

Le Mexique possède un grand nombre de boissons alcoolisées, principalement dérivées de fruits ou de l'agave. La plupart ne sont toutefois pas très prisées en dehors du Mexique.

LA BIÈRE

Ce sont les colons allemands qui ont initié les Mexicains au brassage de la bière. La plupart des brasseries actuellement en activité ont d'ailleurs été fondées par des Allemands. Bien que des brasseries soient implantées dans tout le pays, la production de bière est surtout concentrée dans le Nord. La ville de Monterrey, dans le Nuevo León, a été couronnée capitale mexicaine de la bière. Les brasseries et industries connexes (verreries, cartonneries, imprimeries d'étiquettes) emploient une part importante de la population et elles jouent de ce fait un rôle essentiel dans l'économie nationale.

Ci-dessus : bières.

Le Mexique exporte plusieurs marques de bière, dont la Dos Equis, la Sol et la Corona, pourtant souvent fabriquées à l'étranger, sous licence. D'autres marques, notamment la Tecate, plus difficiles à trouver en dehors du Mexique, méritent d'être goûtées.

LE VIN

La production viticole à grande échelle a été considérablement freinée par les conquérants espagnols : ils préféraient importer vins et spiritueux de leur pays. L'industrie du vin a finalement réussi à se développer, notamment dans la Baja California où sont aujourd'hui situées les principales vignes mexicaines, même s'il existe aussi une activité vinicole dans le sud du pays. Depuis quelques années, les vins d'Amérique latine occupent une part importante du marché du vin, et les crus mexicains, vendus à des prix raisonnables, soulèvent de plus en plus d'intérêt. Le chardonnay, le sauvignon blanc, le riesling et le chenin blanc sont les princi-

À gauche : vin rouge.

À droite : vin blanc.

paux cépages utilisés pour la fabrication des vins blancs, tandis que le cabernet-sauvignon, le pinot noir et le grenache produisent des crus rouges à la renommée bien établie.

LE PULQUE

Des documents historiques datant de l'époque de Cortés font mention de la consommation du *pulque* par les Aztèques. Le *pulque* est une boisson semblable à la bière, distillée à partir de la résine de l'agave, une plante communément appelée *maguey* au Mexique. Tandis que les boissons à base de chocolat étaient au XVIe siècle l'apanage des classes gouvernantes, le *pulque* était la boisson du peuple. Elle reste aujourd'hui très populaire et l'on trouve des *pulquerias*, des petits bars vendant du *pulque*, dans tout le pays Pendant longtemps, ces bars ont souffert d'une très mauvaise réputation ; les femmes, les enfants et les fonctionnaires en uniforme n'étaient d'ailleurs pas autorisés à les fréquenter.

La méthode traditionnelle de fabrication du *pulque* n'a guère changé depuis l'époque des Aztèques. Elle consiste tout simplement à faire fermenter la résine de la plante pendant quelques semaines ; si on la laisse fermenter trop longtemps, la boisson devient toutefois imbuvable. La brièveté de la vie du *pulque* explique qu'il soit rarement commercialisé en dehors du Mexique.

Le *pulque*, qui titre de 6 à 8 % d'alcool, a une saveur unique, légèrement terreuse, que tout le monde n'apprécie pas. Pour essayer de développer sa vente, il est servi au Mexique avec du jus de fruits, du jus d'ananas par exemple, et se vend même en canettes.

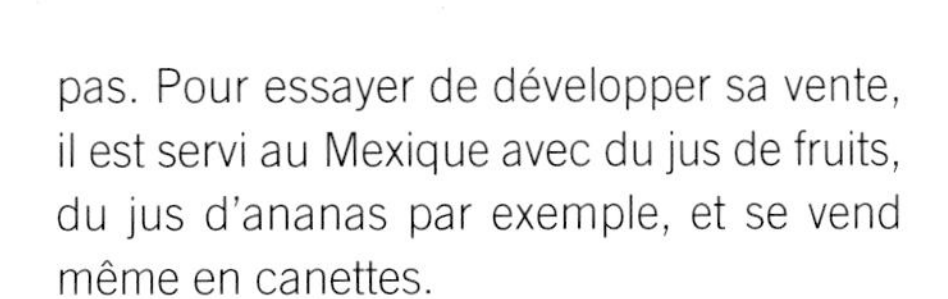

À droite : pulque.

LE KAHLÚA

Le Kahlúa est une liqueur de café fabriquée à Mexico et commercialisée dans le monde entier. On en verse dans le café frais pour en faire un digestif, ou on l'utilise dans la préparation des cocktails. Servez le Kahlúa dans un verre à liqueur, avec en surface une fine couche de crème, ou bien mélangé avec de la glace à la vanille – un délice !

LE MESCAL

« Mescal » est le terme générique qui désigne l'alcool d'agave. La tequila, décrite en détail ci-après, est un type de mescal. Malheureusement, en Europe occidentale, « mescal » est synonyme d'une marque de cet alcool, dont le flacon contient un ver du *maguey*. Lors d'énormes beuveries, des sortes de « compétitions » ont pour enjeu de savoir qui tombera sur le ver – une pratique qui a considérablement nui à la réputation du mescal. Pour l'anecdote, ce ver a été initialement introduit dans la bouteille pour indiquer la teneur en alcool du mescal : en effet, si le ver (une larve de mite) ne se décompose pas, c'est parce que la boisson est fortement alcoolisée. Les aficionados considèrent que c'est la région d'Oaxaca qui produit le meilleur mescal. La méthode traditionnelle consiste à extraire les cœurs, ou *piñas*, d'un certain nombre de plantes et à les faire cuire dans un gros trou. Un *piña* moyen pèse aux alentours de 50 kg. Après avoir creusé le trou, on y allume un grand feu sur lequel on dépose une couche de pierres. Au bout d'environ 12 h, on dépose les *piñas* sur les pierres, où ils cuisent pendant 2 à 3 jours. Ce mode de cuisson, qui nécessite des compétences particulières, confère au mescal sa saveur, son arôme et son caractère sirupeux.

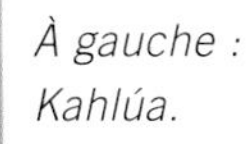

À gauche : Kahlúa.

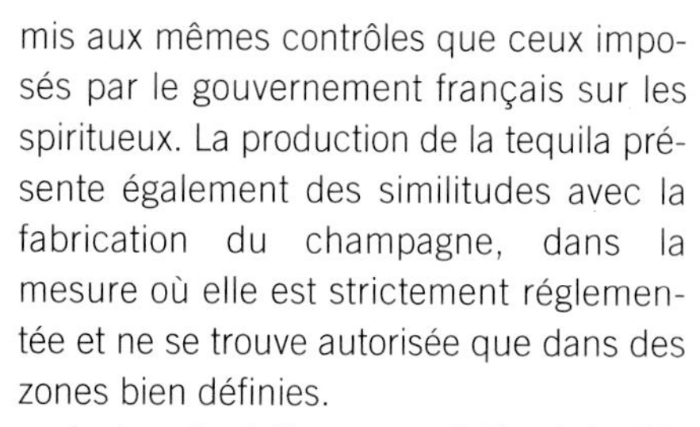

Après cuisson, les *piñas* sont retirés du trou, puis écrasés afin d'en extraire le jus. On mélange ensuite ce jus et les parties fibreuses de la plante avec de l'eau, et on laisse fermenter. Aujourd'hui, les producteurs ont cependant recours à des techniques plus modernes : les *piñas* sont cuits dans des fours spéciaux et certains dispositifs permettent de contrôler le processus de fermentation.

LA TEQUILA

La tequila est indubitablement l'alcool mexicain le plus connu dans le monde. Il s'agit d'un type spécifique de mescal dont la popularité ne cesse de croître, en particulier chez les jeunes.

Ce sont les Espagnols qui ont enseigné aux Mexicains l'art de la distillation. Le *pulque*, la boisson nationale fabriquée à partir de l'agave, se prêtait particulièrement bien à l'opération, si bien que les Mexicains se sont mis à le transformer en mescal. Distillé une seconde fois, le mescal est devenu la tequila. La tequila est un alcool fort, soumis aux mêmes contrôles que ceux imposés par le gouvernement français sur les spiritueux. La production de la tequila présente également des similitudes avec la fabrication du champagne, dans la mesure où elle est strictement réglementée et ne se trouve autorisée que dans des zones bien définies.

La tequila doit son appellation à la ville homonyme, située dans l'État de Jalisco, où elle a vu le jour. Dans le dialecte indien local, *tequila* signifie « volcan ». La province de Jalisco est aussi le berceau de la musique *mariachi*, ce qui explique peut-être pourquoi la tequila a acquis la réputation de boisson festive et conviviale.

Production

La tequila est fabriquée à partir de la résine de l'agave bleue, une plante de la famille de l'amaryllis, et non pas un cactus comme on a tendance à le croire. Les feuilles de la plante sont coupées afin de dénuder le *piña*, mis ensuite à cuire à la vapeur. On fait fermenter le jus, puis on le distille deux fois, la seconde dans un alambic en cuivre. À la suite de quoi la boisson est mise en bouteilles ou vieillie en fûts. Toutes les étapes du processus sont rigoureusement contrôlées.

Variations de saveurs

Il existe différents types et d'innombrables marques de tequila. Chaque marque possède sa saveur spécifique, liée au sol et au climat dont l'agave a bénéficié, à la teneur en sucre de la plante et aux techniques employées pour la cuisson des *piñas* et la fermentation du jus. Certaines tequilas sont vieillies en fûts. Dans ce cas, le type de bois et la durée du processus influent sur la saveur du produit fini.

Toutes les tequilas ne sont pas composées à 100 % d'alcool d'agave. Certaines sont mélangées avec de l'alcool de canne, mais la tequila doit obligatoirement contenir au moins 51 % d'alcool d'agave. Les tequilas mélangées sont toutefois de moins en moins commercialisées sur les marchés étrangers, car les consom-

À gauche : mescal.

À droite : tequila.

À gauche : tequila blanco.

Ci-dessous : tequila et citron vert.

À droite : tequila anejo.

mateurs deviennent toujours plus exigeants. Il y a quelques années, les bars européens ne proposaient qu'une seule sorte de tequila, utilisée en outre pour la préparation des margaritas. La culture mexicaine connaît désormais un tel succès qu'il existe aujourd'hui des bars à tequila où l'on peut déguster toutes ses versions possibles et imaginables.

À gauche : margarita

Les différents types de tequila

Tequila joven ou blanco. Elle est mise en bouteilles immédiatement après distillation. Sa couleur est généralement claire, parfois dorée. On classe dans cette catégorie les tequilas qui ont vieilli moins de 60 jours.

Tequila reposada. De couleur dorée, de saveur plus ronde que la tequila joven, elle a vieilli en fûts de chêne entre 2 et 6 mois.

Tequila anejo. D'une belle couleur dorée, elle a vieilli en fûts de chêne pendant au moins un an.

Curados. Le terme s'applique à une tequila joven ou blanco parfumée avec des arômes naturels : cannelle, piment, amande, vanille, ainsi que divers sirops et essences.

Comment devenir un véritable amateur ?

Le meilleur moyen est de goûter autant de marques que possible, de les comparer en termes d'aspect, de bouquet, de viscosité et de saveur. En général, les tequilas n'ont pas un goût unique, mais elles rassemblent un ensemble complexe de parfums. Elles peuvent être douces, terreuses, boisées, voire fumées. N'hésitez pas à tester une marque nouvelle aux côtés d'une marque connue, qui fera office de critère d'évaluation.

Déguster la tequila

La meilleure approche de la tequila consiste en avaler une gorgée après avoir léché du sel sur sa main et avant de mordre dans un quartier de citron vert. Cette méthode tire son origine du fait que la tequila était autrefois un alcool si fort que seuls le sel et le citron permettaient de le goûter.

Puis on a inventé la margarita, un cocktail à base de jus de citron vert, de tequila et de triple sec – de la liqueur d'orange –, qui se déguste dans un verre au bord imprégné de sel. Ce cocktail se boit sec, avec des glaçons ou de la glace pilée.

Les Mexicains ont coutume de déguster la tequila pure, avec, dans un autre verre, de la *sangrita*, du jus de tomates agrémenté de piments et autres épices. En mélangeant tequila et *sangrita*, on obtient un bloody mary.

Ci-dessous : curados de piment (à gauche) et de vanille (à droite).

Les recettes

Même si les enchiladas *et* empanadas *ne sont pas dénuées d'intérêt, il serait dommage de croire que la cuisine mexicaine se limite à ces deux recettes. Encore récemment, la plupart des restaurants mexicains implantés à l'étranger se contentaient d'offrir des plats tex-mex, d'origine certes mexicaine, mais qui ont subi l'influence américaine. Aujourd'hui, le public averti recherche des établissements qui proposent une cuisine authentique – colorée, imaginative et pas forcément pimentée –, et il souhaite pouvoir réaliser à domicile ses recettes préférées. Les supermarchés, les épiceries fines et la vente par correspondance se sont adaptés à la demande : désormais, on peut s'approvisionner en ingrédients exotiques comme les* tomatillos *ou des variétés de piments peu courantes. Les recettes qui suivent constituent un éventail de diverses préparations régionales ; elles illustrent la diversité des saveurs, des textures et des techniques qui font la richesse de la cuisine mexicaine.*

LES SALSAS

Salsa *signifie tout simplement « sauce » – un art dans lequel les Mexicains excellent. Épicées ou rafraîchissantes, cuites ou fraîches, il existe une infinie variété de sauces dans la cuisine mexicaine. Certaines sont utilisées pour relever les aliments, d'autres se consomment telles quelles, comme un condiment. Les sauces classiques se retrouvent dans de nombreuses recettes. La star des salsas cuites est sans doute la sauce aux graines de citrouille, le* pepián, *à la riche saveur noisettée. La sauce de* tomatillos *verte, la* salsa verde, *se marie à merveille avec les* enchiladas *et le porc. Parmi les sauces crues, la* tomato salsa, *aussi appelée* salsa ranchera *ou* salsa mexicana, *est sans doute la plus connue : réunissant tomates, oignons, coriandre et citron vert, elle est présente sur presque toutes les tables mexicaines. Contrairement aux produits du commerce, la plupart des salsas mexicaines ne contiennent ni matières grasses ni sucre ajouté ; ce sont les fruits et les légumes frais, crus, qui leur apportent leur saveur. Elles conviennent donc parfaitement aux personnes soucieuses de diététique. Leurs couleurs vives, leurs saveurs incomparables et la multitude de préparations auxquelles elles se prêtent (y compris des recettes non mexicaines) en font des ingrédients indispensables pour tout cuisinier digne de ce nom.*

TOMATO SALSA

Voici la recette traditionnelle de la tomato salsa, *un classique indissociable de la cuisine mexicaine. Il en existe d'innombrables variantes, mais les ingrédients de base sont toujours l'oignon, la tomate, le piment et la coriandre. Servie comme condiment, la* tomato salsa *se marie avec les plats les plus divers.*

Pour 6 personnes, en accompagnement

INGRÉDIENTS

- 3 à 6 piments serrano frais
- 1 gros oignon blanc
- le zeste râpé et le jus de 2 citrons verts, plus quelques lanières d'écorce
- 8 tomates mûres, bien fermes
- 1 gros bouquet de coriandre fraîche
- 2 pincées de sucre en poudre
- sel

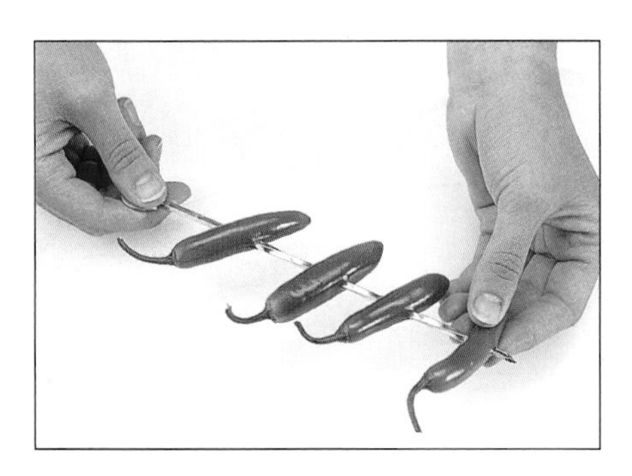

1 Utilisez de 3 à 6 piments selon le degré de piquant que vous souhaitez obtenir. Enfilez-les sur une longue broche métallique et faites-les griller directement sur la flamme du gaz jusqu'à ce que leur peau cloque et noircisse ; évitez de laisser brûler la chair. Autre possibilité : faites griller les piments sur une plaque en fonte, sans matières grasses, jusqu'à ce que la peau soit carbonisée.

2 Mettez les piments grillés dans un sac en plastique résistant. Fermez le sac et laissez reposer 20 min.

3 Hachez finement l'oignon et placez-le dans un bol avec le zeste et le jus des citrons, qui attendrira l'oignon.

VARIANTES

Remplacez l'oignon blanc par des oignons grelots ou de l'oignon rouge. Pour une saveur fumée, utilisez des piments chipotle à la place des serranos.

4 Retirez les piments du sac et pelez-les. Coupez les queues, incisez les piments et raclez les graines avec un couteau pointu. Hachez grossièrement la chair et réservez.

5 Pratiquez une petite entaille en croix à la base de chaque tomate. Mettez-les dans un récipient résistant à la chaleur et couvrez-les d'eau bouillante.

6 Laissez tremper les tomates 3 min puis, avec une écumoire, retirez-les du récipient pour les plonger dans de l'eau froide. Égouttez. La peau commence à se détacher au niveau des entailles ; enlevez-la complètement.

7 Débitez en dés les tomates pelées et mettez-les dans une jatte. Ajoutez le mélange de l'oignon haché, maintenant attendri, et du citron vert. Ciselez finement la coriandre fraîche.

8 Ajoutez la coriandre dans la jatte, ainsi que les piments et le sucre. Remuez délicatement jusqu'à ce que le sucre soit dissous et que tous les ingrédients soient enrobés de jus de citron vert. Couvrez et laissez 2 à 3 h au réfrigérateur pour que les arômes se diffusent. La tomato salsa se conserve 3 à 4 jours au réfrigérateur. Avant de servir, décorez-la avec des lanières d'écorce de citron vert.

SAUCE VERTE AUX TOMATILLOS

Cette sauce à la couleur verte et au goût relevé se marie à merveille avec les enchiladas*. Additionnée de crème, elle s'associe volontiers au poisson poché et au poulet en escalope. Il est assez difficile de se procurer des* tomatillos *frais en dehors du Mexique ; nous donnons donc aussi une version de la recette avec cet ingrédient en conserve.*

Pour 4 personnes, en accompagnement

INGRÉDIENTS

- 300 g de tomatillos frais, plus 12 cl de bouillon ou d'eau
- ou 300 g de *tomatillos* en conserve égouttés, plus 6 cl de bouillon ou d'eau
- 2 piments serrano frais
- 4 gousses d'ail écrasées
- 1 cuil. à soupe d'huile végétale
- 1 petit bouquet de coriandre fraîche
- sel
- 12 cl de crème fraîche épaisse (facultatif)

1 Si vous utilisez des tomatillos frais (dans le cas contraire, cette première étape ne vous concerne pas), ôtez les feuilles et coupez les fruits en quartiers. Mettez-les dans une casserole avec le bouillon ou l'eau. Faites cuire 8 à 10 min à feu moyen, jusqu'à ce que la chair soit tendre et transparente.

2 Coupez les queues des piments. Incisez-les et raclez les graines avec un petit couteau. Hachez la chair grossièrement et mettez-la dans le bac d'un mixer. Incorporez l'ail écrasé.

3 Ajoutez les tomatillos et leur liquide de cuisson, et actionnez le mixer pendant quelques minutes, jusqu'à l'obtention d'un mélange presque onctueux. Si vous utilisez des tomatillos en conserve, coupez-les en quartiers et passez-les directement au mixer avec le bouillon ou l'eau, les piments hachés et l'ail, jusqu'à l'obtention d'un mélange presque homogène.

4 Faites chauffer l'huile dans une poêle à fond épais et versez-y la purée de tomatillos. Baissez le feu et laissez cuire pendant environ 5 min, jusqu'à ce que la sauce épaississe. Remuez fréquemment pour éviter que la préparation brûle ou attache.

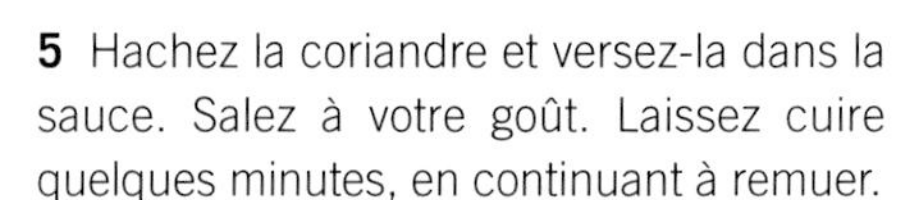

5 Hachez la coriandre et versez-la dans la sauce. Salez à votre goût. Laissez cuire quelques minutes, en continuant à remuer.

6 Incorporez la crème et poursuivez la cuisson quelques instants, sans laisser bouillir. Servez la sauce verte bien chaude.

GUACAMOLE

Préparé avec des avocats, des tomates, des piments, de la coriandre et du citron vert, le guacamole est l'une des salsas mexicaines dont le succès ne cesse de croître. Le guacamole vendu dans le commerce contient généralement de la mayonnaise. Cet ingrédient contribue à la conservation de l'avocat, mais il ne fait pas partie de la recette traditionnelle.

Pour 6 à 8 personnes

INGRÉDIENTS
- 4 tomates de grosseur moyenne
- 4 avocats mûrs
- le jus d'1 citron vert
- 1/2 petit oignon
- 2 gousses d'ail
- 1 petit bouquet de coriandre fraîche, hachée
- 3 piments fresno rouges, frais
- sel
- chips de maïs, pour l'accompagnement

1 Pratiquez une entaille en croix à la base de chaque tomate. Mettez-les dans un récipient résistant à la chaleur et recouvrez-les d'eau bouillante.

2 Laissez tremper les tomates 3 min dans l'eau chaude puis, à l'aide d'une écumoire, plongez-les dans l'eau froide. Égouttez. Mondez les tomates, puis coupez-les en deux à l'aide d'une petite cuillère, hachez grossièrement la chair et réservez.

3 Coupez les avocats en deux et ôtez les noyaux. À la cuillère, extrayez leur chair et passez-la au mixer jusqu'à l'obtention d'un mélange presque onctueux. Transférez dans une jatte et incorporez le jus de citron vert.

4 Hachez finement la moitié d'oignon, puis écrasez l'ail. Ajoutez ces 2 ingrédients dans la purée d'avocats et remuez bien. Incorporez la coriandre.

5 Coupez la queue des piments et raclez les graines avec un petit couteau pointu. Hachez finement la chair et ajoutez-la, ainsi que les tomates hachées, dans la purée d'avocats. Mélangez bien.

6 Goûtez et salez à votre goût. Couvrez avec du film plastique ou un couvercle hermétique et mettez 1 h au réfrigérateur. Présentez le guacamole accompagné de chips de maïs. Bien couvert, le guacamole se conserve 2 à 3 jours au réfrigérateur.

CONSEIL

Originaires du Mexique, les *avocados fuerte*, à la peau lisse, sont la variété idéale pour cette recette. Si vous ne parvenez pas à vous en procurer, remplacez-les par toute autre variété d'avocats, à condition qu'ils soient bien mûrs. Pour vous en assurer, vérifiez que le haut de l'avocat est souple au toucher quand vous le pressez délicatement.

SALSA DE HARICOTS NOIRS

Cette sauce de couleur noire crée de magnifiques contrastes avec les rouges et les verts beaucoup plus habituels dans une assiette. Les piments pasado lui confèrent un délicat parfum d'agrumes. Après l'avoir préparée, laissez-la reposer pendant un jour ou deux afin que ses arômes se développent pleinement.

Pour 4 personnes, en accompagnement

INGRÉDIENTS

- 125 g de haricots noirs, trempés une nuit
- 1 piment pasado
- 2 piments fresno rouges, frais
- 1 oignon rouge
- le zeste râpé et le jus d'1 citron vert
- 2 cuil. à soupe de bière mexicaine (facultatif)
- 1 cuil. à soupe d'huile d'olive
- 1 petit bouquet de coriandre fraîche, hachée
- sel

1 Égouttez les haricots et placez-les dans une grande casserole. Couvrez-les d'eau et mettez un couvercle sur la casserole. Portez à ébullition, puis baissez le feu et faites cuire doucement pendant environ 40 min. Les haricots doivent être tendres, mais rester croquants et ne pas se désagréger. Égouttez, rincez sous l'eau froide et laissez refroidir.

2 Faites tremper le piment pasado dans de l'eau chaude jusqu'à ce qu'il ramollisse (environ 10 min). Égouttez. Coupez la queue du piment, puis incisez-le et raclez les graines avec un petit couteau pointu. Hachez finement la chair.

CONSEIL

Les bières mexicaines sont des bières blondes. Seules quelques marques sont commercialisées à l'étranger, dont la Dos Equis (Double X), très populaire.

3 Enfilez les piments fresno sur une longue broche métallique. Faites-les griller sur la flamme du gaz jusqu'à ce que leur peau cloque et noircisse, en veillant à ne pas laisser brûler la chair. Ou encore : faites griller les piments sur une plaque en fonte, sans matières grasses, jusqu'à ce que leur peau soit carbonisée. Puis mettez-les dans un sac en plastique résistant. Fermez et laissez reposer 20 min.

4 Hachez finement l'oignon rouge. Retirez les piments du sac et pelez-les. Incisez leur chair, épépinez-les et hachez-les finement.

5 Mettez les haricots dans une jatte. Ajoutez oignon, piments, zeste et jus de citron, huile, coriandre, et éventuellement la bière. Salez et mélangez. Gardez la salsa au réfrigérateur jusqu'au moment de servir.

SALSA DE HARICOTS ROSES

Les haricots roses ont une jolie peau mouchetée. Le goût fumé des piments chipotle et l'arôme d'herbe du piment pasilla forment un contraste agréable avec l'acidité des tomatillos *qui, pour une fois, restent crus.*

Pour 4 personnes, en accompagnement

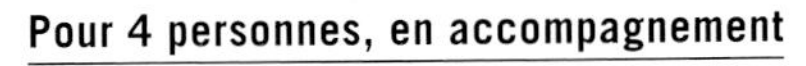

INGRÉDIENTS

- 125 g de haricots roses, trempés une nuit
- 2 piments chipotle
- 1 piment pasilla
- 2 gousses d'ail pelées
- 1/2 oignon
- 200 g de tomatillos frais
- sel

1 Égouttez les haricots et mettez-les dans une casserole. Couvrez-les d'eau et posez un couvercle sur la casserole. Portez à ébullition puis baissez légèrement le feu et faites cuire les haricots à feu doux 45 à 50 min. Les haricots doivent être tendres, mais rester croquants et ne pas se désagréger. Égouttez, rincez sous l'eau froide, égouttez à nouveau et transférez les haricots dans une jatte. Laissez refroidir.

CONSEIL

Cette recette peut être réalisée avec des tomatillos en conserve. Pour conférer à la salsa une saveur fraîche, ajoutez du jus de citron vert.

2 Faites tremper les piments chipotle et pasilla environ 10 min dans l'eau chaude, jusqu'à ce qu'ils ramollissent. Égouttez et réservez l'eau de trempage. Coupez les queues, puis incisez les piments et raclez les graines. Hachez finement la chair et mélangez-la avec un peu d'eau de trempage jusqu'à obtention d'une pâte homogène.

3 Dans une poêle sans matières grasses, faites revenir l'ail à feu moyen jusqu'à ce que les gousses commencent à roussir. Transférez-les dans la jatte avec les haricots.

4 Hachez le 1/2 oignon et les tomatillos. Incorporez aux haricots, ainsi que la pâte de piments. Remuez, salez. Laissez la salsa au réfrigérateur jusqu'au moment de servir.

SAUCE CHIPOTLE

En marinade ou en accompagnement, cette sauce à la saveur fumée se marie à merveille avec les aliments cuits au barbecue. Vous pouvez aussi la mélanger avec du fromage frais et en garnir un sandwich au poulet. Les piments chipotle sont des piments jalapeño séchés et fumés.

Pour 6 personnes, en accompagnement

INGRÉDIENTS
- 500 g de tomates
- 5 piments chipotle
- 3 gousses d'ail grossièrement hachées
- 15 cl de vin rouge
- 1 cuil. à café d'origan séché
- 4 cuil. à soupe de miel liquide
- 1 cuil. à café de moutarde américaine
- 1/2 cuil. à café de poivre noir du moulin
- sel

1 Préchauffez le four à 200 °C (th. 7). Coupez les tomates en quartiers et placez-les dans un plat à four. Faites-les rôtir de 45 min à 1 h, jusqu'à ce qu'elles soient carbonisées et tendres.

2 Pendant ce temps, faites tremper les piments dans de l'eau froide jusqu'à ce qu'ils soient tendres (environ 20 min). Coupez les queues, incisez les piments et raclez les graines avec un petit couteau pointu. Hachez grossièrement la chair.

3 Retirez les tomates du four, laissez-les légèrement refroidir, puis pelez-les et enlevez les pépins si vous souhaitez une sauce très onctueuse. Hachez les tomates, passez-les au mixer avec les piments hachés, l'ail et le vin rouge. Réduisez en purée, puis ajoutez l'origan, le miel, la moutarde et le poivre noir. Mélangez en actionnant brièvement le mixer. Goûtez et rectifiez l'assaisonnement en ajoutant du sel.

4 Transférez cette préparation dans une casserole placée sur feu moyen. Remuez jusqu'à ébullition. Baissez le feu et laissez cuire doucement, en remuant de temps à autre, jusqu'à ce que la sauce ait réduit et épaissi (environ 10 min). Versez dans un bol et servez la sauce chipotle chaude ou froide.

SAUCE AUX PIMENTS GUAJILLO

Cette sauce accompagne les enchiladas, *les légumes à la vapeur ou les viandes, notamment le porc. Utilisée en petite quantité, elle assaisonnera soupes et ragoûts. Préparée avec des piments séchés, elle se montre moins piquante, avec une saveur ronde et fruitée.*

Pour 4 personnes, en accompagnement

INGRÉDIENTS
- 2 tomates d'un poids total d'environ 200 g
- 2 poivrons rouges évidés, épépinés et coupés en quartiers
- 3 gousses d'ail, avec la peau
- 2 piments ancho
- 2 piments guajillo
- 2 cuil. à soupe de purée de tomates
- 1 cuil. à café d'origan séché
- 1 cuil. à café de cassonade
- 30 cl de bouillon de poulet

1 Préchauffez le four à 200 °C (th. 7). Coupez les tomates en quartiers et placez-les dans un plat à rôtir avec les poivrons et les gousses d'ail entières. Faites rôtir jusqu'à ce que les tomates et les poivrons soient légèrement carbonisés et que l'ail devienne tendre (de 45 min à 1 h).

2 Placez les poivrons dans un sac en plastique résistant. Fermez le sac et laissez reposer 20 min. Pelez les tomates. Faites tremper les piments dans de l'eau bouillante jusqu'à ce qu'ils ramollissent (environ 15 min).

3 Sortez les poivrons du sac et retirez leur peau. Coupez-les en deux, ôtez les nervures et les graines, hachez grossièrement la chair et déposez-la dans un mixer. Égouttez les piments, coupez les queues, puis incisez et raclez les graines avec un petit couteau pointu. Hachez grossièrement les piments et mettez-les dans le mixer.

4 Ajoutez les tomates rôties dans le mixer. Complétez avec les gousses d'ail préalablement pelées, la purée de tomates, l'origan, la cassonade et le bouillon. Réduisez en purée.

5 Versez cette préparation dans une casserole placée sur feu moyen. Portez à ébullition puis laissez cuire à feu doux jusqu'à ce que la sauce ait réduit environ de moitié (de 10 à 15 min). Transférez la sauce aux piments guajillo dans un bol et servez aussitôt. Si vous préférez utiliser cette sauce froide, couvrez la casserole et laissez refroidir. Mettez ensuite la sauce chipotle au réfrigérateur, où elle pourra se conserver pendant 1 semaine.

SALSA DE TOMATES RÔTIES

Les tomates passées au four, presque séchées, confèrent à cette sauce son riche arôme sucré. D'une saveur douce et fraîche, le piment costeno amarillo est le partenaire idéal de ces tomates au goût prononcé. Cette salsa se marie à merveille avec le thon et le bar. Avec du fromage à tartiner, elle constitue une délicieuse garniture de sandwich.

Pour 6 personnes, en accompagnement

INGRÉDIENTS
- 500 g de tomates
- 8 petites échalotes
- 5 gousses d'ail
- gros sel
- 1 brin de romarin frais
- 2 piments costeno amarillo
- le zeste râpé et le jus d'1/2 petit citron
- 2 cuil. à soupe d'huile d'olive vierge extra
- 2 pincées de cassonade

1 Préchauffez le four à 160 °C (th. 5). Découpez les tomates en quartiers.

2 Pelez les échalotes et les gousses d'ail. Posez-les, avec les tomates, sur une plaque du four. Saupoudrez de gros sel. Faites rôtir au four jusqu'à ce que les tomates commencent à sécher (1 h 15 environ). Évitez de les laisser brûler ou noircir, cela leur donnerait un goût amer.

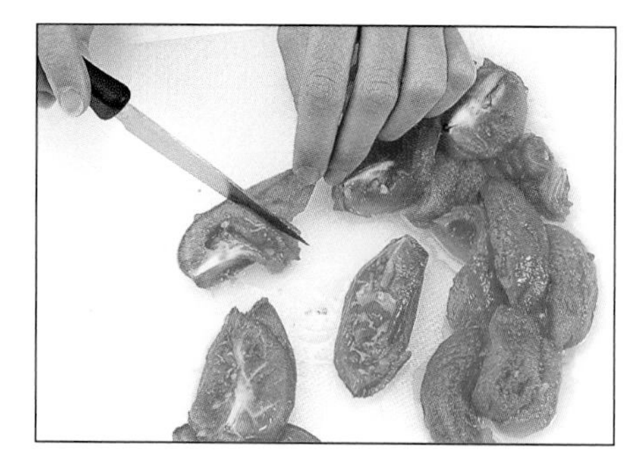

3 Laissez refroidir les tomates, puis mondez-les et hachez finement leur chair. Transférez dans une jatte. Ôtez la membrane extérieure des échalotes, qui a durci à la cuisson.

4 Avec un couteau, hachez grossièrement les échalotes et l'ail. Mettez-les dans une jatte avec les tomates, et mélangez.

5 Détachez les feuilles de romarin de la tige et hachez-les finement. Mélangez la moitié du romarin avec la préparation à base de tomates.

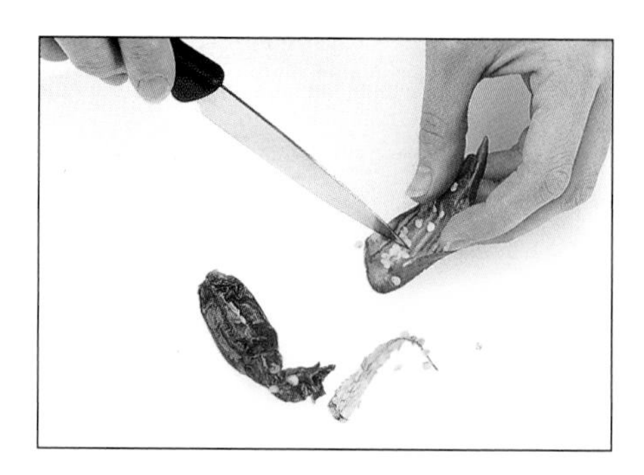

6 Faites tremper les piments dans l'eau chaude environ 10 min. Égouttez, coupez les queues, incisez la chair et raclez les graines. Hachez finement les piments et mélangez-les à la préparation.

7 Incorporez le zeste et le jus de citron, l'huile d'olive et la cassonade. Mélangez bien, goûtez et ajoutez du sel si nécessaire. Couvrez et mettez au réfrigérateur pendant 1 h au moins. Au moment de servir, parsemez le reste du romarin sur la préparation. Au réfrigérateur, la salsa de tomates rôties peut se conserver 1 semaine.

CONSEIL

Utilisez des olivettes, plus parfumées que les variétés qui se conservent mieux. Les tomates cerises conviennent également ; il n'est pas nécessaire de les monder après les avoir fait rôtir.

SALSA À LA JICAMA

La jicama, ou igname, est un tubercule arrondi et brun. Sa texture se situe à mi-chemin entre la châtaigne d'eau et la pomme verte. La jicama se mange crue ou cuite, mais toujours pelée. Vous en trouverez dans les épiceries exotiques.

Pour 4 personnes, en accompagnement

INGRÉDIENTS
- 1 petit oignon rouge
- le jus de 2 citrons verts
- 3 petites oranges
- 1 jicama d'environ 450 g
- 1/2 concombre
- 1 piment fresno rouge, frais

1 Coupez l'oignon en deux, puis émincez finement chaque moitié. Transférez dans une jatte, ajoutez le jus des citrons verts et laissez tremper l'oignon. Réservez.

2 Au couteau, retirez une calotte au sommet et à la base de chaque orange. Posez une orange sur une planche et, avec précaution, pelez-la à vif au couteau. Puis maintenez l'orange au-dessus d'une jatte et passez délicatement le couteau entre les membranes afin que les tranches tombent dans la jatte. Une fois toutes les tranches séparées, pressez la pulpe au-dessus de la jatte pour en extraire le jus restant.

3 Pelez la jicama et rincez-la sous l'eau froide. Coupez-la en quartiers puis hachez-la finement. Ajoutez-la dans la jatte de jus d'orange.

CONSEIL

Le jus des agrumes préserve la couleur et la fraîcheur des aliments, tout en rehaussant la saveur des préparations. Le jus de citron, par exemple, retarde le noircissement des pommes coupées. Additionné de jus de citron vert, le guacamole conserve une belle couleur pendant 2 à 3 jours. Dans cette recette, le jus de citron vert attendrit l'oignon.

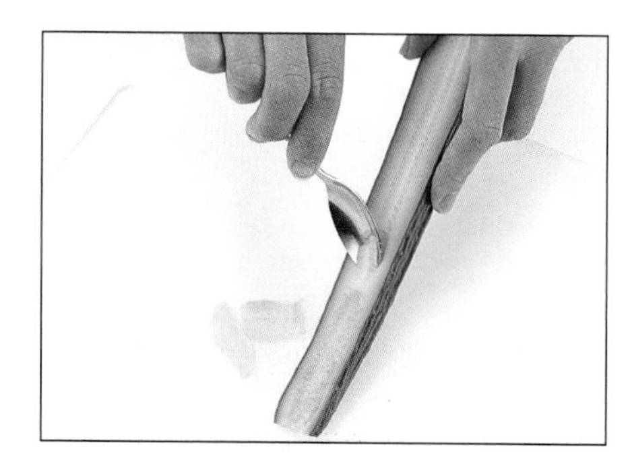

4 Coupez le 1/2 concombre en deux dans la longueur et ôtez les graines avec une cuillère à café. Émincez-le et mettez les rondelles dans la jatte. Coupez la queue du piment, incisez-le et raclez les graines avec un petit couteau. Hachez finement la chair et mettez-la dans la jatte.

5 Ajoutez l'oignon haché et le jus des citrons verts dans la jatte. Mélangez soigneusement. Couvrez et laissez reposer à température ambiante pendant 1 h au moins. Servez ensuite la salsa à la jicama, ou placez-la au réfrigérateur où elle se conservera de 2 à 3 jours.

SALSA DE PATATES DOUCES

Très colorée, délicieusement douce, cette salsa est l'accompagnement parfait pour des plats mexicains piquants et épicés.

Pour 4 personnes, en accompagnement

INGRÉDIENTS
- 700 g de patates douces
- le jus d'1 petite orange
- 1 cuil. à soupe de piments jalapeño séchés, écrasés
- 4 oignons grelots
- sel
- le jus d'1 petit citron vert (facultatif)

1 Pelez les patates douces et coupez-les en petits dés. Portez une casserole d'eau à ébullition et incorporez les dés de patates douces. Laissez-les cuire jusqu'à ce qu'ils soient juste tendres (de 8 à 10 min). Retirez l'eau, couvrez et replacez la casserole sur la plaque de cuisson après avoir éteint le feu. Laissez tiédir pendant environ 5 min, puis transférez dans une jatte et réservez.

2 Dans une autre jatte, mélangez le jus d'orange et les piments écrasés. Hachez finement les oignons et ajoutez-les à cette préparation.

3 Lorsque les patates douces ont refroidi, incorporez la préparation à base de jus d'orange et mélangez délicatement pour en enduire chacun des dés. Couvrez, mettez au réfrigérateur au moins 1 h, puis goûtez ; rectifiez l'assaisonnement en ajoutant du sel. Si vous souhaitez une saveur plus fraîche, incorporez le jus de citron vert. Dans un récipient fermé, la salsa de patates douces se conserve de 2 à 3 jours au réfrigérateur.

CONSEIL

Du saumon grillé ou d'autres plats de poissons, des escalopes de veau ou des blancs de poulet grillés mettront en valeur les saveurs subtiles de cette salsa.

SALSA DE NOPALES

Les nopales sont les feuilles tendres et charnues, en forme de raquettes, d'un cactus comestible, le figuier de Barbarie. Il est cultivé au Mexique, et il y pousse aussi à l'état sauvage. Les nopales les plus courants sur les marchés mexicains ont des feuilles ovales, vert foncé, hérissées de minuscules épines. À l'étranger, il est rare d'en trouver des frais. Si vous y parvenez, choisissez-les bien fermes, avec une peau très lisse.

Pour 4 personnes, en accompagnement

INGRÉDIENTS

- 2 piments fresno rouges, frais
- 250 g de nopales
- 1/2 cuil. à café de sel
- 3 oignons grelots
- 3 gousses d'ail pelées
- 1/2 oignon rouge
- 100 g de tomatillos frais
- 15 cl de vinaigre de cidre

1 Enfilez les piments sur une longue broche métallique et faites-les griller sur la flamme du gaz jusqu'à ce que leur peau cloque et noircisse. Veillez à ne pas laisser brûler la chair. Autre possibilité : faites-les griller sur une plaque en fonte, sans matières grasses, jusqu'à ce que leur peau soit carbonisée. Placez les piments grillés dans un sac en plastique résistant. Fermez le sac et laissez reposer 20 min.

2 Retirez les piments du sac et pelez-les. Coupez les queues, puis incisez les piments et raclez les graines. Hachez grossièrement la chair et réservez.

CONSEIL

Les magasins de primeurs spécialisés vendent parfois des nopales frais. Comme l'okra, ce légume contient une substance visqueuse : il est donc conseillé de les porter à ébullition avant de les utiliser. Mais il faut aussi savoir que les cactus frais perdent une bonne moitié de leur poids à la cuisson. Quand ils sont vendus en conserve (à l'eau ou au vinaigre), les nopales portent parfois le nom de nopalitos.

3 Enfilez des gants en caoutchouc ou prenez les nopales avec des pinces de cuisine. À l'aide d'un couteau bien aiguisé, détachez délicatement les renflements contenant les épines.

4 Supprimez la base épaisse de chaque feuille de cactus. Rincez soigneusement les nopales, puis taillez-les en lanières que vous débiterez en petits morceaux.

5 Portez une casserole d'eau salée à ébullition. Ajoutez les morceaux de nopales, les oignons grelots et l'ail. Laissez bouillir jusqu'à ce que les nopales deviennent tout juste tendres (de 10 à 15 min).

6 Égouttez la préparation. Rincez sous l'eau froide pour éliminer tout reste de substance collante, puis égouttez à nouveau. Jetez les oignons grelots et l'ail.

7 Hachez finement le 1/2 oignon rouge et les tomatillos. Mettez-les dans une jatte. Ajoutez les nopales et les piments.

8 Transférez la préparation dans un grand bocal. Salez, versez le vinaigre et fermez. Placez le bocal au réfrigérateur pendant 1 journée au moins, en le retournant de temps à autre afin que les nopales s'imprègnent de marinade. La salsa de nopales peut se garder 10 jours au réfrigérateur.

SALSA DE MANGUES

Une salsa au goût frais et fruité, à servir avec un poisson, ou pour créer un contraste avec un plat riche et crémeux. De couleur vive, elle apportera une note de gaieté sur votre table.

Pour 4 personnes, en accompagnement

INGRÉDIENTS
- 2 piments fresno rouges, frais
- 2 mangues bien mûres
- 1/2 oignon blanc
- 1 petit bouquet de coriandre fraîche
- le zeste râpé et le jus d'1 citron vert

1 Enfilez les piments sur une broche métallique et faites-les griller sur la flamme jusqu'à ce que leur peau cloque et noircisse. Veillez à ne pas laisser brûler la chair. Ou faites-les griller sur une plaque en fonte, sans matières grasses, jusqu'à ce que leur peau soit carbonisée.

2 Mettez les piments dans un sac en plastique. Fermez et laissez reposer 20 min.

CONSEIL

En saison, il est facile de se procurer des mangues, mais elles sont souvent vendues avant d'être mûres. Faites-les mûrir pendant 24 h à température ambiante, jusqu'à ce qu'elles soient légèrement souples au toucher.

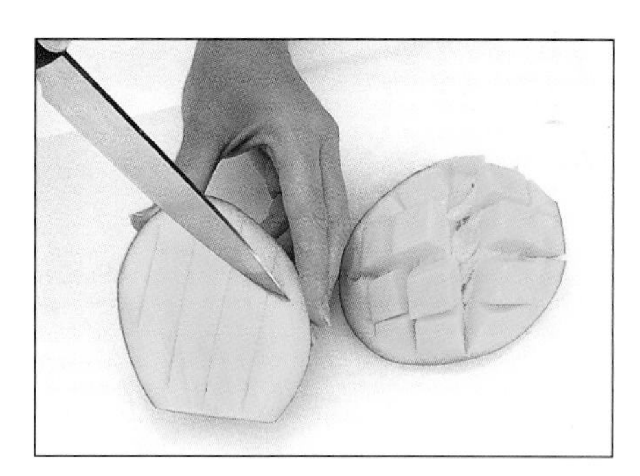

3 Posez une des mangues sur une planche et découpez une tranche épaisse du côté plat du noyau. Tournez la mangue et procédez de la même façon de l'autre côté. Incisez la chair de chaque tranche en croisillons espacés d'1 cm. Veillez à ne pas entamer la peau. Procédez de la même façon avec la seconde mangue.

4 Pliez les moitiés de mangue vers l'extérieur, de façon à faire ressortir les dés de chair. Séparez-les délicatement de la peau et déposez-les dans une jatte. Prélevez la chair qui adhère encore aux noyaux, coupez-la en dés et ajoutez-la dans la jatte.

5 Retirez les piments du sac et pelez-les. Coupez les queues, incisez la chair et raclez les graines avec un petit couteau. Réservez.

6 Hachez l'oignon blanc et la coriandre. Ajoutez-les aux dés de mangues. Découpez finement la chair des piments et mettez-la dans la jatte, avec le zeste et le jus de citron vert. Remuez bien, couvrez et laissez au réfrigérateur pendant au moins 1 h. La salsa de mangues se conserve de 2 à 3 jours au réfrigérateur.

SALSA DE TOMATES RÔTIES ET DE CORIANDRE

Les tomates cuites au four confèrent à cette sauce un arôme profond, encore rehaussé par la saveur ronde et chaleureuse des piments rôtis.

Pour 6 personnes, en accompagnement

INGRÉDIENTS
- 500 g de tomates
- 2 piments serrano frais
- 1 oignon
- le jus d'1 citron vert
- 1 gros bouquet de coriandre fraîche
- sel

1 Préchauffez le four à 200 °C (th. 7). Coupez les tomates en quartiers et placez-les dans un plat à rôtir. Ajoutez les piments. Faites rôtir de 45 min à 1 h, jusqu'à ce que tomates et piments soient carbonisés et tendres.

2 Mettez les piments rôtis dans un sac en plastique résistant, fermez le sac et laissez reposer 20 min. Attendez que les tomates aient légèrement refroidi pour les peler et tailler leur chair en dés.

3 Hachez finement l'oignon, puis mettez-le dans une jatte avec le jus de citron vert et les dés de tomates.

4 Retirez les piments du sac et pelez-les. Coupez les queues, incisez la chair et raclez les graines avec un couteau pointu. Hachez grossièrement les piments et ajoutez-les dans la jatte. Mélangez bien.

5 Hachez la coriandre et versez-en une partie dans la salsa. Salez, couvrez et mettez au réfrigérateur 1 h. Au moment de servir, parsemez du reste de coriandre. Au réfrigérateur, cette salsa se conserve 7 jours.

SALSA À LA CHAYOTE

La chayote, ou christophine, est un fruit en forme de poire. Il en pousse au Mexique plusieurs variétés. La plus courante présente une peau lisse et une chair blanche ; son goût rappelle celui du concombre. La chayote pelée peut se consommer crue ou bien cuite. La graine centrale, qui ressemble à une grosse amande plate, est également comestible. Le contraste entre le croquant de la chayote, la fraîcheur du melon et le piquant du habañero apporte un attrait exceptionnel à cette salsa.

Pour 6 personnes, en accompagnement

INGRÉDIENTS

- 1 chayote d'environ 200 g
- 1/2 petit melon Galia
- 2 cuil. à café de sauce habañero ou d'une autre sauce forte aux piments
- le jus d'1 citron vert
- 1/2 cuil. à café de sel
- 1/2 cuil. à café de sucre

CONSEIL

En France, on donne parfois le nom de « christophine » à la chayote. Dans certains pays, elle s'appelle « choko ». Les chayotes sont aussi un ingrédient de la cuisine chinoise : vous en trouverez donc dans les épiceries asiatiques.

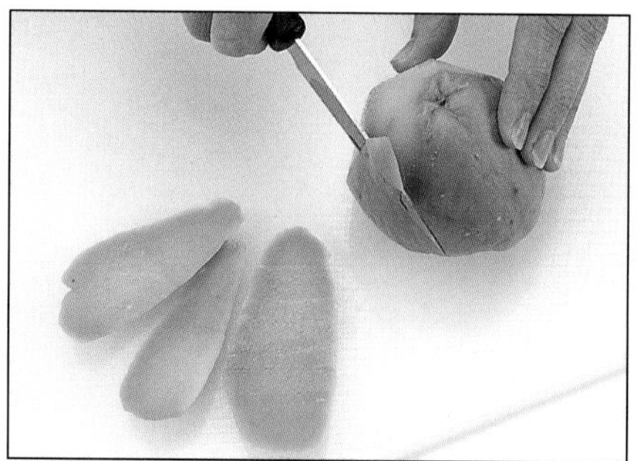

1 Pelez la chayote et débitez-la en tranches, puis en fines lanières. Coupez le melon en deux, ôtez les graines et recoupez chaque moitié en deux. Ôtez la peau, puis taillez la chair en dés. Déposez-les dans une jatte avec les lamelles de chayote.

2 Dans une coupelle, mélangez la sauce aux piments, le jus de citron vert, le sel et le sucre. Remuez bien et versez dans la jatte contenant le melon et la chayote. Mélangez soigneusement. Mettez au frais au moins pendant 1 h. La salsa à la chayote se conserve 3 jours au réfrigérateur.

SAUCE AUX GRAINES DE CITROUILLE

Cette recette traditionnelle en est la preuve : les ancêtres des Mexicains répugnaient à gaspiller la nourriture. Utilisez la chair de la citrouille pour la préparation d'un autre plat. Servez cette sauce au délicieux parfum noisetté avec des nopales *à la vapeur ou bouillis, avec du poulet, ou encore avec un carré d'agneau.*

Pour 4 personnes, en accompagnement

INGRÉDIENTS
- 125 g de graines de citrouille crues
- 500 g de tomates
- 2 gousses d'ail écrasées
- 30 cl de bouillon de poule,
- 1 cuil. à soupe d'huile végétale
- 3 cuil. à soupe de sauce aux piments rouges
- sel (facultatif)

1 Préchauffez le four à 200 °C (th. 7). Faites chauffer une poêle à fond épais jusqu'à ce qu'elle soit très chaude. Faites-y griller les graines de citrouille, sans matières grasses, en remuant constamment. Les graines vont gonfler et sauter. Veillez à ne pas les laisser brûler (voir « Conseil »). Lorsque toutes les graines ont sauté, retirez la poêle du feu.

2 Coupez les tomates en quartiers et placez-les sur une plaque du four. Faites-les rôtir au four de 45 min à 1 h, jusqu'à ce qu'elles soient carbonisées et tendres. Laissez-les légèrement refroidir, puis pelez-les avec un petit couteau pointu.

3 Au mixer, réduisez les graines de citrouille en purée. Ajoutez les tomates et remettez en route l'appareil pendant quelques minutes. Incorporez l'ail et le bouillon, et mixer pendant 1 min.

CONSEIL

Lorsque vous faites griller les graines de citrouille, remuez constamment afin d'éviter qu'elles brûlent, ce qui donnerait à la sauce un goût amer. Tenez-vous un peu en retrait de la plaque de cuisson, car les graines risquent de sauter hors de la poêle.

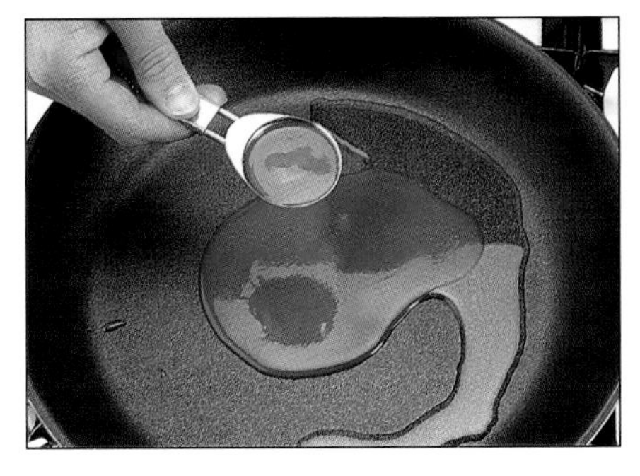

4 Faites chauffer l'huile dans une poêle. Ajoutez la sauce aux piments rouges et laissez cuire 2 à 3 min en remuant. Ajoutez la purée de graines de citrouille et portez à ébullition sans cesser de remuer.

5 Laissez mijoter 20 min à feu doux, jusqu'à ce que la sauce ait épaissi et diminué de moitié. Goûtez et salez. Servez sur de la viande ou des légumes ou laissez la salsa refroidir et mettez-la au réfrigérateur. Dans un récipient couvert, cette sauce se conserve 1 semaine au réfrigérateur.

ACHARDS D'OIGNONS

Appelé cebollas en escabeche *au Mexique, ce condiment est une spécialité de la presqu'île du Yucatán. Il accompagne le poulet, le poisson et la dinde. Vous pouvez aussi déguster ces achards, qui ne contiennent ni graisse ni sucre, avec des crackers et du fromage : ils leur apporteront une note piquante et relevée.*

Pour 1 petit bocal

INGRÉDIENTS

- 2 piments fresno rouges, frais
- 1 cuil. à café de baies de poivre de la Jamaïque
- 1/2 cuil. à café de grains de poivre noir
- 1 cuil. à café d'origan séché
- 2 oignons blancs
- 2 gousses d'ail pelées
- 10 cl de vinaigre de vin blanc
- 20 cl de vinaigre de cidre
- sel

1 Enfilez les piments sur une broche métallique et faites-les griller sur la flamme jusqu'à ce que leur peau cloque et noircisse. Veillez à ne pas laisser brûler la chair. Autre possibilité : faites-les griller sur une plaque en fonte, sans matières grasses, jusqu'à ce que la peau soit carbonisée. Mettez les piments dans un sac en plastique. Fermez et laissez reposer 20 min.

2 Pendant ce temps, mettez le poivre de la Jamaïque, le poivre noir et l'origan dans un mortier ou un mixer. Écrasez délicatement au pilon ou actionnez le mixer jusqu'à l'obtention d'un mélange grossièrement moulu.

3 Coupez les oignons en deux et débitez-les en fines tranches que vous mettrez dans une jatte. Faites rôtir l'ail dans une poêle, sans matières grasses, jusqu'à ce qu'il roussisse, puis écrasez-le et ajoutez-le dans la jatte.

4 Retirez les piments du sac. Pelez-les, puis incisez-les. Raclez les graines avec un petit couteau pointu et hachez la chair.

CONSEIL

Les oignons blancs ont une saveur un peu âcre, qui convient bien à cette préparation. Vous pouvez toutefois les remplacer par des oignons d'Espagne ou des échalotes.

5 Ajoutez les épices moulues, puis les piments, dans la jatte d'oignons. Incorporez les 2 types de vinaigre. Salez et mélangez bien. Couvrez et mettez les achards au réfrigérateur pendant au moins 1 journée.

ÉMINCÉ DE PIMENTS AU CITRON VERT

Ce condiment à la saveur très fraîche se marie à merveille avec les ragoûts, les recettes de riz ou de haricots. L'origan apporte une note sucrée à un mets diététique, préparé sans huile ni sucre.

Pour environ 6 cl (4 cuil. à soupe)

INGRÉDIENTS
- 10 piments verts frais
- 1/2 oignon blanc
- 4 citrons verts
- 1/2 cuil. à café d'origan séché
- sel

CONSEIL

Cette méthode est idéale pour faire griller de grandes quantités de piments, ou lorsque l'on cuisine à l'électricité. Si vous avez une cuisinière à gaz, enfilez quatre ou cinq piments sur une longue broche métallique ; vous la tiendrez au-dessus de la flamme jusqu'à ce que la peau des piments se mette à cloquer.

1 Faites griller les piments sur une plaque en fonte, à feu moyen, jusqu'à ce que la peau cloque et soit carbonisée. Veillez à ce que la chair ne noircisse pas, ce qui donnerait un goût amer à la salsa. Mettez les piments grillés dans un sac en plastique. Fermez le sac et laissez reposer 20 min.

2 Découpez l'oignon en tranches très fines, et mettez-les dans une grande jatte. Pressez les citrons verts. Versez le jus dans la jatte, ainsi que la pulpe qui s'est amassée sur le presse-agrume. Le jus de citron vert attendrira l'oignon. Incorporez l'origan.

3 Retirez les piments du sac. Après les avoir pelés, incisez-les et raclez les graines avec un petit couteau pointu, puis taillez-les en « rajas », c'est-à-dire en longues lanières.

4 Ajoutez les lanières de piments dans la jatte d'oignons, salez, puis couvrez et mettez au réfrigérateur au moins 1 journée, afin que les saveurs se diffusent. Dans un récipient couvert, l'émincé de piments peut se conserver 2 semaines au réfrigérateur.

SALSA HABAÑERO

Cette salsa, à la saveur fraîche mais cuisante, se déguste en très petite quantité, avec un plat de viande ou de poisson. Palais délicats, s'abstenir ! Les piments habañero, dits aussi scotch bonnet, sont en effet très piquants. En forme de lanterne, ils varient du jaune au rouge orangé intense. Quand ils sont frais, les piments costeno amarillo, au parfum d'agrumes très prononcé, ont pour leur part une teinte jaune.

À utiliser avec parcimonie

INGRÉDIENTS
- 5 piments habañero séchés, rôtis
- 4 piments costeno amarillo séchés
- 3 oignons grelots finement hachés
- le jus d'1/2 gros pamplemousse ou d'1 orange Séville
- le zeste râpé et le jus d'1 citron vert
- 1 petit bouquet de coriandre fraîche
- sel

1 Faites ramollir les piments habañero et costeno amarillo en les mettant à tremper pendant environ 10 min dans de l'eau chaude. Égouttez et réservez le liquide.

2 Enfilez des gants en caoutchouc pour manipuler les habañeros. Coupez les queues de tous les piments, incisez-les et raclez les graines avec un petit couteau pointu. Hachez grossièrement la chair.

3 Passez les piments et une partie du liquide de trempage au mixer pour obtenir une purée fine. Évitez de vous pencher au-dessus de l'appareil : les effluves pourraient vous brûler le visage. Transférez la purée de piments dans une jatte.

4 Mettez les oignons hachés dans une autre jatte et ajoutez le jus de pamplemousse ou d'orange, ainsi que le zeste et le jus de citron vert. Hachez la coriandre.

5 Incorporez le tout dans la purée de piments. Mélangez. Couvrez et laissez au réfrigérateur au moins 1 journée. N'utilisez la salsa habañero qu'en très faible quantité.

ADOBO

Adobo *signifie « sauce au vinaigre ». Il s'agit en fait d'une pâte à base de piments et de vinaigre, qui sert à enrober les côtelettes de porc ou les steaks. Les* adobos *sont très utilisés dans la cuisine du Yucatán.*

Pour 6 steaks ou côtes de porc

INGRÉDIENTS
- 1 petite tête d'ail
- 5 piments ancho
- 2 piments pasilla
- 1 cuil. à soupe d'origan séché
- 1 cuil. à café de graines de cumin
- 6 clous de girofle
- 1 cuil. à café de graines de coriandre
- 1 bâton de cannelle de 10 cm
- 2 cuil. à café de sel
- 12 cl de vinaigre de vin blanc

1 Préchauffez le four à 180 °C (th. 6). Découpez une fine calotte au sommet de la tête d'ail, de façon à rendre visible l'intérieur de chaque gousse. Enveloppez la tête d'ail dans du papier d'aluminium. Faites rôtir 45 à 60 min, jusqu'à ce que l'ail soit tendre.

2 Pendant ce temps, incisez les piments et raclez les graines, puis mettez-les dans un mixer. Ajoutez l'origan, les graines de cumin, les clous de girofle, les graines de coriandre, la cannelle et le sel. Actionnez le mixer pour obtenir une poudre fine.

3 Retirez l'ail du four et attendez qu'il soit tiède pour être manipulé. Pressez chacune des gousses pour en extraire la pulpe et écrasez-les dans le mélange d'épices.

4 Ajoutez le vinaigre au mélange ail-épices et actionnez le mixer jusqu'à l'obtention d'une pâte homogène. Transférez dans une jatte et laissez reposer 1 h afin que les saveurs se diffusent. Étalez cet adobo sur des steaks ou des côtes de porc que vous passerez ensuite au grill ou au barbecue.

MARINADE ROUGE

Au Yucatán, cette pâte sèche sert très souvent d'assaisonnement. Après en avoir badigeonné la viande, on enveloppe celle-ci dans des feuilles de bananier. La cuisson, qui porte le nom de pibil, *s'effectue sur des pierres placées à l'intérieur d'un* pib *– un trou creusé dans le sol. Utilisez la marinade avec des côtes de porc ou du poulet que vous ferez cuire ensuite au four ou au barbecue.*

Pour 1 rôti de porc ou 4 blancs de poulet

INGRÉDIENTS
- 2 cuil. à café de graines d'achiote
- 1 cuil. à café de grains de poivre noir
- 1 cuil. à café de baies de poivre de la Jamaïque
- 1 cuil. à café d'origan séché
- 1/2 cuil. à café de cumin moulu
- 1 cuil. à café de jus de citron vert
- 1 petite orange valencia ou 1/2 pamplemousse

1 Dans un mortier ou au mixer, écrasez les graines d'achiote pour obtenir une poudre fine. Ajoutez les grains de poivre noir et continuez à moudre. Procédez de la même manière avec le poivre de la Jamaïque. Incorporez l'origan et le cumin moulu.

2 Ajoutez le jus de citron vert. Pressez l'orange ou le 1/2 pamplemousse et ajoutez le jus, cuillerée par cuillerée, dans le mélange d'épices, jusqu'à l'obtention d'une pâte épaisse. Ne remplacez pas l'orange valencia par une variété plus douce : cette préparation doit rester acide.

3 Laissez reposer le mélange au moins 30 min, pour que les épices absorbent le jus. La pâte doit avoir une texture sèche et friable. Badigeonnez-en la viande, puis laissez mariner au minimum 1 h (l'idéal est d'attendre le lendemain) avant la cuisson. Dans un récipient couvert, la marinade rouge peut se conserver 1 semaine au réfrigérateur. Au-delà, elle perd de sa saveur.

CONSEIL

L'achiote est une graine de couleur rouille, produite par le rocouyer, un arbre d'Amérique tropicale. On l'utilise au Mexique pour parfumer et teinter les fromages, le beurre et le poisson fumé. On l'emploie aussi dans la cuisine indienne. Vous en trouverez dans les épiceries exotiques.

SALSA ROUGE

Elle vient relever les plats de poisson ou de viande, ou bien accompagner des pommes de terre cuites au four. Vous pouvez encore en agrémenter les plats de riz.

Pour environ 25 cl de salsa

INGRÉDIENTS
- 3 grosses tomates
- 1 cuil. à soupe d'huile d'olive
- 3 piments ancho
- 2 piments pasilla
- 2 gousses d'ail entières, pelées
- 2 oignons
- 2 cuil. à café de cassonade
- 1/2 cuil. à café de paprika
- le jus d'1 citron vert
- 1/2 cuil. à café d'origan séché
- sel

1 Préchauffez le four à 200 °C (th. 7). Coupez les tomates en quartiers et placez-les dans un plat à rôtir. Arrosez d'huile. Faites rôtir les tomates jusqu'à ce qu'elles soient légèrement carbonisées (40 min environ), puis pelez-les.

2 Mettez les piments à tremper environ 10 min dans l'eau chaude. Égouttez, coupez les queues, incisez et raclez les graines. Hachez finement la chair. Faites rôtir l'ail dans une poêle à fond épais, sans matières grasses, jusqu'à ce qu'il roussisse.

3 Mettez de côté 1 oignon. Hachez finement l'autre et mettez-le dans une jatte avec la cassonade, le paprika, le jus de citron vert et l'origan. Découpez des tranches en diagonale dans l'oignon restant ; réservez pour la décoration.

4 Au mixer, réduisez les tomates pelées, les piments hachés et l'ail en une purée homogène.

5 Ajoutez les ingrédients contenus dans la jatte. Actionnez le mixer quelques secondes, puis goûtez et salez si nécessaire. Transférez la salsa dans une casserole et réchauffez-la, puis décorez avec l'oignon émincé avant de servir. Ou bien versez-la dans un récipient, couvrez et mettez au réfrigérateur : vous pouvez conserver la salsa rouge ainsi pendant 1 semaine.

LES SOUPES ET ENCAS

Si vous rencontrez le mot sopas *sur la carte d'un restaurant mexicain, vous le traduirez sans doute, à juste titre, par « soupes ». Le plat correspondant risque toutefois de vous surprendre. Au Mexique, il existe en effet deux sortes de soupes : celles qui répondent à notre définition, c'est-à-dire des légumes, de la viande ou du poisson cuits dans un liquide, et celles que l'on appelle plus précisément* sopas secas, *ou « soupes sèches ». La juxtaposition de ces deux termes apparemment contradictoires correspond à une explication simple : si la cuisson de la* sopa seca *démarre avec une grande quantité de liquide, celui-ci est rapidement absorbé par des ingrédients tels que le riz, les vermicelles ou les lanières de tortillas de maïs. Reste, au final, une préparation épaisse et nourrissante servie au cours de la* comida *– le repas principal – ou bien comme plat unique.*

Les bocaditos, *autrement dit les « petites bouchées », désignent ces encas légers que les Mexicains consomment à toute heure du jour. Un échantillonnage de plusieurs d'entre eux peut constituer un repas informel, un peu à la manière des tapas espagnoles. Ils sont aussi souvent servis en hors-d'œuvre dans les buffets ou les brunchs. Souvent faciles et rapides à confectionner, les* bocaditos *feront encore de délicieux pique-niques ou paniers-repas.*

POTAGE TLALPEÑO

Ce potage de poulet tout simple est originaire de Tlalpan, une banlieue de Mexico. Additionné de fromage et de pois chiches, il devient une soupe plus consistante.

Pour 6 personnes

INGRÉDIENTS
- 1,5 l de bouillon de poulet
- 1/2 piment chipotle séché, épépiné
- 2 blancs de poulet désossés, sans peau
- 1 avocat de taille moyenne
- 4 oignons grelots finement émincés
- 400 g de pois chiches égouttés
- sel et poivre noir du moulin
- 75 g de cheddar ou de gruyère, râpé, pour la garniture

1 Versez le bouillon dans une grande casserole et ajoutez le piment séché. Portez à ébullition, puis ajoutez les blancs de poulet entiers. Baissez le feu et faites cuire à feu doux jusqu'à ce que le poulet soit cuit (10 min environ). Retirez les blancs de la casserole et laissez-les refroidir un peu.

2 À l'aide de 2 fourchettes, découpez le poulet en petites lanières. Réservez. Passez le liquide de cuisson et le piment au mixer, jusqu'à l'obtention d'un mélange homogène. Remettez ce bouillon dans la casserole.

CONSEIL

Pour ce potage, choisissez un avocat à peine mûr : il sera plus facile à peler et à émincer.

3 Coupez l'avocat en deux, enlevez la peau et le noyau. Taillez la chair en morceaux de 2 cm et ajoutez-les au bouillon, avec les oignons et les pois chiches. Mettez les lanières de poulet dans la casserole, salez et poivrez à votre goût et faites réchauffer à feu doux.

4 Versez le potage dans des bols préchauffés. Parsemez de fromage râpé et servez aussitôt.

SOUPE DE MAÏS

Facile et rapide à préparer, cette soupe colorée a une saveur douce et crémeuse. Les enfants l'adorent.

Pour 6 personnes

INGRÉDIENTS
- 2 poivrons rouges
- 2 cuil. à soupe d'huile végétale
- 1 oignon moyen, finement haché
- 500 g de maïs doux, décongelé si congelé
- 75 cl de bouillon de poulet
- 15 cl de crème liquide
- sel et poivre noir du moulin

1 À feu moyen, faites griller les poivrons sur une plaque en fonte, sans matières grasses, en les retournant fréquemment. Quand leur peau cloque sur toute la surface, transférez-les dans un sac en plastique résistant. Fermez le sac et laissez reposer 20 min. Puis retirez les poivrons du sac et pelez-les.

2 Coupez les poivrons en deux ; ôtez les graines et les nervures. Détaillez l'un des poivrons en dés d'1 cm ; réservez l'autre.

3 Dans une grande casserole, mettez l'huile à chauffer et faites-y revenir doucement l'oignon jusqu'à ce qu'il soit tendre et translucide (environ 10 min). Incorporez les dés de poivron et le maïs. Faites-les frire 5 min à feu moyen.

4 Transférez le contenu de la casserole dans un mixer. Ajoutez le bouillon de poulet, et réduisez le tout en un mélange presque totalement lisse. Si nécessaire, procédez en plusieurs fois.

5 Replacez la soupe dans la casserole sur le feu. Incorporez la crème, salez et poivrez à votre goût. Découpez le second poivron en fines lamelles et ajoutez-en la moitié dans la casserole. Servez la soupe de maïs dans des bols préchauffés, en décorant avec le reste des lanières de poivron.

CONSEIL

On trouve dans le commerce des poivrons rouges en conserve. Déjà pelés, ils sont très pratiques pour toutes sortes de recettes. Ils rendront encore plus rapide la préparation de la soupe au maïs.

SOUPE DE TORTILLAS

Il existe plusieurs variantes de la soupe de tortillas. Celle-ci est une aguada, *une soupe liquide à servir en entrée ou pour un repas léger. Facile et rapide à réaliser, elle peut aussi être préparée à l'avance. Dans ce cas, les morceaux de tortillas qui lui confèrent une texture si originale seront frits au moment du réchauffage de la soupe.*

Pour 4 personnes

INGRÉDIENTS
- 4 tortillas de maïs
- 6 cuil. à soupe d'huile végétale
- 1 petit oignon finement haché
- 2 gousses d'ail écrasées
- 400 g de tomates olivettes égouttées
- 1 l de bouillon de poulet
- 1 petit bouquet de coriandre fraîche
- sel et poivre noir du moulin

1 Avec un couteau bien aiguisé, coupez chaque tortilla en 4 ou 5 lanières d'environ 2 cm de large.

2 Versez 2 cm d'huile végétale dans une poêle à fond épais. Faites-y chauffer un petit morceau de tortilla jusqu'à ce qu'il remonte à la surface et que des bulles se forment autour de ses bords.

3 Placez une partie des lanières de tortillas dans l'huile chaude. Faites-les frire quelques minutes jusqu'à ce qu'elles soient croustillantes et dorées. Sortez-les de l'huile à l'aide d'une écumoire et égouttez-les sur du papier absorbant. Procédez de la même manière pour le reste des lanières.

4 Dans une grande casserole à fond épais, mettez à chauffer 1 cuillerée à soupe d'huile végétale. Sur feu moyen, faites-y revenir l'oignon haché et l'ail en remuant constamment avec une spatule en bois, jusqu'à ce que l'oignon soit tendre et translucide (2 à 3 min). L'ail ne doit pas brunir, cela donnerait un goût amer à la soupe.

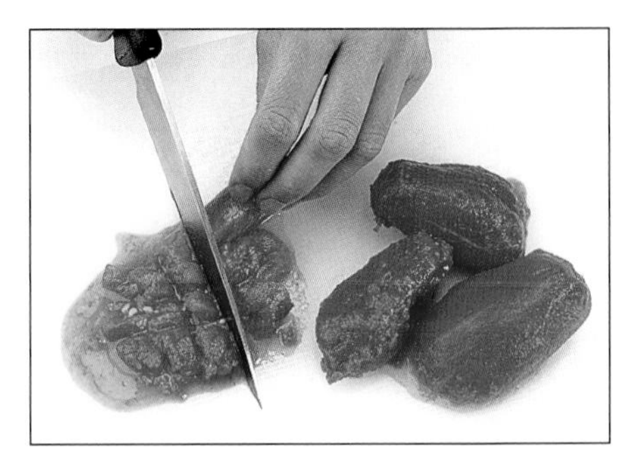

5 Avec un grand couteau bien aiguisé, hachez les tomates et mettez-les dans la casserole. Ajoutez le bouillon de poulet et mélangez soigneusement. Portez à ébullition, puis baissez le feu et laissez mijoter doucement jusqu'à ce que le liquide ait légèrement réduit (environ 10 min).

6 Hachez la coriandre. Incorporez-la dans la soupe, et gardez-en un peu pour la décoration. Assaisonnez à votre goût.

7 Déposez quelques lanières de tortillas croquantes dans 4 bols préchauffés. Versez la soupe dessus. Décorez la surface du liquide avec de la coriandre hachée et servez.

CONSEIL

Voici un moyen facile de ciseler la coriandre : mettez les feuilles dans une tasse et prenez une paire de ciseaux des deux mains, en la tenant à la verticale. Donnez des petits coups de ciseaux dans les feuilles jusqu'à ce qu'elles soient finement hachées.

POTAGE GLACÉ À LA NOIX DE COCO

Frais et léger, ce potage est tout particulièrement agréable les jours de grande chaleur. Servi après l'entrée lors d'un repas sophistiqué, il rafraîchira les palais pour le plat principal.

Pour 6 personnes

INGRÉDIENTS
- 1,2 l de lait
- 225 g de noix de coco déshydratée non sucrée
- 40 cl de lait de coco
- 40 cl de bouillon de poulet
- 20 cl de crème épaisse
- 1/2 cuil. à café de sel
- 1/2 cuil. à café de poivre blanc du moulin
- 1 cuil. à café de sucre semoule
- 1 petit bouquet de coriandre fraîche

CONSEIL

Évitez la noix de coco déshydratée sucrée : elle gâcherait la saveur du potage.

1 Dans une grande casserole, portez le lait à ébullition. Incorporez la noix de coco, baissez le feu et faites cuire doucement pendant 30 min. Passez la préparation au mixer jusqu'à l'obtention d'un mélange homogène. Au cours de cette étape longue, arrêtez fréquemment l'appareil et raclez les parois du bac.

2 Rincez la casserole pour éliminer toute trace de noix de coco. Versez la préparation lait/noix de coco et ajoutez le lait de coco. Incorporez le bouillon de poulet (de préférence fait maison), la crème, le sel, le poivre et le sucre. Portez à ébullition en remuant régulièrement, puis baissez le feu et laissez cuire 10 min.

3 Réservez quelques feuilles de coriandre pour la décoration ; hachez finement le reste et incorporez-le au potage. Versez dans une jatte, laissez refroidir, puis couvrez et mettez au réfrigérateur. Juste avant de servir, goûtez et rectifiez l'assaisonnement car la réfrigération modifie les saveurs. Servez le potage à la noix de coco dans des bols préalablement glacés, en décorant avec des feuilles de coriandre.

POTAGE D'AVOCATS

Frais et délicat, ce délicieux potage apporte sa touche raffinée aux dîners de réception. Si vous souhaitez un goût un peu plus relevé, augmentez légèrement la quantité de jus de citron vert.

Pour 4 personnes

INGRÉDIENTS
- 2 gros avocats bien mûrs
- 30 cl de crème fraîche
- 1 l de bouillon de poulet bien parfumé
- 1 cuil. à café de sel
- le jus d'1/2 citron vert
- 1 petit bouquet de coriandre fraîche
- 1/2 cuil. à café de poivre noir du moulin

CONSEIL

Les avocats risquant de faire virer les couleurs de la préparation, mieux vaut préparer ce potage à la dernière minute.

1 Coupez les avocats en deux, pelez-les et ôtez les noyaux. Écrasez grossièrement la chair à la fourchette et passez-la au mixer avec 3 à 4 cuillerées à soupe de crème fraîche, jusqu'à l'obtention d'une purée onctueuse.

2 Faites chauffer le bouillon de poulet. Avant qu'il frémisse, incorporez le reste de crème fraîche et le sel.

3 Versez le jus de citron vert dans la purée d'avocats et actionnez brièvement le mixer pour mélanger. Incorporez peu à peu la purée dans le bouillon. Faites chauffer à feu doux : attention, la préparation ne doit pas bouillir.

4 Hachez la coriandre. Versez le potage dans des bols préchauffés. Saupoudrez de coriandre et de poivre. Servez aussitôt.

PIMENTS RELLENOS

Le piment farci est consommé partout au Mexique. Si les espèces diffèrent d'une région à l'autre, ce sont généralement de gros piments qui sont utilisés, car ils se prêtent bien à cette préparation. Les poblanos et les anaheims sont assez doux : si vous le souhaitez, vous pouvez choisir des variétés plus piquantes.

Pour 6 personnes

INGRÉDIENTS

- 6 piments poblano ou anaheim frais
- 2 pommes de terre (400 g environ)
- 200 g de fromage frais à tartiner
- 200 g de cheddar affiné, ou de comté, râpé
- 1 cuil. à café de sel
- 1/2 cuil. à café de poivre noir du moulin
- 2 œufs, blancs et jaunes séparés
- 115 g de farine
- 1/2 cuil. à café de poivre blanc
- huile de friture
- piment moulu, pour la décoration (facultatif)

1 Incisez latéralement chacun des piments. Mettez-les à griller dans une poêle, sans matières grasses, sur feu moyen. Retournez-les fréquemment jusqu'à ce que leur peau cloque.

2 Mettez les piments dans un sac en plastique résistant. Fermez le sac et laissez reposer 20 min. Pelez-les puis épépinez-les, en veillant à ne pas les déchirer. Séchez-les avec du papier absorbant et réservez.

CONSEIL

Préparez la farce avec beaucoup de soin, en veillant à ne pas casser les dés de pommes de terre.

VARIANTE

Vous pouvez remplacer les piments frais par des piments ancho (poblanos séchés). Il faut simplement les laisser tremper avant de les épépiner et de les farcir.

3 Grattez ou pelez les pommes de terre. Coupez-les en dés d'1 cm. Portez une casserole d'eau à ébullition et mettez-y les pommes de terre. Quand l'eau recommence à bouillir, baissez le feu et faites cuire doucement (environ 5 min). Les pommes de terre doivent être justes tendres. Évitez de les laisser ramollir. Égouttez.

4 Déposez le fromage à tartiner dans une jatte et incorporez le fromage râpé, 1/2 cuillerée de sel et le poivre noir. Ajoutez les pommes de terre. Mélangez.

5 Remplissez les piments avec la farce de pommes de terre. Placez sur une assiette et couvrez d'un film plastique. Laissez 1 h au réfrigérateur afin que la farce durcisse.

6 Mettez les blancs d'œufs dans une jatte et montez-les en neige. Dans une autre jatte, fouettez les jaunes jusqu'à ce qu'ils éclaircissent, puis incorporez-les dans les blancs en neige. Transférez la préparation dans un vaste plat peu profond. Étalez la farine dans un autre plat peu profond ; ajoutez le reste de sel et le poivre blanc.

7 Enrobez un petit nombre de piments d'abord de farine, puis de la préparation à base d'œufs. Plongez-les délicatement dans l'huile chaude.

8 Laissez frire jusqu'à ce que les piments soient dorés et croustillants. Égouttez-les sur du papier absorbant. Servez les piments rellenos chauds selon votre goût.

TORTAS

Elles comportent une superposition de couches aux saveurs et aux textures contrastées. Traditionnellement, les tortas *sont confectionnées avec des petits pains appelés* teleras.

Pour 2 personnes

INGRÉDIENTS
- 2 piments jalapeño frais
- le jus d'1/2 citron vert
- 2 petits pains ou 2 portions de baguette
- 115 g de haricots « refrits »
- 150 g de rôti de porc
- 2 petites tomates émincées
- 115 g de cheddar ou de gruyère, en tranches
- 1 petit bouquet de coriandre fraîche
- 2 cuil. à soupe de crème fraîche

VARIANTES

Les ingrédients de base des tortas sont les haricots « refrits » et les piments. Pour le reste, choisissez les garnitures qui vous plaisent : vous pouvez, par exemple, remplacer le rôti de porc par du jambon, du poulet ou de la dinde. Les tortas comprennent souvent des feuilles de laitue.

1 Coupez les piments en deux et raclez les graines. Taillez la chair en fines lanières, mettez-les dans une jatte. Arrosez de jus de citron et réservez.

2 Si vous utilisez des petits pains, coupez-les en deux et retirez un peu de mie afin d'obtenir un léger creux. Sinon, séparez chaque portion de baguette en deux dans le sens de la longueur. Réservez la partie supérieure du pain et étalez les haricots « refrits » sur la tranche inférieure.

3 Détaillez le rôti de porc en fines lamelles et déposez-les sur les haricots « refrits ». Ajoutez les tranches de tomates. Égouttez les lanières de jalapeño et placez-les sur les tomates. Recouvrez avec le fromage et parsemez de feuilles de coriandre.

4 Tartinez les tranches de pain supérieures avec de la crème fraîche. Refermez les pains et servez.

TAQUITOS AU BŒUF

Moulées autour d'une garniture savoureuse, ces tortillas de maïs miniatures sont à déguster chaudes. À moins d'en trouver dans le commerce, vous aurez besoin d'une presse pour les tortillas.

Pour 12 personnes

INGRÉDIENTS
- 500 g de rumsteck coupé en dés d'1 cm
- 2 gousses d'ail entières pelées
- 75 cl de bouillon de bœuf
- 150 g de masa harina
- 1 pincée de sel
- 12 cl d'eau chaude
- 1 cuil. à café et 1/2 d'origan séché
- 1/2 cuil. à café de cumin moulu
- 2 cuil. à soupe de purée de tomates
- 1/2 cuil. à café de sucre en poudre
- sel et poivre noir du moulin
- laitue en petits morceaux et achards d'oignons, pour l'accompagnement

1 Mettez les dés de rumsteck et les gousses d'ail dans une casserole ; couvrez de bouillon de bœuf. Portez à ébullition, baissez le feu et laissez cuire jusqu'à ce que la viande soit tendre (10 à 15 min). Avec une écumoire, transférez la viande dans une casserole, réservez. Conservez le bouillon.

2 Dans une jatte, mélangez la masa harina et le sel. Ajoutez peu à peu 12 cl d'eau chaude, jusqu'à obtenir une pâte pouvant se rouler en boule. Sur une surface farinée, travaillez la pâte 3 à 4 min pour qu'elle soit bien lisse, puis enveloppez-la dans du film plastique et laissez-la reposer 1 h.

3 Partagez la pâte en 12 petites boules. Ouvrez la presse à tortillas et tapissez chaque partie de plastique. Déposez une boule de pâte à l'intérieur. Refermez la presse pour obtenir un disque de 5 à 6 cm de diamètre. Procédez de la même manière avec toutes les boules de pâte.

4 Faites chauffer à feu vif une plaque en fonte ou une poêle. L'une après l'autre, mettez à cuire les tortillas 15 à 20 s de chaque côté, puis 15 min sur le premier côté. Afin qu'elles restent chaudes et souples, enveloppez-les au fur et à mesure dans un torchon légèrement humide.

5 Dans la casserole contenant les dés de bœuf, ajoutez l'origan, le cumin, la purée de tomates et le sucre, ainsi que suffisamment de bouillon pour mouiller la préparation (environ 2 cuillerées à soupe). Laissez cuire quelques minutes à feu doux afin que les arômes se diffusent.

6 Déposez un peu de laitue sur une tortilla chaude. Ajoutez une petite quantité de garniture et d'achards d'oignons. Pliez la tortilla en deux et servez le *taquito* chaud. Procédez de la même manière avec les autres tortillas.

EMPANADAS AUX ROPAS VIEJAS

Ces empanadas *sont traditionnellement garnies avec de la viande cuite suffisamment longtemps pour que l'on puisse la « déchirer » avec des fourchettes. Sa ressemblance avec des lambeaux de tissu lui a valu l'appellation de* ropas viejas, *qui signifie « vieux vêtements ».*

Pour 6 personnes (12 empanadas)

INGRÉDIENTS
- 150 g de masa harina
- 2 cuil. à soupe de farine
- 1/2 cuil. à café de sel
- 5 cuil. à soupe d'huile
- 250 g de viande de porc maigre, hachée
- 1 gousse d'ail écrasée
- 3 tomates
- 2 piments ancho
- 1/2 petit oignon
- 1/2 cuil. à café de cumin moulu

1 Dans une jatte, mélangez la masa harina, la farine et le sel. Ajoutez peu à peu 12 à 15 cl d'eau chaude, jusqu'à l'obtention d'une pâte lisse et non collante. Pétrissez brièvement, puis façonnez une boule de pâte. Enveloppez-la dans du film plastique et réservez.

2 Dans une casserole, faites chauffer 1 cuillerée à soupe d'huile. Ajoutez le porc haché et faites-le cuire en remuant fréquemment, jusqu'à ce qu'il soit uniformément brun. Incorporez l'ail et laissez cuire encore 2 min. Retirez la casserole du feu et réservez.

3 Incisez en croix la base de chacune des tomates. Placez-les dans une jatte et couvrez-les d'eau bouillante. Laissez-les tremper pendant 3 min, puis plongez-les dans de l'eau froide. Égouttez. Au niveau des entailles, la peau commence à se détacher. Pelez les tomates. Hachez leur chair et mettez-la dans une jatte.

4 Incisez les piments et raclez les graines. Découpez finement la chair et placez-la dans la jatte de tomates. Hachez finement l'oignon et mélangez-le avec le contenu de la jatte. Ajoutez le cumin moulu.

5 Incorporez la préparation à base de tomates à la casserole contenant le porc. Faites cuire environ 10 min à feu moyen, en remuant de temps en temps. Salez.

6 Pour confectionner les tortillas, divisez la pâte en 12 morceaux et transformez-les en boules. Ouvrez la presse à tortillas et tapissez chaque partie de plastique. Déposez une boule de pâte à l'intérieur. Refermez la presse pour obtenir un disque d'environ 7,5 cm de diamètre. Procédez de la même manière avec les autres boules de pâte.

CONSEIL

Si la pâte à empanadas se montre difficile à travailler, ajoutez-lui un peu d'huile ou de saindoux fondu.

7 Déposez un peu de garniture sur une moitié des tortillas. Procédez rapidement afin d'éviter qu'elles se dessèchent. Passez un peu d'eau sur le bord des tortillas et repliez la pâte au-dessus de la farce, à la manière d'un chausson.

8 Scellez le bord des empanadas en les pinçant entre l'index de la main gauche et l'index de l'autre main.

9 Dans une poêle, faites chauffer un peu d'huile. Mettez-y un lot d'empanadas à frire, jusqu'à ce qu'elles deviennent croustillantes et dorées. Retournez-les au moins 1 fois et procédez par lots. Servez les empanadas chaudes ou froides.

PANUCHOS

La préparation de ces tortillas farcies demande un peu d'efforts, mais le résultat en vaut la peine. Les panuchos *sont une spécialité du Yucatán.*

Pour 6 personnes (12 panuchos)

INGRÉDIENTS

- 150 g de masa harina
- 1 pincée de sel
- 2 blancs de poulet désossés, sans peau
- 1 cuil. à café d'origan séché
- 150 g de frijoles de olla, réduits en une purée onctueuse
- 2 œufs durs, coupés en tranches
- huile de friture
- sel et poivre noir du moulin
- achards d'oignons, pour l'accompagnement

1 Dans une jatte, mélangez la masa harina et le sel. Ajoutez peu à peu 12 cl d'eau chaude, jusqu'à obtenir une pâte que l'on peut rouler en boule. Sur une surface farinée, travaillez-la 3 à 4 min afin qu'elle soit bien lisse, puis enveloppez-la dans du film plastique et laissez reposer 1 h.

2 Déposez les blancs de poulet dans une casserole, ajoutez l'origan et couvrez d'eau. Portez à ébullition, puis baissez le feu et laissez cuire doucement jusqu'à ce que le poulet soit cuit (10 min environ). Retirez le poulet de la casserole, jetez l'eau. Laissez la volaille refroidir un peu puis, avec 2 fourchettes, déchirez-la en lanières. Réservez.

3 Divisez la pâte en 12 morceaux et roulez-les en boules. Ouvrez la presse à tortillas et recouvrez chaque partie de plastique. Déposez une boule de pâte à l'intérieur et refermez la presse pour obtenir un disque de 6 cm de diamètre. Procédez de la même manière avec les autres boules de pâte.

4 Dans une poêle très chaude, mettez les tortillas à cuire 15 à 20 s de chaque côté, puis encore 15 s sur la première face. Maintenez-les au chaud dans un torchon.

5 Découpez une entaille d'1 cm environ sur le pourtour de chacune des tortillas. Insérez à l'intérieur 1 cuillerée à café de purée de haricots et 1 tranche d'œuf dur.

6 Faites chauffer l'huile dans une grande poêle et laissez frire les tortillas jusqu'à ce qu'elles soient dorées et croustillantes de chaque côté. Retournez-les au moins 1 fois. Égouttez-les sur du papier absorbant et déposez par deux sur chacune des 6 assiettes. Placez des lanières de poulet et d'achards d'oignons sur les tortillas. Assaisonnez à votre goût. Servez aussitôt.

SOPES AU *PICADILLO*

Les sopes *sont des petites tortillas de* masa harina. *Épaisses, elles sont dotées de bords cannelés et garnies à la manière de tartes. Au premier abord, leur goût et leur texture peuvent sembler déconcertants, car les tortillas conservent une consistance pâteuse malgré la cuisson. Une fois l'effet de surprise passé, les* sopes *sont délicieuses. Leur type de garniture, le* picadillo, *est utilisé dans de nombreuses recettes mexicaines.*

Pour 6 personnes

INGRÉDIENTS

- 250 g de masa harina
- 1/2 cuil. à café de sel
- 50 g de saindoux réfrigéré
- 1 cuil. à soupe d'huile végétale
- 250 g de viande de bœuf maigre, hachée
- 2 gousses d'ail écrasées
- 1 poivron rouge, épépiné et haché
- 4 cuil. à soupe de xérès sec
- 1 cuil. à soupe de purée de tomates
- 1/2 cuil. à café de cumin moulu
- 1 cuil. à café de cannelle moulue
- 1/4 cuil. à café de clous de girofle moulus
- 1/2 cuil. à café de poivre noir du moulin
- 3 cuil. à soupe de raisins secs
- 25 g d'amandes effilées
- brins de persil frais, pour la décoration

1 Placez la masa harina et le sel dans une grande jatte. Râpez le saindoux réfrigéré et travaillez le mélange pour le rendre homogène. Ajoutez peu à peu 30 cl d'eau chaude, jusqu'à l'obtention d'une pâte que l'on peut rouler en boule. Sur une surface légèrement farinée, pétrissez la pâte 3 à 4 min pour qu'elle devienne lisse. Réservez.

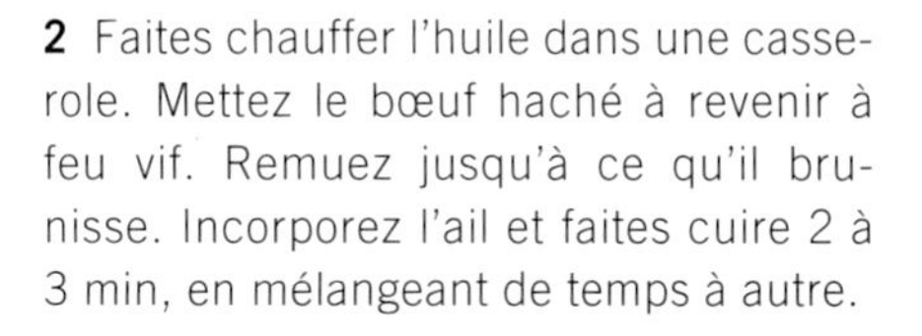

2 Faites chauffer l'huile dans une casserole. Mettez le bœuf haché à revenir à feu vif. Remuez jusqu'à ce qu'il brunisse. Incorporez l'ail et faites cuire 2 à 3 min, en mélangeant de temps à autre.

3 Incorporez le poivron rouge, le xérès, la purée de tomates et les épices. Poursuivez la cuisson pendant 5 min, puis ajoutez les raisins secs et les amandes. Baissez le feu et laissez mijoter pendant 10 min. La viande doit être bien cuite et la préparation se montrer humide, mais non liquide. Tenez au chaud.

4 Divisez la pâte en 6 boules. Ouvrez la presse à tortillas et recouvrez chaque partie de plastique. Déposez une boule de pâte à l'intérieur et refermez la presse pour obtenir un disque de 10 cm de diamètre, plus épais que les tortillas traditionnelles. Procédez de la même manière avec les autres boules de pâte.

5 Chauffez à feu vif une poêle. Faites-y frire une tortilla jusqu'à ce que le dessous commence à brunir et à cloquer. Retournez-la et laissez-la cuire, jusqu'à ce qu'elle change de couleur. Après avoir glissé la tortilla sur une assiette, plissez-en le bord pour la transformer en une sorte de soucoupe. Garnissez-la de bœuf épicé et maintenez-la au chaud pendant que vous préparez les autres sopes. Décorez de persil.

CONSEIL

Pour que la pâte à sopes ne se dessèche pas pendant que vous préparez la garniture, enveloppez-la dans du film plastique.

QUESADILLAS

Ces tortillas fourrées au fromage sont l'équivalent mexicain de nos sandwichs toastés. Servez les quesadillas dès qu'elles sont prêtes, car elles ont tendance à devenir caoutchouteuses. Si vous devez en cuisiner un grand nombre, garnissez-les à l'avance mais ne les faites cuire qu'à la dernière minute.

Pour 4 personnes

INGRÉDIENTS

- 200 g de mozzarella, de monterey jack, de cheddar doux ou d'emmental
- 1 piment fresno frais (facultatif)
- 8 tortillas de blé d'environ 15 cm de diamètre
- achards d'oignons ou tomato salsa, pour l'accompagnement

VARIANTES

Badigeonnez la tortilla de votre salsa mexicaine préférée avant de la garnir de fromage, ou bien de morceaux de poulet, ou encore de crevettes.

1 Si vous utilisez de la mozzarella, égouttez-la, séchez-la sur du papier absorbant et découpez-la en fines lamelles. Pour le monterey jack, le cheddar ou l'emmental, utilisez une râpe à larges trous : trop fin, le fromage coulerait à la cuisson. Réservez le fromage dans une jatte.

2 Si vous utilisez le piment, piquez-le sur une broche métallique et faites-le griller sur la flamme jusqu'à ce que la peau cloque et noircisse. Veillez à ne pas laisser brûler la chair. Ou faites-le griller sur une plaque en fonte, sans matières grasses, jusqu'à ce que la peau soit carbonisée. Mettez le piment grillé dans un sac en plastique résistant, fermez et laissez reposer 20 min.

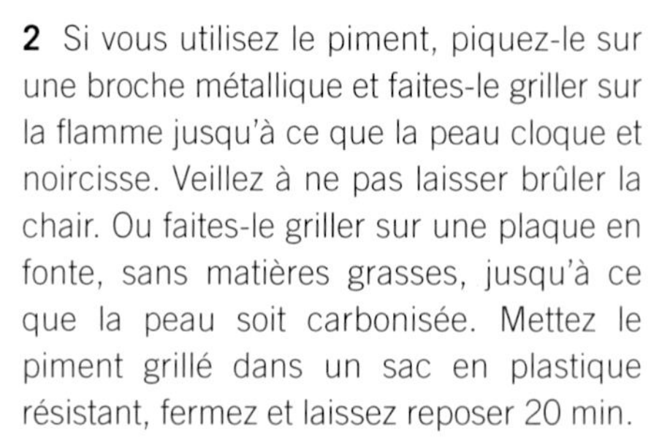

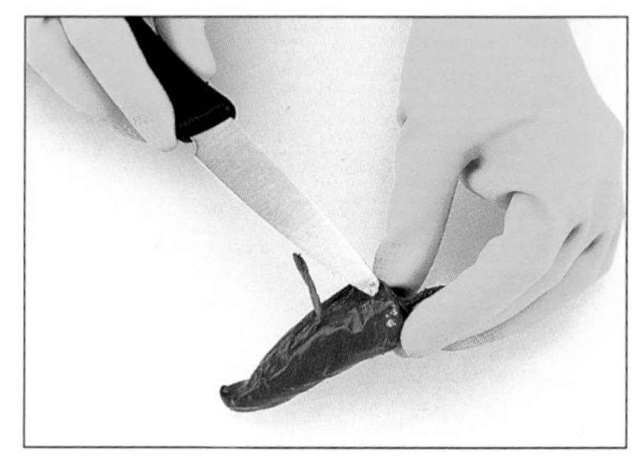

3 Retirez le piment du sac et pelez-le. Coupez la queue, incisez le piment et raclez les graines avec un couteau pointu. Taillez la chair en 8 fines lamelles.

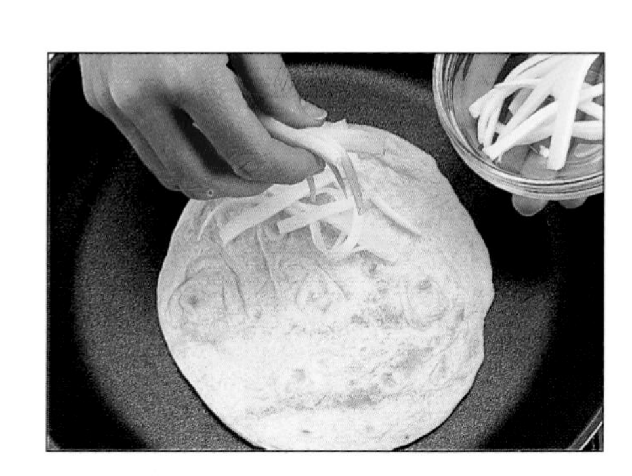

4 Faites chauffer une poêle ou une plaque en fonte et déposez dessus 1 tortilla. Recouvrez-en la moitié avec environ 1/8 du fromage et ajoutez éventuellement une lamelle de piment. Repliez la tortilla sur le fromage et pressez les bords pour les souder. Faites cuire la tortilla fourrée pendant 1 min puis après l'avoir retournée, encore 1 min.

5 Retirez la quesadilla de la poêle. Découpez-la en 3 triangles ou en 4 bandes, et servez aussitôt avec des achards d'oignons ou de la tomato salsa.

RIZ À LA MEXICAINE

Le riz à la mexicaine – qui a pour cousin le riz à l'espagnole – est un plat qui décline ses variantes dans tous les pays d'Amérique latine. Considéré comme une sopa seca *(une soupe sèche), il est agrémenté de tomates et de divers aromates. En fin de cuisson, le bouillon de cuisson a en grande partie été absorbé par le riz.*

Pour 6 personnes

INGRÉDIENTS

- 200 g de riz à longs grains
- 200 g de tomates concassées en conserve, avec leur jus
- 1/2 oignon grossièrement haché
- 2 gousses d'ail grossièrement hachées
- 2 cuil. à soupe d'huile végétale
- 45 cl de bouillon de poulet
- 1/2 cuil. à café de sel
- 3 piments fresno frais ou autres piments verts frais équeutés
- 150 g de petits pois surgelés (facultatif)
- poivre noir du moulin

1 Versez le riz dans un grand récipient résistant à la chaleur et recouvrez-le d'eau bouillante. Remuez, puis laissez reposer 10 min. Égouttez-le, rincez-le sous l'eau froide et égouttez à nouveau. Réservez afin qu'il sèche légèrement.

2 Passez les tomates et leur jus, le 1/2 oignon et les 2 gousses d'ail au mixer, jusqu'à l'obtention d'un mélange très homogène.

3 Mettez l'huile à chauffer dans une grande casserole à fond épais. Versez le riz et faites-le cuire à feu moyen jusqu'à ce qu'il soit légèrement doré. Remuez souvent, afin que le riz n'attache pas.

4 Versez la purée de tomates dans la casserole et laissez cuire sur feu moyen, en remuant, jusqu'à ce que tout le liquide soit absorbé. Ajoutez le bouillon, le sel, les piments entiers et éventuellement les petits pois. Poursuivez la cuisson, en remuant de temps à autre, jusqu'à ce que le liquide ait disparu et que le riz soit juste tendre.

5 Retirez la casserole du feu, couvrez et laissez reposer au chaud de 5 à 10 min. Ôtez les piments, mélangez légèrement le riz, saupoudrez de poivre noir et servez. Si vous le souhaitez, vous pouvez utiliser les piments pour la décoration.

CONSEIL

Après avoir ajouté le bouillon, ne remuez pas le riz trop souvent, sinon, vous risquez de casser les grains ; le plat deviendrait alors pâteux.

FLAUTAS DE POULET

Garnies de fromage et de poulet, ces tortillas croustillantes constituent un délicieux repas léger, surtout lorsqu'elles sont accompagnées d'une tomato salsa *épicée. Pour les réussir à coup sûr, veillez à ce que l'huile reste très chaude pour que les rouleaux ne soient pas trop imprégnés.*

Pour 12 personnes

INGRÉDIENTS
- 2 blancs de poulet désossés, sans peau
- 1 oignon
- 2 gousses d'ail
- 5 cuil. à soupe d'huile végétale
- 90 g de feta émiettée
- 12 tortillas de maïs
- sel et poivre noir du moulin

Pour la salsa
- 3 tomates pelées, épépinées et hachées
- le jus d'1/2 citron vert
- 1 petit bouquet de coriandre fraîche hachée
- 1/2 petit oignon finement haché
- 3 piments fresno frais ou autres piments verts frais, épépinés et hachés

1 Commencez par préparer la salsa. Dans une jatte, mélangez les tomates, le jus de citron vert, la coriandre, l'oignon et les piments. Salez à votre goût et réservez.

2 Mettez les blancs de poulet dans une grande casserole, couvrez d'eau et portez à ébullition. Baissez le feu et laissez cuire doucement jusqu'à ce que le poulet soit cuit (15 à 20 min). Retirez le poulet de la casserole et laissez-le légèrement refroidir. Avec 2 fourchettes, déchiquetez-le en petits morceaux. Réservez.

3 Hachez finement l'oignon et écrasez l'ail. Mettez l'huile à chauffer dans une poêle. Faites-y revenir l'ail et l'oignon à feu doux jusqu'à ce que l'oignon soit tendre mais pas coloré (environ 5 min). Ajoutez les morceaux de poulet, salez et poivrez à votre goût. Mélangez bien, retirez du feu et incorporez la feta émiettée.

4 Pour rendre les tortillas plus souples, placez-les quelques instants dans une assiette posée sur une casserole d'eau bouillante. Ou bien enveloppez-les dans du film plastique, et passez-les 30 s au micro-ondes, à la puissance maximale.

5 Déposez 1 cuillerée de garniture au poulet sur une tortilla. Enroulez-la en serrant bien autour de la farce, de façon à obtenir un cylindre. Fermez avec un pique-olive. Enveloppez le rouleau dans du film plastique, afin d'éviter que la tortilla se casse ou se dessèche. Procédez de la même manière avec les autres tortillas.

6 Versez 2,5 cm d'huile dans une poêle. Faites-y chauffer un petit dé de pain jusqu'à ce qu'il remonte à la surface et que des bulles se forment autour de ses bords, mais avant qu'il ne commence à dorer. Retirez les pique-olives et le film plastique et déposez les rouleaux dans la poêle, par petits lots.

7 Faites frire les flautas jusqu'à ce qu'elles soient dorées (2 à 3 min), en les retournant fréquemment. Égouttez sur du papier absorbant et servez-les aussitôt, accompagnées de la salsa.

CONSEIL

Vous pouvez, si vous le souhaitez, retirer les pique-olives seulement après avoir fait frire les flautas.

ŒUFS AU CHORIZO

Au Mexique, on fabrique deux sortes de chorizos : le frais, vendu sous la forme de viande hachée, et la saucisse séchée, qui ressemble au chorizo espagnol. La première version, que l'on retrouve dans de nombreuses recettes, se marie ici à merveille avec les œufs brouillés.

Pour 4 personnes

INGRÉDIENTS
- 25 g de saindoux
- 500 g de porc haché
- 3 gousses d'ail écrasées
- 2 cuil. à café d'origan séché
- 1 cuil. à café de cannelle moulue
- 1/2 cuil. à café de clous de girofle moulus
- 1/2 cuil. à café de poivre noir du moulin
- 2 cuil. à soupe de xérès sec
- 1 cuil. à café de sucre en poudre
- 1 cuil. à café de sel
- 6 œufs
- 2 tomates pelées, épépinées et coupées en petits dés
- 1/2 petit oignon finement haché
- 4 cuil. à soupe de lait ou de crème liquide
- brins d'origan frais, pour la décoration
- tortillas de maïs ou de blé chaudes, pour l'accompagnement

1 Sur feu moyen, faites fondre le saindoux dans une grande poêle. Mettez le porc haché à revenir, en remuant, et attendez qu'il brunisse. Incorporez l'ail, l'origan, la cannelle, les clous de girofle et le poivre. Laissez cuire encore 3 à 4 min.

2 Ajoutez le xérès, le sucre et le sel. Remuez bien et laissez cuire 3 à 4 min, afin que les arômes se diffusent. Retirez du feu.

3 Dans une jatte, battez légèrement les œufs, puis incorporez les dés de tomates et l'oignon haché.

4 Remettez le chorizo sur le feu. Quand il est chaud, ajoutez les œufs battus. Faites cuire en remuant constamment, jusqu'à ce que les œufs aient pris une consistance presque ferme.

5 Incorporez le lait ou la crème. Rectifiez éventuellement l'assaisonnement. Décorez avec de l'origan frais et servez les œufs au chorizo avec des tortillas de maïs ou de blé chaudes.

PIMENTS À LA SAUCE AU FROMAGE

Une délicieuse entrée, un repas léger ou un encas pour l'apéritif. La présence de piments et de tequila rend ce mets relevé.

Pour 4 à 6 personnes

INGRÉDIENTS
- 4 piments fresno frais ou autres piments verts frais
- 1 cuil. à soupe d'huile végétale
- 1/2 oignon rouge finement haché
- 500 g de monterey jack râpé
- 2 cuil. à soupe de crème fraîche
- 15 cl de crème épaisse
- 2 tomates fermes, pelées
- 1 cuil. à soupe de tequila reposada
- chips de maïs, pour l'accompagnement

CONSEIL

Pour peler facilement les tomates, pratiquez une entaille en croix à leur base, recouvrez-les d'eau bouillante, puis plongez-les dans de l'eau froide.

1 Sur feu moyen, faites griller les piments dans une poêle, sans matières grasses, en les tournant fréquemment. Quand leur peau cloque et noircit, mettez-les dans un sac en plastique résistant. Fermez le sac et laissez reposer 20 min. Puis pelez-les, incisez-les, raclez les graines et taillez la chair en fines lanières, que vous couperez en deux dans le sens de la longueur.

2 Chauffes l'huile dans une poêle et mettez l'oignon à revenir sur feu moyen jusqu'à ce qu'il devienne tendre (5 min environ). Ajoutez le fromage, la crème fraîche et la crème épaisse. Sur feu doux, remuez jusqu'à ce que le fromage fonde et que le tout prenne une consistance riche et crémeuse. Incorporez les piments.

3 Coupez les tomates en deux et épépinez-les. Taillez la chair en morceaux d'1 cm et incorporez-les dans la sauce.

4 Juste avant de servir, ajoutez la tequila. Versez la sauce au fromage dans un bol et servez-la chaude, avec des chips de maïs.

MOLETTES

Proposé par les marchands ambulants en milieu de matinée, cet encas fait le bonheur de tous ceux qui n'ont pas pris de petit déjeuner.

Pour 4 personnes

INGRÉDIENTS
- 4 petits pains bien croustillants
- 50 g de beurre ramolli
- 225 g de haricots « refrits »
- 150 g de cheddar moyennement affiné ou de gruyère râpé
- feuilles de salade, pour la décoration
- 12 cl de tomato salsa, pour l'accompagnement

1 Coupez les petits pains en deux, sans les détacher totalement, puis taillez une fine tranche à la base, afin de pouvoir les poser à plat. Ôtez un peu de mie et recouvrez-les d'une fine couche de beurre.

2 Passez les petits pains sous le gril du four jusqu'à ce qu'ils soient dorés et croustillants (environ 5 min). Pendant ce temps, réchauffez les haricots « refrits » à feu doux dans une petite casserole.

3 Déposez les haricots dans les petits pains, puis saupoudrez de fromage râpé. Remettez sous le gril jusqu'à ce que le fromage fonde. Servez les molettes avec de la tomato salsa et décorés de feuilles de salade.

ŒUFS MOTULENOS

Ces haricots noirs surmontés d'un œuf sur le plat, relevés de sauce piquante et accompagnés de petits pois et de jambon constitueront, au choix, un petit déjeuner copieux ou un déjeuner léger.

Pour 4 personnes

INGRÉDIENTS
- 225 g de haricots noirs trempés 1 nuit
- 1 petit oignon finement haché
- 2 gousses d'ail
- 1 petit bouquet de coriandre fraîche, hachée
- 150 g de petits pois surgelés
- 4 tortillas de maïs
- 2 cuil. à soupe d'huile
- 4 œufs
- 150 g de jambon blanc coupé en dés
- 4 cuil. à soupe de sauce aux piments piquante
- 75 g de feta émiettée
- sel et poivre noir du moulin
- tomato salsa, pour l'accompagnement

1 Égouttez les haricots, rincez-les sous l'eau froide, puis égouttez-les à nouveau et déposez-les dans une casserole avec l'oignon et l'ail. Couvrez d'eau, portez à ébullition et faites cuire 40 min à feu doux. Incorporez la coriandre. Salez et poivrez à votre goût. Réservez au chaud.

2 Faites cuire les petits pois à l'eau bouillante jusqu'à ce qu'ils soient juste tendres. Égouttez et réservez. Enveloppez les tortillas de papier d'aluminium et posez-les sur une assiette. Placez celle-ci sur une casserole d'eau bouillante et réchauffez les tortillas à la vapeur environ 5 min. Ou bien enveloppez-les de film plastique et passez-les environ 30 s au micro-ondes.

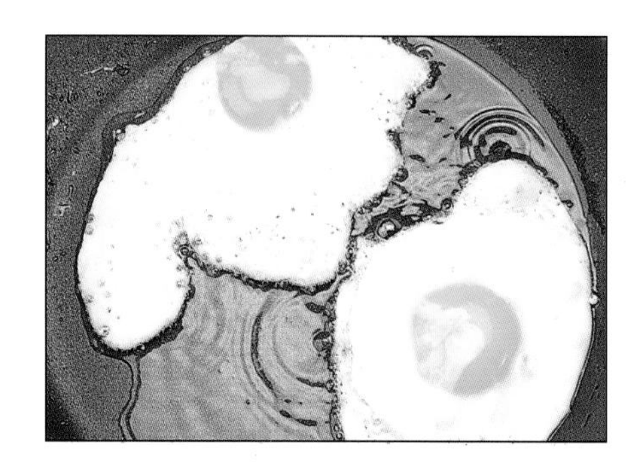

3 Mettez l'huile à chauffer dans une poêle. Faites-y frire les œufs, jusqu'à ce que le blanc ait pris. Transférez les œufs sur une assiette et maintenez-les au chaud. Réchauffez le jambon et les petits pois dans l'huile qui reste dans la poêle.

4 Mettez les tortillas sur des assiettes préchauffées et ajoutez les haricots. Couvrez d'un œuf sur le plat, nappez d'1 cuillerée à soupe de sauce piquante, puis entourez les œufs de petits pois et de jambon. Saupoudrez les petits pois de feta et servez aussitôt, avec la tomato salsa.

ŒUFS RANCHEROS

Il existe maintes variantes de ce plat populaire servi pour le petit-déjeuner ou le brunch. L'association des œufs brouillés, du piment et de la tomate en fait un véritable régal.

Pour 4 personnes, au petit déjeuner

INGRÉDIENTS
- 2 tortillas de maïs préparées quelques jours auparavant
- huile pour la friture
- 2 piments jalapeño verts, frais
- 1 gousse d'ail
- 4 oignons grelots
- 1 grosse tomate
- 8 œufs battus
- 15 cl de crème liquide
- 1 petit bouquet de coriandre fraîche finement hachée
- sel et poivre noir du moulin

1 Découpez les tortillas en longues lanières. Versez 1 cm d'huile dans une poêle. Faites chauffer jusqu'à ce que l'huile soit très chaude, en la surveillant constamment.

2 Mettez les lanières de tortillas à frire par petits lots, en les retournant de temps à autre, jusqu'à ce qu'elles soient croustillantes et dorées (1 à 2 min). Égouttez-les sur du papier absorbant.

CONSEIL

L'huile de friture des tortillas doit impérativement être très chaude. Pour être sûr qu'elle est à la bonne température, on peut y plonger une lanière de tortilla. Si elle remonte à la surface et que des bulles se forment autour de ses bords, le bain d'huile est prêt à l'emploi.

3 Enfilez les piments sur une longue broche métallique et faites-les griller sur la flamme jusqu'à ce que leur peau cloque et noircisse. Veillez à ne pas laisser brûler la chair. Ou faites-les griller sur une plaque en fonte, sans matières grasses, jusqu'à ce que la peau soit carbonisée. Mettez-les dans un sac en plastique résistant, fermez et laissez reposer 20 min.

4 Pendant ce temps, écrasez l'ail et hachez finement les oignons. Dessinez une entaille en croix à la base de la tomate. Placez celle-ci dans un récipient résistant à la chaleur et couvrez-la d'eau bouillante. Au bout de 3 min, plongez-la dans l'eau froide à l'aide d'une écumoire. Laissez refroidir quelques minutes.

5 Égouttez la tomate, pelez-la et coupez-la en quatre. Avec une cuillère à café, enlevez les graines et le cœur, puis taillez la chair en petits dés.

6 Retirez les piments du sac et pelez-les. Coupez les queues, incisez les piments et raclez les graines. Hachez finement la chair. Placez les œufs dans une jatte, salez et poivrez, puis battez-les légèrement.

7 Mettez à chauffer 1 cuillerée à soupe d'huile dans une poêle et faites-y revenir l'ail et l'oignon jusqu'à ce qu'ils soient tendres (2 à 3 min). Incorporez les dés de tomates et laissez cuire 3 à 4 min. Ajoutez les piments et poursuivez la cuisson 1 min.

8 Versez les œufs dans la poêle et remuez jusqu'à ce qu'ils commencent à coaguler. Quand ils prennent la consistance d'une omelette baveuse, incorporez la crème de façon à ralentir la cuisson et à obtenir une préparation onctueuse.

9 Incorporez la coriandre hachée. Disposez les lanières de tortillas sur 4 assiettes et, à la cuillère, déposez les œufs dessus. Servez aussitôt.

CHIPS DE MAÏS

Au Mexique, on les appelle totopos *: un terme qui désigne à la fois les lanières de tortillas que l'on met dans les soupes et les chips triangulaires avec lesquelles on déguste les salsas. Utilisez des tortillas confectionnées quelques jours auparavant – les fraîches ne seront pas aussi croustillantes.*

Pour 4 personnes

INGRÉDIENTS
- 4 à 8 tortillas de maïs
- huile pour la friture
- sel

VARIANTE

Une fois frites, les tortillas de blé ne sont pas aussi croustillantes que les tortillas de maïs. Saupoudrées de cannelle moulue et de sucre en poudre, elles constituent toutefois un délicieux dessert. Servez-les très chaudes, avec de la crème.

1 Coupez chaque tortilla en 6 triangles. Versez 1 cm d'huile dans une grande poêle et faites chauffer sur feu moyen jusqu'à ce que l'huile soit très chaude.

CONSEIL

L'huile de friture des tortillas doit être très chaude. Pour vérifier sa température, plongez dedans un triangle de tortilla. S'il remonte immédiatement à la surface et si des bulles se forment autour de ses bords, le bain d'huile est prêt à l'emploi.

2 Faites frire les chips dans l'huile pendant quelques instants, par petits lots, jusqu'à ce qu'elles soient dorées et croustillante. À l'aide d'une écumoire, retirez les chips de la poêle et égouttez-les sur du papier absorbant. Poudrez de sel.

3 Les totopos se servent chauds, mais vous pouvez les laisser refroidir et les conserver quelques jours dans un récipient hermétique. Vous les réchaufferez au four ou au micro-ondes.

PEPITAS

Une friandise absolument irrésistible, surtout si vous agrémentez les graines de citrouille de piments chipotle : une saveur fumée qui crée un délicieux contraste avec leur goût noisetté et la douceur apportée par le sucre. Servez les pepitas *à l'apéritif.*

Pour 4 personnes

INGRÉDIENTS
- 125 g de graines de citrouille
- 4 gousses d'ail écrasées
- 1/4 de cuil. à café de sel
- 2 cuil. à café de piments séchés, écrasés
- 1 cuil. à café de sucre
- 1 quartier de citron vert

CONSEIL

Lorsque vous faites griller les graines de citrouille, il est important de les remuer constamment. Veillez à ce qu'elles ne brûlent pas : cela leur donnerait un goût amer.

1 Faites chauffer une petite poêle à fond épais. Mettez à griller les graines de citrouille quelques minutes, sans matières grasses, en remuant constamment.

2 Quand toutes les graines ont gonflé, ajoutez l'ail. Laissez cuire quelques minutes, sans cesser de remuer. Ajoutez le sel et les piments écrasés puis mélangez soigneusement. Éteignez le feu, mais laissez la poêle sur la cuisinière. Saupoudrez de sucre et secouez la poêle afin qu'il vienne enrober toutes les graines.

3 Versez les pepitas dans une coupe et servez-les avec un quartier de citron vert, dont le jus servira à les arroser. Ou bien laissez refroidir les graines et conservez-les dans un récipient hermétique. Les pepitas sont toutefois meilleures fraîches.

CHIPS ÉPICÉES DE BANANES PLANTAINS

Plus farineuses que les autres variétés, les bananes plantains ne peuvent se consommer crues. En Amérique latine, on les accommode comme des pommes de terre. Ces chips ont une saveur douce, rehaussée par le piquant de la poudre et de la sauce de piments. Faites-les frire à la dernière minute.

Pour 4 personnes, en entrée ou à l'apéritif

INGRÉDIENTS
- 2 grosses bananes plantains
- huile pour la friture
- 1/2 cuil. à café de poudre de piments
- 1 cuil. à café de cannelle moulue
- sauce aux piments piquante, pour l'accompagnement

CONSEIL

Les bananes plantains doivent avoir une peau très foncée, presque noire. Si elles sont vertes, laissez-les mûrir quelques jours à température ambiante.

1 Pelez les bananes plantains. Supprimez les extrémités et coupez les fruits légèrement en diagonale, en tranches larges et plates.

2 Dans une petite poêle, déposez environ 1 cm d'huile. Attendez qu'elle soit très chaude et vérifiez la température en immergeant une rondelle de banane : si elle remonte immédiatement en surface et si des bulles se forment autour de ses bords, le bain d'huile est prêt à l'emploi.

3 Faites frire les rondelles par petits lots afin que la température de l'huile ne baisse pas. Quand elles sont brun doré, retirez-les de la poêle à l'aide d'une écumoire et égouttez-les sur du papier absorbant.

4 Mélangez la poudre de piments et la cannelle. Déposez les chips de bananes plantains sur une assiette et saupoudrez-les avec le mélange. Servez aussitôt, accompagné d'une petite soucoupe de sauce piquante.

POP-CORN AU CITRON VERT ET AU PIMENT

Si le pop-corn n'évoque pour vous que les sachets tout prêts avalés pendant les séances de cinéma, essayez cette spécialité mexicaine, judicieusement rehaussée de citron vert et de piment en poudre. Une friandise diététique, à grignoter à l'apéritif.

Pour un gros saladier de pop-corn

INGRÉDIENTS
- 2 cuil. à soupe d'huile végétale
- 225 g de grains de maïs à pop-corn
- 2 cuil. à café de piments en poudre
- le jus de 2 citrons verts

1 Dans une grande poêle à fond épais, faites chauffer l'huile jusqu'à ce qu'elle atteigne une forte température. Versez les grains de maïs, couvrez aussitôt d'un couvercle et baissez le feu.

2 Au bout de quelques minutes, le maïs se met à sauter. Résistez à la tentation de soulever le couvercle, mais secouez la poêle de temps à autre afin que les grains cuisent et brunissent uniformément.

3 Lorsque le bruit du maïs qui éclate s'arrête, retirez la poêle du feu et laissez légèrement refroidir. Ôtez le couvercle et, avec une cuillère, éliminez tous les maïs qui ne se sont pas ouverts. Restés au fond de la poêle, ces grains non cuits sont immangeables.

4 Ajoutez les piments en poudre et secouez la poêle plusieurs fois afin que cette poudre enrobe bien le pop-corn.

5 Versez le pop-corn dans un grand saladier et maintenez au chaud. Avant de servir, pressez dessus les citrons.

LES PLATS DE VIANDE

Parce que tous ses morceaux sont comestibles ou transformables, le porc est de loin la viande la plus répandue au Mexique. Autrefois chaque famille élevait son propre cochon, en le nourrissant avec les détritus. Dans le Nord, grande région d'élevage, on consomme beaucoup de bœuf, ainsi que du mouton et de l'agneau. Depuis les fajitas *de poulet en passant par les* tacos *au bœuf haché et jusqu'au bien nommé « poulet bourré », ce chapitre dresse un inventaire des plats de viande mexicains les plus populaires. Le* mole *de dinde, le porc aux cactus à la sauce verte et les* albondigas, *délicieuses boulettes de viande à servir en plat principal ou bien en amuse-gueules, font partie des grands classiques du répertoire culinaire mexicain.*

BURRITOS AU POULET ET AU RIZ

Au Mexique, les burritos *s'achètent dans la rue et se dégustent sur le pouce ; voilà pourquoi ils ne sont presque jamais accompagnés d'une sauce. Un* burrito *réussi est obligatoirement facile à manger, il faut donc que la garniture soit bien tassée dans la tortilla.*

Pour 4 personnes

INGRÉDIENTS

- 100 g de riz à longs grains
- sel
- 1 cuil. à soupe d'huile végétale
- 1 oignon haché
- 1 cuil. à café de clous de girofle moulus
- 1 cuil. à café d'origan frais ou séché
- 200 g de tomates concassées en conserve, avec leur jus
- 2 blancs de poulet désossés, sans peau
- 150 g de monterey jack, de cheddar doux ou d'emmental, râpé
- 4 cuil. à soupe de crème aigre (facultatif)
- 8 tortillas de blé fraîches, de 20 à 25 cm de diamètre
- origan frais, pour la décoration (facultatif)

1 Portez une casserole d'eau légèrement salée à ébullition. Versez-y le riz et faites-le cuire 8 min. Égouttez, rincez, puis égouttez à nouveau.

2 Faites chauffer l'huile dans une grande casserole. Mettez l'oignon à revenir, avec les clous de girofle moulus et la cuillerée d'origan, pendant 2 à 3 min. Incorporez le riz et les tomates, et laissez cuire à feu doux jusqu'à ce que tout le jus des tomates ait été absorbé. Réservez.

3 Placez les blancs de poulet dans une grande casserole, couvrez d'eau et portez à ébullition. Baissez le feu et laissez mijoter à feu doux jusqu'à ce que le poulet soit cuit (environ 10 min). Retirez la volaille de la casserole, posez-la sur une assiette et laissez-la légèrement refroidir.

4 Préchauffez le four à 160 °C (th. 5). Avec 2 fourchettes, déchiquetez le poulet et ajoutez les morceaux, ainsi que le fromage râpé, dans la préparation à base de riz. Incorporez éventuellement la crème aigre.

CONSEIL

Si vous utilisez des tortillas très fraîches, les pique-olives seront peut-être inutiles. Soudez alors les burritos en humectant les bords de la tortilla avec un peu d'eau. Mettez le côté de la fermeture en dessous quand vous déposez les burritos dans le plat.

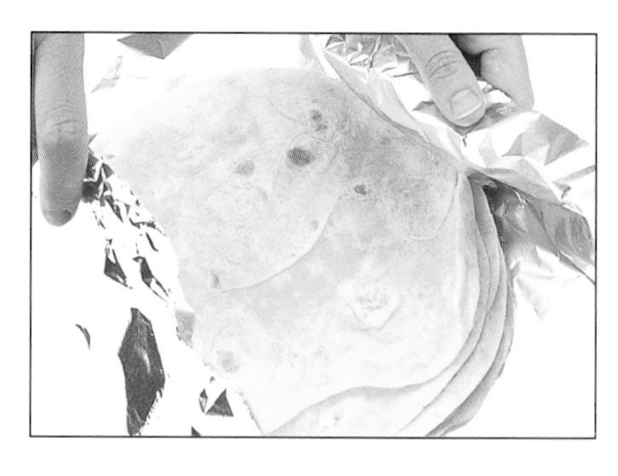

5 Enveloppez les tortillas dans du papier d'aluminium et mettez-les sur une assiette, posée sur une casserole d'eau bouillante. Laissez-les réchauffer pendant 5 min. Ou enveloppez-les dans du film plastique et passez-les 1 min au micro-ondes, à la puissance maximale.

6 À la cuillère, déposez $1/8$ de la garniture au centre d'une des tortillas. Repliez la tortilla en quatre pour former un paquet. Fermez avec un pique-olive.

7 Posez le *burrito* farci dans un plat peu profond, couvrez de papier d'aluminium et mettez au four pendant que vous préparez les suivants. Ôtez les pique-olives avant de servir les *burritos* parsemés d'origan frais.

CHICHIMANGAS DE POULET ET DE TOMATILLOS

Près de la frontière avec le Texas, les chichimangas *– des* burritos *passés dans la friture – se vendent dans les cafés et chez les marchands ambulants. Ils deviennent plus rares quand on descend vers le sud.*

Pour 4 personnes

INGRÉDIENTS

- 2 blancs de poulet désossés, sans peau
- 1 piment chipotle épépiné
- 1 cuil. à soupe d'huile végétale
- 2 oignons finement hachés
- 4 gousses d'ail écrasées
- 1/2 cuil. à café de cumin moulu
- 1/2 cuil. à café de coriandre moulue
- 1/2 cuil. à café de cannelle moulue
- 1/2 cuil. à café de clous de girofle moulus
- 300 g de tomatillos en conserve, égouttés
- 400 g de haricots roses cuits
- sel et poivre noir du moulin
- 8 tortillas de blé fraîches de 20 à 25 cm de diamètre
- huile pour la friture

1 Mettez les blancs de poulet dans une grande casserole, couvrez d'eau et ajoutez le piment. Portez à ébullition, puis baissez le feu et faites cuire doucement jusqu'à ce que le poulet soit cuit et que le piment ait ramolli (10 min). Retirez le piment et hachez-le finement. Ôtez le poulet de la casserole et laissez-le légèrement refroidir sur une assiette. Détaillez-le en lanières à l'aide de 2 fourchettes.

2 Dans une poêle, faites chauffer l'huile. Mettez les oignons à revenir jusqu'à ce qu'ils soient translucides. Ajoutez l'ail et les épices moulues, laissez cuire 3 min. Ajoutez les *tomatillos* et les haricots roses. Poursuivez la cuisson 5 min sur feu moyen, en remuant constamment afin d'écraser les *tomatillos* et les haricots. Laissez mijoter encore 5 min à feu doux. Ajoutez le poulet, salez et poivrez.

3 Enveloppez les tortillas dans du papier d'aluminium et mettez-les sur une assiette, posée sur une casserole d'eau bouillante. Laissez-les réchauffer environ 5 min jusqu'à ce qu'elles deviennent souples. Ou enveloppez-les dans du film plastique et passez-les 1 min au micro-ondes, à la puissance maximale.

4 À la cuillère, déposez 1/8 de la garniture à base de haricots au centre d'une des tortillas. Repliez la tortilla en quatre comme pour former un paquet et fermez avec un pique-olive.

5 Faites chauffer l'huile dans une grande poêle. Mettez à frire les *chichimangas*, par petits lots, jusqu'à ce qu'ils soient croustillants, en les retournant une fois. Avec une écumoire, retirez-les de la poêle et égouttez-les sur du papier absorbant. Servez très chaud.

CONSEIL

Si vous préparez vous-même les haricots roses, il faut les laisser tremper pendant une nuit. Vous pouvez ensuite les faire cuire dans de l'eau bouillante, non salée, jusqu'à ce qu'ils soient tendres (1 h à 1 h 15).

POULET « BOURRÉ »

Ce poulet cuit dans la tequila a une délicieuse saveur aigre-douce. Accompagnez la volaille par du riz jaune ou vert, et des tortillas de blé pour saucer.

Pour 4 personnes

INGRÉDIENTS
- 150 g de raisins secs
- 12 cl de xérès
- 120 g de farine
- 1/2 cuil. à café de sel
- 1/2 cuil. à café de poivre noir du moulin
- 3 cuil. à soupe d'huile végétale
- 8 cuisses de poulets sans peau, avec l'os
- 1 oignon coupé en deux et finement émincé
- 3 gousses d'ail écrasées
- 2 pommes granny smith
- 125 g d'amandes effilées
- 1 banane plantain bien mûre en rondelles
- 35 cl de bouillon de poulet bien parfumé
- 25 cl de tequila
- herbes fraîches hachées, pour la décoration (facultatif)

1 Mettez les raisins secs dans une jatte et arrosez-les avec le xérès. Laissez reposer, afin que les raisins gonflent. Salez et poivrez la farine, puis répartissez-la sur une assiette creuse. Dans une grande poêle, faites chauffer 2 cuillerées à soupe d'huile. Farinez les cuisses de poulet. Mettez-les à frire dans l'huile, jusqu'à ce qu'elles brunissent, en les retournant régulièrement. Égouttez sur du papier absorbant.

2 Faites chauffer le reste de l'huile dans une grande poêle à bord haut. Mettez l'oignon émincé et l'ail écrasé à revenir 2 à 3 min. Pendant ce temps, pelez, évidez et taillez les pommes en dés.

3 Mettez les dés de pommes, les amandes et les rondelles de banane plantain dans la poêle contenant l'oignon. Faites cuire 3 à 4 min en remuant régulièrement. Ajoutez les raisins trempés et le xérès, puis les cuisses de poulets.

4 Versez le bouillon et la tequila sur le poulet. Couvrez et faites cuire 15 min. Retirez le couvercle et laissez encore sur le feu jusqu'à ce que la sauce ait réduit à peu près de moitié (10 min environ).

5 Pour vérifier la cuisson du poulet, retirez une cuisse de la poêle et enfoncez un couteau ou une broche dans la partie la plus charnue : si le jus qui s'en écoule n'est pas clair, poursuivez un peu la cuisson. Puis ajoutez éventuellement des herbes fraîches pour la décoration et servez le poulet « bourré ».

FAJITAS DE POULET

Idéales pour les soirées entre amis, les fajitas *sont des tortillas de blé que chacun garnit à sa guise.*

Pour 6 personnes

INGRÉDIENTS

- 3 blancs de poulets désossés, sans peau
- le zeste finement râpé et le jus de 2 citrons verts
- 2 cuil. à soupe de sucre en poudre
- 2 cuil. à café d'origan séché
- 1/2 cuil. à café de poivre de Cayenne
- 1 cuil. à café de cannelle moulue
- 2 oignons
- 3 poivrons (1 rouge, 1 jaune ou orange, 1 vert)
- 3 cuil. à soupe d'huile végétale
- guacamole, salsa et crème aigre, pour l'accompagnement

Pour les tortillas

- 250 g de farine tamisée
- 2 pincées de levure chimique
- 1 pincée de sel
- 50 g de saindoux

1 Découpez en lanières de 2 cm de largeur les blancs de poulets, et déposez-les dans une grande jatte. Ajoutez le zeste et le jus des citrons verts, le sucre, l'origan, le poivre de Cayenne et la cannelle. Mélangez soigneusement. Laissez reposer au moins 30 min.

CONSEIL

La pâte à tortilla peut se montrer difficile à étaler finement. Si elle se casse, placez chacune des boules entre deux feuilles de plastique, puis étalez-les au rouleau jusqu'à ce qu'elles aient la dimension désirée. Retournez-les de temps à autre, en les maintenant dans le plastique.

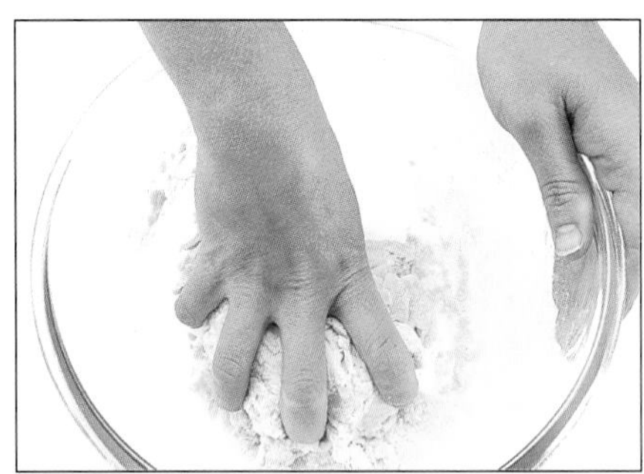

2 Pour préparer les tortillas, mélangez la farine, la levure et le sel dans une jatte. Incorporez le saindoux en travaillant avec les doigts. Ajoutez peu à peu 4 cuillerées à soupe d'eau chaude, jusqu'à l'obtention d'une pâte bien ferme. Sur une surface farinée, pétrissez-la jusqu'à ce qu'elle devienne lisse (10 à 15 min).

3 Divisez la pâte en 12 petites boules. Avec un rouleau, transformez-les en disques de 15 cm de diamètre. Recouvrez-les de film plastique pour éviter qu'ils se dessèchent pendant que vous apprêtez les légumes.

4 Séparez les oignons en deux et émincez-les finement. Coupez les poivrons en deux, retirez le cœur et les graines ; taillez la chair en lanières d'1 cm de large.

5 Faites chauffer une grande poêle ou une plaque en fonte. Mettez les tortillas à cuire une à une, jusqu'à ce que la surface se colore et commence à cloquer (environ 1 min de chaque côté). Quand elles sont cuites, enveloppez-les dans un torchon pour qu'elles restent chaudes et souples.

6 Chauffez l'huile dans une grande poêle et mettez à sauter le poulet mariné pendant 5 à 6 min. Ajoutez les poivrons et les oignons, et laissez sur le feu jusqu'à ce que les lanières de poulet soient bien cuites (encore 3 à 4 min) ; les légumes doivent être tendres et juteux.

7 À la cuillère, transférez la préparation à base de poulet dans un plat de service que vous apporterez sur la table avec les tortillas, le guacamole, la salsa et la crème aigre. Maintenez les tortillas au chaud dans le torchon.

8 Chaque convive se sert une tortilla ; il la badigeonne d'un peu de salsa, la garnit de guacamole et ajoute la préparation au poulet. En touche finale : 1 cuillerée de crème aigre. Une fois repliées autour de la farce, les *fajitas* se dégustent avec les doigts.

POULET À LA SAUCE CHIPOTLE

Les piments chipotle apportent aux blancs de poulets ce merveilleux arôme fumé. La purée de piments peut être préparée à l'avance, ce qui fait de ce plat une recette très facile, idéale lorsqu'on reçoit.

Pour 6 personnes

INGRÉDIENTS
- 6 piments chipotle
- bouillon de poulet
- 3 oignons
- 6 blancs de poulets désossés
- 3 cuil. à soupe d'huile végétale
- sel et poivre noir du moulin
- origan frais, pour la décoration

1 Mettez les piments séchés dans une jatte et couvrez-les d'eau très chaude. Laissez tremper environ 30 min, jusqu'à ce qu'ils soient très tendres. Égouttez et réservez l'eau de trempage dans un verre gradué. Coupez les queues, incisez chaque piment dans sa longueur et raclez les graines avec un petit couteau pointu.

2 Préchauffez le four à 180 °C (th. 6). Hachez grossièrement la chair des piments et mettez-la dans un mixer. Ajoutez suffisamment de bouillon de poulet dans l'eau de trempage pour obtenir 40 cl de liquide. Versez dans le mixer et actionnez-le, à la puissance maximale, jusqu'à l'obtention d'un mélange homogène.

3 Pelez les oignons. Avec un couteau bien aiguisé, coupez-les en deux, puis émincez-les finement. Détaillez les tranches.

4 Ôtez la peau des blancs de poulets et supprimez les résidus de graisse ou de membrane.

5 Faites chauffer l'huile dans une grande poêle et mettez les oignons à revenir sur feu moyen, en remuant de temps à autre, jusqu'à ce qu'ils soient tendres mais non colorés (environ 5 min).

6 À l'aide d'une écumoire, transférez les oignons dans une cocotte suffisamment large pour que les blancs de poulets ne se chevauchent pas. Saupoudrez les oignons d'un peu de sel et de poivre noir du moulin.

7 Disposez les blancs de poulets sur les oignons. Parsemez d'un peu de sel et d'une bonne quantité de poivre noir.

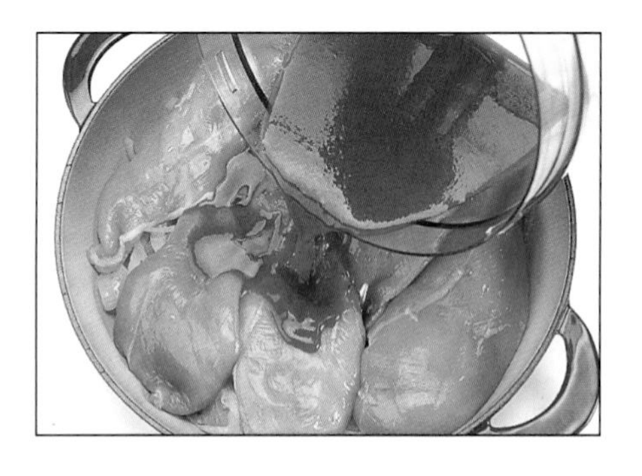

8 Versez la purée de chipotle sur le poulet. Veillez à ce que chaque blanc soit parfaitement enrobé.

9 Faites cuire au four à 180 °C (th. 6) jusqu'à ce que le poulet soit bien cuit, mais encore tendre et juteux (45 min à 1 h). Décorez avec de l'origan frais. Servez avec du riz blanc bouilli et des *frijoles de olla*.

CONSEIL

Si vous êtes amateur de piments chipotle, n'hésitez pas en utiliser plus de six.

MOLE DE DINDE

Ragoûts très élaborés, les moles *sont traditionnellement servis les jours de fête. Le terme* mole *vient de l'aztèque* molli, *qui signifie « sauce aux piments ». Il existe plusieurs sortes de* moles, *dont le célèbre* mole poblano de guajalote. *La recette classique se prépare avec des noix grillées, des fruits et du chocolat. Ici, nous avons utilisé du cacao en poudre.*

Pour 4 personnes

INGRÉDIENTS

- 1 piment ancho épépiné
- 1 piment guajillo épépiné
- 125 g de graines de sésame
- 50 g d'amandes entières blanchies
- 50 g de cacahuètes non salées, décortiquées, sans la peau
- 1 petit oignon
- 2 gousses d'ail
- 50 g de saindoux ou 4 cuil. à soupe d'huile végétale
- 50 g de tomates en conserve, avec le jus
- 1 banane plantain bien mûre
- 50 g de raisins secs
- 75 g de pruneaux demi-secs dénoyautés
- 1 cuil. à café d'origan séché
- 1/2 cuil. à café de clous de girofle moulus
- 1/2 cuil. à café de baies de poivre de la Jamaïque écrasées
- 1 cuil. à café de cannelle moulue
- 25 g de cacao en poudre
- 4 tranches de blanc de dinde
- origan frais, pour la décoration (facultatif)

1 Faites tremper les 2 variétés de piments séchés environ 30 min dans de l'eau très chaude, puis hachez-les grossièrement. Réservez 25 cl de l'eau de trempage.

CONSEIL

Utilisez du cacao de bonne qualité et non sucré.

2 Versez les graines de sésame dans une poêle à fond épais et faites-les griller sur feu moyen. Remuez doucement la poêle jusqu'à ce qu'elles soient uniformément dorées ; évitez de les laisser brûler, car la sauce deviendrait amère. Réservez 3 cuil. à soupe de graines grillées pour la décoration et versez le reste dans une jatte. Faites griller les amandes et les cacahuètes de la même manière puis transférez-les dans la jatte.

3 Hachez finement l'oignon et l'ail. Faites chauffer la moitié du saindoux (ou de l'huile) dans une poêle et mettez à revenir l'ail et l'oignon hachés pendant 2 à 3 min. Ajoutez les piments et les tomates ; faites cuire 10 min à feu doux.

4 Épluchez la banane plantain et débitez-la en petites tranches. Ajoutez-les dans la poêle contenant les oignons, avec les raisins secs, les pruneaux, l'origan, les épices et le cacao. Incorporez 25 cl de l'eau de trempage des piments. Portez à ébullition en remuant, puis complétez avec les graines de sésame, les amandes et les cacahuètes. Faites cuire 10 min en remuant souvent. Retirez du feu et laissez refroidir un peu.

5 Passez progressivement tout le mélange au mixer, jusqu'à l'obtention d'une sauce onctueuse. Elle doit être assez épaisse, mais ajoutez un peu d'eau si nécessaire.

6 Faites chauffer le reste de saindoux (ou d'huile) dans une cocotte et mettez à brunir la dinde sur feu moyen.

7 Versez la sauce sur la dinde. Recouvrez la cocotte avec du papier d'aluminium et un couvercle bien étanche. Faites cuire à feu doux jusqu'à ce que la dinde soit cuite et que la sauce ait épaissi (20 à 25 min). Parsemez de graines de sésame et d'origan frais haché. Servez le *mole* avec un plat de riz et des tortillas chaudes.

ENCHILADAS AU PORC ET À LA SAUCE VERTE

Dans ce plat très populaire, la sauce de tomatillos *apporte sa note un peu âpre à une farce basée sur la viande de porc. Les cascabels sont des piments séchés qui produisent un son de crécelle quand on les remue.*

Pour 3 à 4 personnes

INGRÉDIENTS
- 500 g d'épaule de porc coupée en dés
- 1 piment cascabel
- 2 cuil. à soupe d'huile
- 2 gousses d'ail écrasées
- 1 oignon finement haché
- 300 g de tomatillos en conserve égouttés
- 6 tortillas de maïs fraîches
- 75 g de monterey jack, de cheddar doux ou d'emmental, râpé

1 Dans une casserole, mettez les dés de porc et recouvrez-les d'eau. Portez à ébullition, baissez le feu et laissez cuire 40 min à feu doux.

2 Faites tremper le piment cascabel 30 min dans de l'eau très chaude, jusqu'à ce qu'il devienne tendre. Égouttez-le et coupez sa queue, incisez la chair et raclez les graines.

3 Égouttez le porc et laissez-le légèrement refroidir, puis déchirez-le en lanières à l'aide de 2 fourchettes. Déposez les morceaux de viande dans une jatte et réservez.

4 Chauffez l'huile dans une poêle ; faites revenir l'ail et l'oignon 3 à 4 min. Hachez le piment et mettez-le dans la poêle, avec les tomatillos. Faites cuire, en remuant, jusqu'à ce que les tomatillos se désagrègent. Baissez le feu et laissez mijoter 10 min. Mixez le mélange une fois tiède.

5 Préchauffez le four à 180 °C (th. 6). Enveloppez les tortillas dans du papier d'aluminium et placez-les pendant quelques minutes sur une assiette posée au-dessus d'une casserole d'eau bouillante. Ou bien enveloppez-les dans du film plastique et passez-les environ 30 s au micro-ondes, à la puissance maximale.

6 À la cuillère, déposez 1/6 du porc haché au centre d'une des tortillas et roulez-la pour en faire une enchilada. Déposez-la dans un plat à four peu profond, suffisamment long pour contenir toutes les enchiladas sans qu'elles se chevauchent. Procédez de la même manière avec les autres tortillas.

7 Recouvrez totalement les enchiladas de sauce. Saupoudrez de fromage. Faites cuire au four jusqu'à ce que le fromage produise des bulles (25 à 30 min). Servez les enchiladas aussitôt, accompagnées par exemple d'une salade de tomates.

PORC AUX CACTUS À LA SAUCE VERTE

Dans le répertoire des sauces, la chile verde *fait partie des classiques. Le cactus, ingrédient très utilisé dans la cuisine mexicaine, confère à ce plat son goût si particulier, qui ne manquera pas d'éveiller l'intérêt de vos invités.*

Pour 4 personnes

INGRÉDIENTS
- 2 cuil. à soupe d'huile végétale
- 500 g d'épaule de porc coupée en dés de 2,5 cm
- 1 oignon finement haché
- 2 gousses d'ail écrasées
- 1 cuil. à café d'origan séché
- 3 piments jalapeño frais, épépinés et hachés
- 300 g de tomatillos en conserve égouttés
- 15 cl de bouillon de légumes
- 300 g de nopalitos égouttés
- sel et poivre noir du moulin
- tortillas de maïs fraîches, chaudes, pour l'accompagnement

CONSEIL

Les nopalitos, feuilles de cactus émincées, conservées dans le vinaigre ou la saumure, se trouvent dans les épiceries spécialisées.

1 Faites chauffer l'huile dans une grande casserole. Mettez les dés de porc revenir à feu vif, en les retournant plusieurs fois, jusqu'à ce qu'ils aient uniformément bruni. Baissez le feu ; ajoutez l'oignon et l'ail et attendez qu'ils soient devenus tendres. Incorporez l'origan et les jalapeños hachés ; laissez cuire encore 2 min.

2 Mixez les tomatillos et le bouillon en purée. Versez le mélange dans la préparation à base de porc, couvrez et laissez cuire 30 min.

3 Mettez les nopalitos à tremper 10 min dans de l'eau froide. Égouttez, ajoutez dans la préparation au porc et poursuivez la cuisson jusqu'à ce que le porc soit bien cuit et tendre (10 min environ).

4 Salez, poivrez abondamment et servez aussitôt ce plat de porc aux cactus à la sauce verte, accompagné de tortillas de maïs chaudes.

ROULÉ DE PORC

Du filet de porc farci avec du porc haché : un plat délicieux, à la présentation soignée, à préparer pour les grandes occasions. Au Mexique, il figure souvent au menu des mariages et des fêtes.

Pour 6 personnes

INGRÉDIENTS
- 50 g de raisins secs
- 12 cl de vin blanc sec
- 1 cuil. à soupe d'huile végétale
- 1 oignon coupé en dés
- 2 gousses d'ail écrasées
- 1/2 cuil. à café de clous de girofle moulus
- 1 cuil. à café de cannelle moulue
- 500 g de porc haché
- 15 cl de bouillon de légumes
- 2 tomates
- 50 g d'amandes hachées
- 1/2 cuil. à café de sel et 1/2 cuil. à café de poivre noir du moulin
- 1,5 kg de filet de porc désossé, apprêté en vue d'être farci

1 Préparez la farce en mettant les raisins secs et le vin dans une jatte. Réservez. Faites chauffer l'huile dans une poêle, mettez l'oignon et l'ail à revenir 5 min à feu doux.

2 Ajoutez les épices, puis le porc. Faites cuire, en remuant, jusqu'à ce que le porc brunisse. Incorporez le bouillon. Laissez mijoter 20 min à feu doux, en remuant souvent.

3 Pendant que le porc cuit, pelez les tomates. Faites une entaille en croix à la base de chacune d'elles, et mettez-les dans un récipient résistant à la chaleur. Couvrez d'eau bouillante. Laissez tremper 3 min puis, à l'aide d'une écumoire, plongez les tomates dans l'eau froide. Égouttez. Au niveau des entailles, la peau commence à se détacher.

4 Pelez complètement les tomates et hachez la chair.

5 Incorporez les tomates et les amandes dans le porc haché ; ajoutez les raisins et le vin. Faites cuire jusqu'à ce que cela ait la consistance d'une sauce épaisse. Laissez refroidir.

6 Préchauffez le four à 180 °C (th. 6). Ouvrez et posez à plat le filet de porc désossé. Salez et poivrez le porc haché à votre goût. Étalez-le sur le filet de porc, jusqu'aux bords, en une couche aussi régulière que possible.

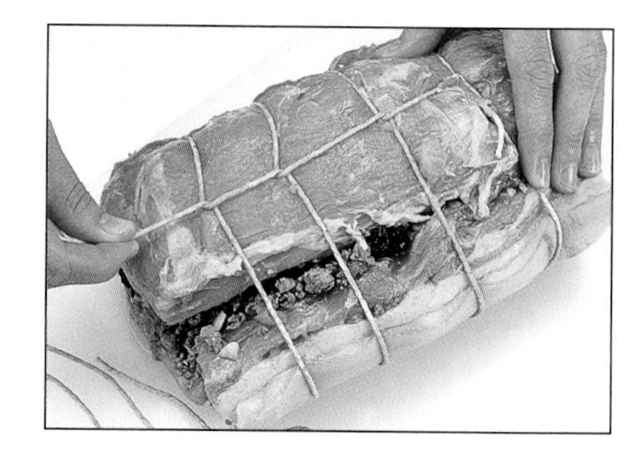

7 Roulez le filet de porc et ficelez-le avec de la ficelle de cuisine. Pesez le roulé et calculez le temps de cuisson : 30 min pour 450 grammes, plus 30 min.

8 Placez le roulé de porc dans un plat à rôtir. Salez et poivrez, puis mettez au four. Lorsque le roulé est cuit, transférez-le sur le plat de service, couvrez-le de papier d'aluminium et laissez reposer 10 min avant de le découper. Servez avec des légumes rôtis.

CONSEIL

Demandez à votre boucher, en lui donnant les indications nécessaires, d'apprêter votre filet de porc.

CARNITAS

Les « petites viandes » dont parle le titre de cette recette sont en général du porc. Découpé en dés, il servira de plat principal, de garniture pour des tacos *ou des* burritos, *ou encore de hors-d'œuvre.*

Pour 6 ou 8 personnes (selon que c'est un hors-d'œuvre ou un plat principal)

INGRÉDIENTS

- 2 feuilles de laurier séchées
- 2 cuil. à café de thym séché
- 1 cuil. à café de marjolaine séchée
- 1,5 kg de porc désossé (filet et jambonneau)
- 1/2 cuil. à café de sel
- 1 petit bouquet de coriandre fraîche
- 1 oignon blanc
- 8 à 10 tranches de piments jalapeño au vinaigre
- 3 cuil. à soupe de jus d'orange
- 200 g de saindoux
- 1 orange coupée en 8 morceaux
- 3 gousses d'ail épluchées
- 1 petit oignon coupé en rondelles
- tortillas de blé chaudes, pour l'accompagnement

1 Dans un mortier, pilez les feuilles de laurier. Ajoutez le thym et la marjolaine séchés et, au pilon, réduisez-les en une poudre fine.

CONSEIL

Si vous les utilisez en garniture de tacos ou de burritos, hachez ou déchirez en lanières les carnitas. En antojitos, à l'apéritif, coupez des dés de porc 2 fois plus petits. Ajustez le temps de cuisson en fonction de la taille des morceaux de viande.

2 Coupez le porc en dés de 5 cm, que vous mettrez dans une jatte non métallique. Ajoutez les herbes et le sel. Avec les doigts, faites pénétrer les épices moulues dans la viande. Couvrez et laissez mariner au moins 2 h, de préférence jusqu'au lendemain.

3 Pour la salsa, ôtez les tiges de la coriandre et hachez grossièrement les feuilles. Coupez l'oignon en deux puis émincez finement chaque moitié. Hachez finement les tranches de piments jalapeño.

4 Mettez dans une jatte la coriandre, l'oignon et les piments. Versez le jus d'orange et mélangez délicatement. Couvrez et mettez au réfrigérateur jusqu'au moment de servir.

5 Faites chauffer le saindoux dans une cocotte. Ajoutez la préparation à base de porc, les morceaux d'orange, l'ail et l'oignon. Laissez brunir la viande.

6 Supprimez l'oignon et l'ail à l'aide d'une écumoire. Couvrez la cocotte et laissez cuire à feu doux environ 1 h et 1/2.

7 Ôtez le couvercle, retirez les morceaux d'orange et jetez-les. Laissez cuire à découvert jusqu'à ce que le jus de viande ait été entièrement absorbé et que les dés de porc soient croustillants à l'extérieur, fondants à l'intérieur. Servez avec des tortillas chaudes et de la salsa.

HACHIS DE CHORIZO ET TORTILLAS

Ce plat, qui porte au Mexique le nom de chilaquiles*, est souvent servi au petit déjeuner. Cuites dans la sauce aux* tomatillos*, à la crème et au fromage, les tortillas demeurent cependant croustillantes.*

Pour 6 personnes

INGRÉDIENTS

- 25 g de saindoux ou 2 cuil. à soupe d'huile végétale
- 500 g de porc haché
- 3 gousses d'ail écrasées
- 2 cuil. à café d'origan séché
- 1 cuil. à café de cannelle moulue
- 1/2 cuil. à café de clous de girofle moulus
- 1/2 cuil. à café de poivre noir du moulin
- 2 cuil. à soupe de xérès sec
- 1 cuil. à café de sucre en poudre
- 1 cuil. à café de sel
- 12 tortillas de maïs
- huile pour la friture
- 350 g de monterey jack, de cheddar doux ou d'emmental, râpé
- 30 cl de crème fraîche

Pour la sauce

- 300 g de tomatillos en conserve, égouttés
- 4 cuil. à soupe de bouillon ou d'eau
- 2 piments serrano frais, épépinés et grossièrement hachés
- 2 gousses d'ail
- 1 petit bouquet de coriandre fraîche
- 12 cl de crème aigre

1 Préchauffez le four à 180 °C (th. 6). Faites chauffer le saindoux ou l'huile dans une grande casserole. Mettez à revenir le porc haché et l'ail écrasé sur feu moyen, en remuant, jusqu'à ce que la viande ait bruni. Incorporez l'origan, la cannelle, les clous de girofle et le poivre. Laissez cuire encore 3 à 4 min, sans cesser de remuer, puis ajoutez le xérès, le sucre et le sel. Mélangez encore 3 à 4 min, afin que les arômes se diffusent, puis retirez la casserole du feu.

2 Coupez les tortillas en lanières de 2 cm. Versez 2 cm d'huile dans une poêle et portez-la à haute température. Plongez les tortillas dans l'huile, par lots, jusqu'à ce qu'elles soient croustillantes et dorées.

3 Répartissez la moitié du porc haché dans un plat à four. Recouvrez avec la moitié des tortillas et du fromage râpé, et ajoutez la crème fraîche. Procédez de la même manière sur 2 autres couches. Mettez au four 20 à 25 min, jusqu'à ce que la préparation bouillonne.

4 Pour la sauce, passez au mixer tous les ingrédients – à l'exception de la crème aigre et d'un peu de coriandre, que vous réserverez pour la décoration. Versez cette purée dans une casserole, portez à ébullition, baissez le feu et laissez cuire doucement pendant 5 min.

5 Incorporez la crème aigre dans la sauce, salez et poivrez à votre goût. Versez la sauce sur le hachis, passez au four et servez aussitôt, parsemé de coriandre.

TOSTADAS AU PORC ÉPICÉ

Des tortillas frites, croustillantes, garnies de haricots « refrits » et d'un émincé de porc relevé : un délice que proposent souvent les marchands ambulants dans les villes du Mexique.

Pour 6 personnes

INGRÉDIENTS
- 500 g d'épaule de porc coupée en dés de 2,5 cm
- 1/2 cuil. à café de sel
- 6 cuil. à soupe d'huile
- 1 petit oignon émincé
- 1 gousse d'ail écrasée
- 1 piment pasilla épépiné et moulu
- 1 cuil. à café de cannelle moulue
- 1/2 cuil. à café de clous de girofle moulus
- 175 g de haricots « refrits »
- 6 tortillas de maïs
- 6 cuil. à soupe de crème aigre
- 2 tomates épépinées et coupées en dés
- 125 g de feta émiettée
- brins d'origan frais, pour la décoration

CONSEIL

Au Mexique, on utilise du fromage de chèvre ou de vache frais : le queso fresco. La feta en est l'équivalent le plus proche.

1 Pour préparer la garniture, mettez les dés de porc dans une casserole, couvrez d'eau et portez à ébullition. Baissez le feu, couvrez et faites cuire 40 min à feu doux. Égouttez, jetez le liquide de cuisson. À l'aide de 2 fourchettes, déchiquetez le porc en lanières. Mettez-les dans une jatte, avec le sel.

2 Faites chauffer 1 cuillerée à soupe d'huile dans une grande poêle et mettez à revenir l'oignon, l'ail, le piment et les épices 2 à 3 min, en remuant. Ajoutez le porc et faites cuire jusqu'à ce que la viande soit bien chaude et imprégnée des arômes. Réchauffez les haricots « refrits » dans une casserole.

3 Pendant ce temps, faites cuire les tortillas. Versez 2 cm d'huile dans une grande poêle. Quand elle est chaude, faites-y frire les tortillas une à une, en appuyant dessus avec une pelle à poisson pour qu'elles restent plates. Dès que la tortilla est croustillante, ôtez-la de la poêle et égouttez-la sur du papier absorbant.

4 Posez chaque tortilla sur une assiette. Garnissez de haricots « refrits », ajoutez de la viande, puis 1 cuillerée à soupe de crème aigre, des tomates hachées et des miettes de feta. Servez les tostadas aussitôt, décorées avec de l'origan frais.

TAMALES DE PORC ÉPICÉ

C'est l'une des plus vieilles recettes de la cuisine mexicaine. Autrefois, les paquets de feuilles de maïs, garnis tout simplement de masa *salée ou sucrée, étaient cuits sous la cendre. Aujourd'hui, ils sont cuisinés à la vapeur, mais le moment où on les déballe procure toujours le même émerveillement.*

Pour 6 personnes

INGRÉDIENTS
- 500 g de porc maigre coupé en dés
- 75 cl de bouillon de poulet
- 600 g de masa harina
- 450 g de saindoux ramolli
- 2 cuil. à soupe de sel
- 12 grandes ou 24 petites feuilles de maïs séchées
- 2 piments ancho épépinés
- 1 cuil. à soupe d'huile végétale
- 1/2 oignon finement haché
- 2 ou 3 gousses d'ail écrasées
- 1/2 cuil. à café de baies de poivre de la Jamaïque
- 2 feuilles de laurier séchées
- 1/2 cuil. à café de cumin moulu
- quartiers de citron vert, pour accompagnement (facultatif)

1 Placez les dés de porc dans une casserole, couvrez d'eau et portez à ébullition. Baissez le feu et laissez cuire 40 min.

2 Chauffez le bouillon de poulet. Mettez la masa harina dans une jatte et versez peu à peu le bouillon, afin d'obtenir une pâte ferme.

3 Mettez le saindoux dans une autre jatte et battez au fouet électrique pour parvenir à une consistance légère et mousseuse – comme lorsque vous battez du beurre pour un gâteau. Vérifiez la consistance en plongeant un peu de saindoux fouetté dans un verre d'eau : il doit flotter en surface.

4 Continuez à fouetter le saindoux en incorporant peu à peu la pâte de masa. Lorsque la préparation est devenue légère et d'une consistance qui permet de l'étaler, incorporez le sel en fouettant. Couvrez de film plastique afin que cela ne se dessèche pas.

5 Mettez les feuilles de maïs dans une jatte et couvrez d'eau bouillante. Laissez tremper 30 min. Dans une autre jatte, faites tremper les piments 30 min dans de l'eau très chaude. Égouttez le porc, conservez 7 cuillerées à soupe de liquide de cuisson et hachez finement la viande.

6 Faites chauffer l'huile dans une grande casserole. Mettez l'oignon et l'ail à revenir 2 à 3 min sur feu moyen. Égouttez les piments, hachez-les finement et ajoutez-les dans la casserole. Dans un mortier, écrasez au pilon les baies de poivre de la Jamaïque et les feuilles de laurier, puis incorporez le cumin moulu. Mélangez les épices moulues dans la casserole avec l'oignon et laissez cuire encore 2 à 3 min. Ajoutez le porc haché et le liquide de cuisson réservé ; faites cuire à feu moyen jusqu'à ce que tout le liquide soit absorbé. Laissez légèrement refroidir.

7 Égouttez les feuilles de maïs et séchez-les avec un torchon. Sur une planche, placez 1 grande feuille de maïs, ou bien 2 petites feuilles qui se chevauchent. À la cuillère, déposez environ la moitié de la préparation à base de masa au centre de la feuille et étalez-la presque jusqu'aux bords.

8 Déposez 1 cuillerée de viande sur la masa. Repliez les 2 bords longs de la feuille sur la garniture, puis rabattez les 2 bords courts pour constituer un petit paquet. Si possible, insérez l'un des petits côtés sous l'autre, afin que le paquet ne se défasse pas ; ou alors attachez-le avec de la ficelle ou des lanières de feuille de maïs.

9 Placez les tamales dans un panier-vapeur que vous poserez au-dessus d'une casserole d'eau frémissante. Faites cuire 1 h à la vapeur, en ajoutant de l'eau si nécessaire. Pour vérifiez la cuisson des tamales, dépliez-en une : la garniture doit se détacher facilement de la feuille. Déposez les tamales sur une assiette et laissez refroidir 10 min. Vous pouvez servir des quartiers de citron vert. Chaque convive dépliera ses tamales au moment de les déguster.

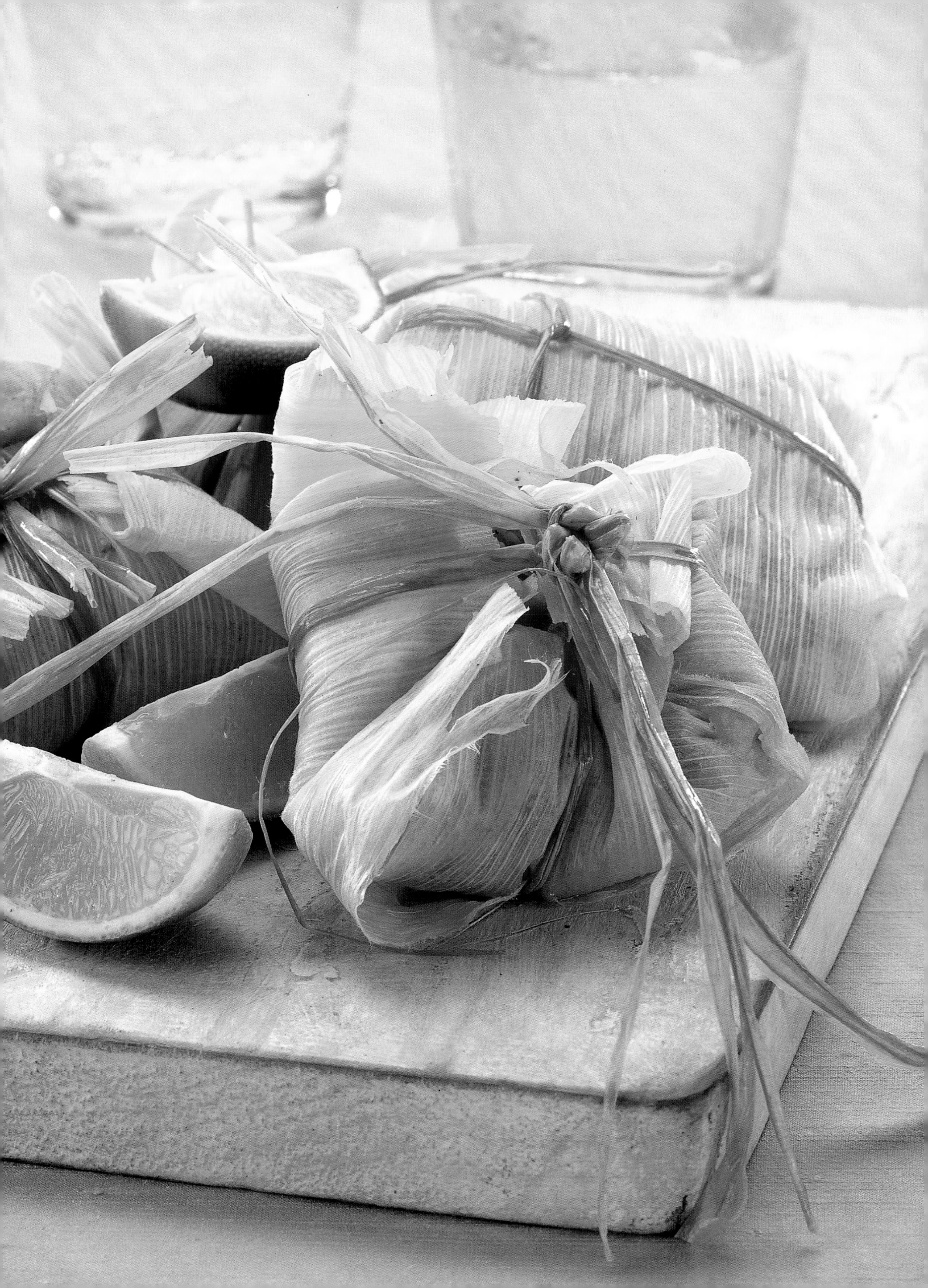

RAGOÛT D'AGNEAU EN SAUCE PIMENTÉE

Les piments relèvent et enrichissent la sauce. Grâce aux pommes de terre, ce ragoût devient un plat nourrissant, qui constitue un repas à lui tout seul.

Pour 6 personnes

INGRÉDIENTS

- 6 piments guajillo épépinés
- 2 piments pasilla épépinés
- 3 gousses d'ail pelées
- 1 cuil. à café de cannelle moulue
- 1/2 cuil. à café de clous de girofle moulus
- 1/2 cuil. à café de poivre noir du moulin
- 1 cuil. à soupe d'huile végétale
- 1 kg d'épaule d'agneau maigre, désossée, coupée en morceaux de 2 cm
- 400 g de pommes de terre nettoyées et coupées en tranches d'1 cm
- sel
- lanières de poivron rouge et origan frais, pour la décoration

CONSEIL

Attention de ne pas mettre trop de morceaux d'agneau à la fois dans la casserole : la viande cuirait alors à la vapeur au lieu de frire.

1 Découpez ou déchirez en gros morceaux les piments séchés. Mettez-les dans une jatte et couvrez d'eau très chaude. Laissez tremper 30 min, puis passez piments et eau de trempage au mixer, avec l'ail et les épices, jusqu'à l'obtention d'un mélange homogène.

2 Faites chauffer l'huile dans une grande casserole et mettez à sauter, sur feu vif, les morceaux d'agneau, par lots, jusqu'à ce que la viande soit brune sur toutes ses faces.

3 Replacez l'ensemble des morceaux d'agneau dans la casserole, étalez-les bien et recouvrez-les de tranches de pommes de terre. Salez à votre goût. Mettez un couvercle et laissez cuire 10 min à feu moyen.

4 Versez la purée de piments dans la casserole et remuez. Couvrez et laissez mijoter à feu doux jusqu'à ce que la viande et les pommes de terre soient tendres (1 h environ). Servez le ragoût avec du riz, décoré avec des lanières de poivron rouge et de l'origan frais.

ALBONDIGAS

Ne vous laissez pas impressionner par la liste des ingrédients, car ces boulettes de viande sont un régal absolu. Ce sont les piments chipotle qui confèrent à la sauce cette note légèrement fumée, si particulière.

Pour 4 personnes

INGRÉDIENTS
- 225 g de porc haché
- 225 g de bœuf maigre haché
- 1 oignon finement haché
- 50 g de chapelure blanche, fraîche
- 1 cuil. à café d'origan séché
- 1/2 cuil. à café de cumin moulu
- 1/2 cuil. à café de sel
- 1/2 cuil. à café de poivre noir du moulin
- 1 œuf battu

Pour la sauce
- 1 piment chipotle épépiné
- 6 cuil. à soupe d'huile végétale
- 1 oignon finement haché
- 2 gousses d'ail écrasées
- 20 cl de bouillon de bœuf
- 400 g de tomates concassées en conserve, avec leur jus
- 7 cuil. à soupe de passata (saute tomate)
- origan frais, pour la décoration

1 Dans une jatte, mélangez le porc et le bœuf hachés. Ajoutez l'oignon, la chapelure, l'origan, le cumin, le sel et le poivre. Travaillez à la main jusqu'à ce que tous les ingrédients soient bien mélangés.

2 Incorporez l'œuf, remuez bien, puis roulez des boulettes de 4 cm. Placez-les sur une plaque du four et mettez-les au réfrigérateur pendant que vous préparez la sauce.

3 Faites tremper le piment séché 15 min dans de l'eau très chaude. Mettez à chauffer 1 cuillerée à soupe d'huile dans une casserole et faites revenir l'oignon et l'ail jusqu'à ce qu'ils soient tendres (3 à 4 min).

4 Égouttez le piment, en réservant l'eau de trempage. Hachez-le et ajoutez-le dans la poêle avec l'ail et l'oignon. Faites revenir 1 min, puis incorporez le bouillon de bœuf, les tomates, la passata et l'eau de trempage du piment. Salez et poivrez à votre goût. Portez à ébullition, baissez le feu et laissez mijoter doucement, en remuant de temps à autre.

5 Faites chauffer l'huile dans une poêle et mettez à frire les boulettes, par lots, en les retournant de temps à autre, jusqu'à ce qu'elles aient bruni (environ 5 min).

6 Jetez l'huile et transférez toutes les boulettes dans une cocotte peu profonde. Versez la sauce dessus et laissez mijoter 10 min à feu doux. Remuez délicatement de temps à autre, afin de ne pas casser les boulettes mais de bien les enrober de sauce. Décorez avec de l'origan et servez, par exemple, avec du riz blanc.

CONSEIL

Avant de façonner les boulettes, passez-vous les mains sous l'eau afin que la viande y adhère moins.

TACOS AU BŒUF

Au Mexique, les tacos sont généralement préparés avec des tortillas de maïs souples, garnies, puis repliées en deux – et non avec des tortillas craquantes, comme le veut la mode tex-mex. Les tacos se mangent toujours avec les doigts.

Pour 6 personnes

INGRÉDIENTS
- 450 g de rumsteck coupé en dés
- 150 g de masa harina
- 1/2 cuil. à café de sel
- 2 cuil. à café d'origan séché
- 1 cuil. à café de cumin moulu
- 2 cuil. à soupe d'huile
- 1 oignon finement émincé
- 2 gousses d'ail écrasées
- coriandre fraîche, pour la décoration
- laitue coupée en lanières, quartiers de citron vert et tomato salsa, pour l'accompagnement

1 Mettez le rumsteck dans une poêle à bords hauts et couvrez d'eau. Portez à ébullition, baissez le feu et laissez cuire doucement de 1 h à 1 h et 1/2.

2 Pendant ce temps, préparez la pâte à tortillas. Dans une grande jatte, mélangez la masa harina et le sel. Ajoutez peu à peu de l'eau chaude, jusqu'à ce que vous puissiez former une boule avec la pâte. Sur une surface légèrement farinée, pétrissez la pâte 3 à 4 min jusqu'à ce qu'elle soit bien lisse, puis enveloppez-la dans du film transparent et laissez reposer 1 h.

3 Transférez la viande sur une planche, laissez-la refroidir un peu puis déchiquetez-la en lanières, placez-les dans une jatte. Divisez la pâte à tortillas en 6 boules égales.

4 Ouvrez la presse à tortillas et couvrez chacune des plaques avec du plastique. Posez les boules une à une à l'intérieur de la presse et aplatissez-les en disques de 15 à 20 cm de diamètre.

5 Amenez une plaque en fonte (ou une poêle) à forte température. Faites cuire chaque tortilla 15 à 20 s de chaque côté, puis 15 min du premier côté. Maintenez les tortillas au chaud dans un torchon légèrement humide.

6 Mélangez soigneusement l'origan et le cumin avec la viande. Faites chauffer l'huile dans une poêle et mettez à revenir l'oignon et l'ail, jusqu'à ce qu'ils soient tendres (3 à 4 min). Ajoutez la viande épicée et réchauffez-la, en secouant la poêle.

7 Disposez des lanières de laitue sur chaque tortilla. Garnissez de viande et de salsa, pliez en deux. Servez les tacos décorés de coriandre et accompagnés de quartiers de citron.

ENCHILADAS DE BŒUF À LA SAUCE ROUGE

Les enchiladas se préparent généralement avec des tortillas de maïs. Cependant, dans certaines régions du nord du Mexique, on utilise des tortillas de blé.

Pour 3 à 4 personnes

INGRÉDIENTS

- 500 g de rumsteck coupé en morceaux de 5 cm
- 2 piments ancho épépinés
- 2 piments pasilla épépinés
- 2 gousses d'ail écrasées
- 2 cuil. à café d'origan séché
- 1/2 cuil. à café de cumin moulu
- 2 cuil. à soupe d'huile végétale
- 7 tortillas de maïs fraîches
- oignon haché et persil plat, pour la décoration
- salsa de mangues, pour l'accompagnement

1 Placez le rumsteck dans une sauteuse et couvrez d'eau. Portez à ébullition, puis baissez le feu et faites cuire jusqu'à ce que la viande soit très tendre (1 h à 1 h et 1/2).

2 Mettez les piments séchés dans une jatte et couvrez-les d'eau très chaude. Laissez tremper 30 min, puis passez les piments et l'eau de trempage au mixer pour obtenir une pâte homogène.

3 Égouttez le rumsteck, laissez-le refroidir et réservez 25 cl du liquide de cuisson. Pendant 2 min, faites revenir dans l'huile l'ail, l'origan et le cumin.

4 Ajoutez la pâte de piments et le liquide de cuisson réservé. Découpez une tortilla en petites lanières et incorporez-les à la préparation. Portez à ébullition, puis baissez le feu. Laissez cuire à feu doux, en remuant de temps à autre, jusqu'à ce que la sauce épaississe (10 min environ). À l'aide de 2 fourchettes, découpez la viande en lambeaux et intégrez-les à la sauce. Réchauffez.

5 À la cuillère, déposez de la viande sur chaque tortilla et roulez-la en cornet. Maintenez les enchiladas au chaud dans un plat préchauffé pendant que vous préparez les suivantes. Décorez avec de l'oignon haché et du persil à feuilles plates. Servez les enchiladas avec de la salsa de mangues.

VARIANTE

Si vous souhaitez une version plus riche de cette recette, disposez côte à côte les enchiladas dans un plat à gratin. Recouvrez-les de 30 cl de crème aigre et saupoudrez avec 75 g de cheddar ou d'emmental râpé. Passez au gril préchauffé jusqu'à ce que le fromage fonde et que la sauce commence à bouillonner (5 min environ). Servez aussitôt, avec la salsa.

BŒUF FARCI AU FROMAGE ET À LA SAUCE AUX PIMENTS

Façon originale d'apprêter les steaks, cette recette est originaire du nord du Mexique et du Nouveau-Mexique, des grandes régions d'élevage.

Pour 4 personnes

INGRÉDIENTS
- 4 piments serrano frais
- 125 g de fromage gras à pâte molle
- 2 cuil. à soupe de tequila reposada
- 2 cuil. à soupe d'huile
- 1 oignon
- 2 gousses d'ail
- 1 cuil. à café d'origan séché
- 1/2 cuil. à café de sel
- 1/2 cuil. à café de poivre noir du moulin
- 175 g de cheddar moyennement affiné ou de gruyère, râpé
- 4 steaks dans le filet (2,5 cm d'épaisseur au moins)

1 À feu moyen, faites griller les piments sur une plaque en fonte, en les retournant fréquemment, jusqu'à ce que leur peau cloque. Attention, elle ne doit pas brûler. Mettez-les dans un sac en plastique résistant, fermez le sac et laissez reposer 20 min.

2 Retirez les piments du sac, incisez-les et raclez les graines avec un couteau pointu. Taillez la chair en longues lanières étroites, puis coupez chaque lanière en petits bâtonnets.

3 Mettez le fromage dans une petite casserole à fond épais et faites chauffer à feu doux, en remuant, jusqu'à ce qu'il fonde. Ajoutez les lanières de piments, puis la tequila. Remuez jusqu'à l'obtention d'une sauce homogène. Maintenez au chaud sur feu très doux.

4 Faites chauffer l'huile dans une poêle. Mettez l'oignon, l'ail et l'origan à revenir sur feu moyen, en remuant fréquemment, jusqu'à ce que l'oignon ait bruni (environ 5 min). Salez et poivrez.

5 Retirez la poêle du feu et incorporez le fromage râpé, de façon qu'il fonde dans la préparation à base d'oignon.

6 Coupez chaque steak en deux dans l'épaisseur, mais sans les séparer complètement, de façon à pouvoir les ouvrir. Préchauffez le gril du four à la température maximale.

7 À la cuillère, déposez un quart de la garniture au fromage et à l'oignon sur un côté du steak ; repliez l'autre côté par-dessus. Placez les steaks dans le four et faites-les cuire au gril de 3 à 5 min de chaque côté, selon que vous aimez la viande plus ou moins cuite. Sur des assiettes préchauffées, servez les steaks nappés de sauce au fromage et au piment, accompagnés de légumes.

CONSEIL

Pour vérifier la cuisson d'un steak, l'un des meilleurs moyens est de le toucher. Un steak bleu est souple au toucher, la viande s'enfonce sous le doigt ; s'il est saignant, la viande apparaît légèrement élastique ; à point, il offre plus de résistance ; enfin, un steak bien cuit se montre très ferme.

LES POISSONS ET CRUSTACÉS

Les délicieux poissons de la cuisine mexicaine n'ont pas la renommée qu'ils méritent. Si vous demandez à quelqu'un de vous citer les dix plats mexicains les plus célèbres, il omettra presque à coup sûr les produits de la mer. Pourtant les cuisiniers tirent un excellent parti des poissons et crustacés qui peuplent les eaux du golfe. Thon, espadon, vivaneau et bar : voilà quelques-unes des innombrables espèces de poissons qui figurent sur les étals des marchés aux côtés d'énormes et succulentes crevettes roses, de crabes, de langoustes et de homards. Entre le ceviche*, qui se mange cru, et l'*escabeche *(du poisson frit, mariné pendant au moins 24 heures), il existe des dizaines de recettes, plus faciles et plus rapides à préparer les unes que les autres. Les crevettes au beurre d'ail ou les noix de Saint-Jacques à la coriandre constituent par exemple de délicieuses entrées, réalisables en un clin d'œil. Plus élaboré, le saumon à la sauce de goyaves saura émerveiller vos invités.*

ESCABECHE

Une préparation classique, que les Mexicains ont héritée des Espagnols. On a parfois tendance à confondre ceviche *et* escabeche *: dans le* ceviche, *le poisson ne nécessite aucune cuisson ; pour l'*escabeche, *il est frit avant d'être mis à mariner longuement.*

Pour 4 personnes

INGRÉDIENTS
- 1 kg de filets de poisson entiers
- le jus de 2 citrons verts
- 30 cl d'huile d'olive
- 6 grains de poivre
- 3 gousses d'ail émincées
- 1/2 cuil. à café de cumin moulu
- 1/2 cuil. à café d'origan séché
- 2 feuilles de laurier
- 50 g de tranches de piments jalapeño au vinaigre, hachées
- 1 oignon finement émincé
- 25 cl de vinaigre de vin blanc
- 150 g d'olives vertes farcies au piment, pour la décoration

1 Disposez les filets de poisson, sans qu'ils se chevauchent, dans un plat peu profond non métallique. Versez dessus le jus des citrons verts, retournez les filets pour qu'ils soient bien enrobés, couvrez le plat et laissez mariner 15 min.

2 Égouttez les filets dans une passoire, puis séchez-les sur du papier absorbant. Faites chauffer 4 cuillères à soupe d'huile dans une poêle. Mettez à frire les filets, en les retournant une fois, jusqu'à ce qu'ils soient dorés (5 à 6 min). À l'aide d'une pelle à poisson, transférez-les dans un plat peu profond, et assez grand pour qu'ils ne se chevauchent pas.

3 Chauffez 2 cuillerées à soupe d'huile dans une poêle et mettez doucement à revenir pendant 2 min le poivre, l'ail, le cumin, l'origan, les feuilles de laurier et les jalapeños. Puis augmentez le feu, ajoutez l'oignon et le vinaigre et portez à ébullition. Baissez la flamme et laissez cuire encore 4 min.

4 Retirez la poêle du feu et ajoutez précautionneusement le reste de l'huile. Remuez bien, puis versez la préparation sur le poisson. Laissez refroidir, couvrez le plat et laissez mariner 24 h au réfrigérateur.

5 Au moment de servir, égouttez le liquide et décorez le poisson avec des olives farcies. Servez avec une salade verte.

CONSEIL

Pour faire cuire le poisson, utilisez la plus grande poêle que vous possédez. Si le récipient n'est pas assez grand, procédez en plusieurs fois car des filets trop serrés ne cuiraient pas uniformément.

CEVICHE

Un plat que l'on déguste dans les stations balnéaires de la côte ouest du Mexique, notamment à Acapulco : du poisson cru, très frais, « cuit » par l'action du citron vert.

Pour 6 personnes

INGRÉDIENTS
- 200 g de crevettes roses crues
- 200 g de noix de Saint-Jacques
- 200 g de calmars coupés en morceaux
- 7 citrons verts
- 3 tomates
- 1 petit oignon
- 1 avocat bien mûr
- 4 cuil. à soupe d'origan frais haché ou 2 cuil. à café d'origan séché
- 1 cuil. à café de sel
- poivre noir du moulin
- brins d'origan frais, pour la décoration
- pain croustillant et quartiers de citron vert, pour l'accompagnement (facultatif)

1 Décortiquez les crevettes et les noix de Saint-Jacques, nettoyez les calmars et répartissez-les dans un plat non métallique. Pressez 6 citrons verts et versez leur jus sur les fruits de mer. Couvrez le plat de film plastique. Laissez mariner 8 h au minimum.

2 Égouttez les fruits de mer dans une passoire et séchez-les sur du papier absorbant. Mettez les crevettes, les Saint-Jacques et les calmars dans une jatte.

3 Coupez les tomates en deux, épépinez-les puis taillez leur chair en dés. Coupez l'oignon en deux, émincez-le finement. Coupez l'avocat en deux, dans la longueur, ôtez le noyau et la peau, puis débitez la chair en dés d'1 cm.

4 Ajoutez aux fruits de mer les tomates, l'oignon, l'avocat, l'origan, le sel et le poivre. Pressez le dernier citron et versez le jus sur la préparation. Servez le ceviche décoré d'origan et, éventuellement, avec des tranches de pain croustillant et des quartiers de citron vert.

MORUE DE NOËL

Ce plat mexicain est plus doux que son équivalent espagnol, le bacalao a la vizirat. *Dans tout le Mexique, on le sert le soir du réveillon de Noël.*

Pour 6 personnes

INGRÉDIENTS
- 450 g de morue séchée et salée
- 7 cuil. à soupe d'huile d'olive vierge extra
- 1 oignon coupé en deux et finement émincé
- 4 gousses d'ail écrasées
- 2 boîtes de 400 g de tomates concassées, avec leur jus
- 75 g d'amandes effilées
- 75 g de tranches de piments jalapeño au vinaigre
- 125 g d'olives vertes farcies au piment
- sel et poivre noir du moulin
- 1 bouquet de persil frais finement haché
- persil plat frais, pour la décoration
- pain croustillant, pour l'accompagnement

1 Mettez la morue dans une grande jatte et couvrez-la d'eau froide. Laissez tremper 24 h, en changeant l'eau au moins cinq fois.

2 Égouttez la morue. Avec un couteau bien aiguisé, ôtez la peau. À l'aide de 2 fourchettes, déchirez la chair en lambeaux, que vous mettrez dans une jatte. Réservez.

3 Faites chauffer la moitié de l'huile dans une grande poêle, puis mettez l'oignon émincé à revenir sur feu moyen, jusqu'à ce qu'il soit tendre et translucide.

4 Retirez l'oignon de la poêle et réservez-le, avec l'huile – un ingrédient important qui fait partie des aromates de la recette. Versez le reste d'huile d'olive dans la même poêle. Lorsqu'elle est très chaude, mais avant qu'elle ne fume, faites-y revenir l'ail écrasé 2 min à feu doux.

5 Ajoutez les tomates et leur jus, faites cuire environ 20 min à feu moyen, en remuant de temps à autre, jusqu'à ce que la préparation réduise et épaississe.

CONSEIL

Vous trouverez de la morue salée chez les poissonniers spécialisés, ainsi que dans les épiceries espagnoles et antillaises. Avec les restes de ce plat, vous pouvez garnir des burritos ou des empanadas.

6 Pendant ce temps, étalez les amandes effilées sur une grande poêle à fond épais. Faites-les griller quelques minutes à feu moyen, en secouant souvent la poêle avec douceur, de façon à ce que les amandes soient uniformément dorées. Attention de ne pas les laisser brûler.

7 Ajoutez les tranches de jalapeño et les olives farcies aux amandes grillées.

8 Incorporez les morceaux de morue, mélangez intimement et poursuivez la cuisson 20 min, en remuant de temps à autre, jusqu'à ce que les ingrédients soient presque secs.

9 Assaisonnez à votre goût. Hachez finement le persil (conservez-en quelques feuilles), ajoutez-le à la préparation et laissez cuire encore 2 à 3 min. Décorez avec les feuilles de persil restantes et servez la morue dans des assiettes creuses préchauffées, avec du pain bien croustillant.

VIVANEAU À LA CORIANDRE ET AUX AMANDES

Une recette toute simple, qui convient à merveille au vivaneau, un poisson très courant au Mexique.

Pour 4 personnes

INGRÉDIENTS
- 75 g de farine
- sel et poivre noir du moulin
- 4 filets de vivaneau
- 75 g de beurre
- 1 cuil. à soupe d'huile végétale
- 75 g d'amandes effilées
- le zeste râpé et le jus d'1 citron vert
- 1 petit bouquet de coriandre fraîche, finement hachée
- tortillas de blé chaudes, pour l'accompagnement

CONSEIL

Pour réchauffer les tortillas, enveloppez-les de papier d'aluminium et posez-les quelques minutes sur une assiette placée sur une casserole d'eau bouillante. Ou enveloppez-les dans du film plastique et passez-les 30 s au micro-ondes, à la puissance maximale.

1 Préchauffez le four à 140 °C (th. 4). Étalez la farine dans un plat peu profond, ajoutez le sel et le poivre. Séchez les filets de poisson sur du papier absorbant puis farinez-les.

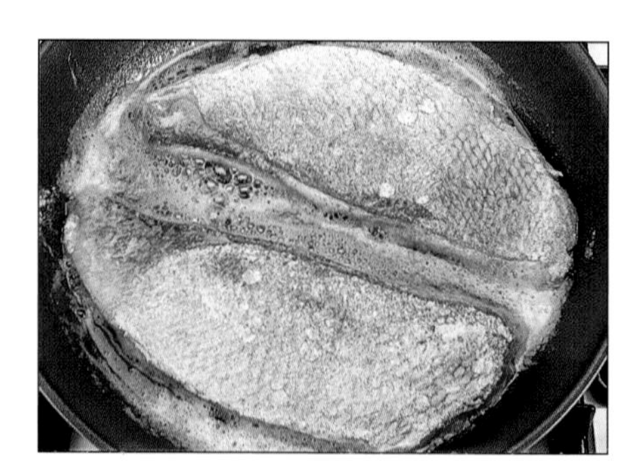

2 Faites chauffer le beurre et l'huile dans une poêle et mettez à frire les filets de vivaneau pendant 2 min. Si nécessaire, procédez par lots. Retournez délicatement les filets et faites-les revenir jusqu'à ce qu'ils soient dorés.

3 Avec une pelle à poisson, transférez précautionneusement les filets dans un plat creux et maintenez-les au chaud dans le four. Versez les amandes dans la poêle et faites-les dorer 3 à 4 min.

4 Ajoutez le zeste et le jus de citron vert ainsi que la coriandre et remuez bien. Faites chauffer 1 à 2 min puis versez sur le poisson. Servez avec des tortillas de blé chaudes.

VIVANEAU FAÇON VERACRUZ

Un classique mexicain, dans lequel les feuilles de laurier et les olives, d'inspiration espagnole, côtoient les piments, ingrédient local.

Pour 4 personnes

INGRÉDIENTS

4 vivaneaux entiers vidés
le jus de 2 citrons verts
4 gousses d'ail écrasées
1 cuil. à café d'origan séché
1/2 cuil. à café de sel
12 cl d'huile d'olive
2 feuilles de laurier
2 gousses d'ail émincées
4 piments jalapeño frais, épépinés et coupés en lanières
1 oignon finement émincé
8 tomates fraîches
75 g de tranches de piments jalapeño au vinaigre
1 cuil. à soupe de cassonade
1/2 cuil. à café de clous de girofle moulus
1/2 cuil. à café de cannelle moulue
150 g d'olives vertes farcies au piment
câpres en bocal, égouttés, pour la décoration
quartiers de citron vert, pour l'accompagnement (facultatif)

1 Préchauffez le four à 180 °C (th. 6). Rincez les poissons, à l'intérieur et à l'extérieur, et séchez-les. Disposez-les dans un plat à rôtir, sans les superposer.

2 Dans une jatte, mélangez le jus des citrons verts, l'ail, l'origan et le sel. Versez sur les poissons. Faites cuire au four jusqu'à ce que le poisson s'émiette lorsque vous y enfoncez la pointe d'un couteau (environ 30 min).

3 Préparez la sauce. Faites chauffer l'huile d'olive dans une casserole et mettez les feuilles de laurier, l'ail et les lanières de piments à revenir sur feu doux (3 à 4 min).

4 Ajoutez l'oignon émincé dans la casserole et faites-le revenir jusqu'à ce qu'il soit tendre et translucide (3 à 4 min).

5 Entaillez en croix la base des tomates. Mettez-les dans un récipient résistant à la chaleur et couvrez-les d'eau bouillante. Laissez tremper 3 min puis, à l'aide d'une écumoire, plongez les tomates dans l'eau froide. Égouttez. Au niveau de l'entaille, la peau commence à se détacher.

6 Pelez complètement les tomates puis coupez-les en deux et épépinez-les. Hachez finement leur chair et ajoutez-la dans la préparation à base d'oignon. Laissez cuire 3 à 4 min, jusqu'à ce que les tomates commencent à être tendres.

7 Ajoutez les jalapeños au vinaigre, la cassonade, les clous de girofle et la cannelle dans la sauce. Laissez cuire 10 min, en remuant fréquemment, puis incorporez les olives et versez un peu de sauce sur chaque poisson. Décorez avec des câpres et servez, éventuellement avec des quartiers de citron vert, accompagné, par exemple, d'un plat de riz.

BURRITOS DE VIVANEAU

Les tortillas fourrées au poisson sont excellentes. Ici, la garniture se compose de vivaneau mélangé à du riz, de piments et de tomates.

Pour 6 personnes

INGRÉDIENTS

- 3 filets de vivaneau
- 100 g de riz blanc à longs grains
- 2 cuil. à soupe d'huile végétale
- 1 petit oignon finement haché
- 1 cuil. à café de graines d'achiote moulues
- 1 piment pasilla ou autre piment séché, épépiné et moulu
- 75 g d'amandes effilées
- 200 g de tomates concassées en conserve, avec leur jus
- 150 g de monterey jack, de cheddar doux ou d'emmental, râpé
- 8 tortillas de blé de 20 cm de diamètre
- persil plat frais, pour la décoration
- quartiers de citrons verts (facultatif)

1 Préchauffez le gril du four. Faites griller le poisson sur une grille huilée 5 min, en le retournant une fois. Quand il a refroidi, ôtez la peau et émiettez la chair dans une jatte.

2 Mettez le riz dans une casserole, couvrez d'eau froide, couvrez et portez à ébullition. Égouttez, rincez et égouttez à nouveau.

3 Chauffez l'huile dans une casserole et faites revenir l'oignon jusqu'à ce qu'il soit translucide. Incorporez les graines d'achiote moulues et le piment ; laissez cuire 5 min.

4 Ajoutez le riz, remuez bien puis incorporez le poisson et les amandes. Versez les tomates et leur jus. Faites cuire à feu moyen jusqu'à ce que le jus ait été absorbé et que le riz soit tendre. Incorporez le fromage et retirez du feu. Réchauffez les tortillas.

5 Répartissez la garniture sur les tortillas et pliez-les en paquets. Décorez avec du persil frais. Servez les burritos accompagnés d'une salade verte et, éventuellement, avec des quartiers de citron vert.

BAR À LA SAUCE À L'ORANGE ET AU PIMENT

Très fraîche, cette salsa aux agrumes contraste agréablement avec la saveur du bar.

Pour 4 personnes

INGRÉDIENTS
- 2 piments verts frais
- 2 oranges ou pamplemousses roses
- 1 petit oignon
- 4 filets de bar
- sel et poivre noir du moulin
- coriandre fraîche, pour la garniture

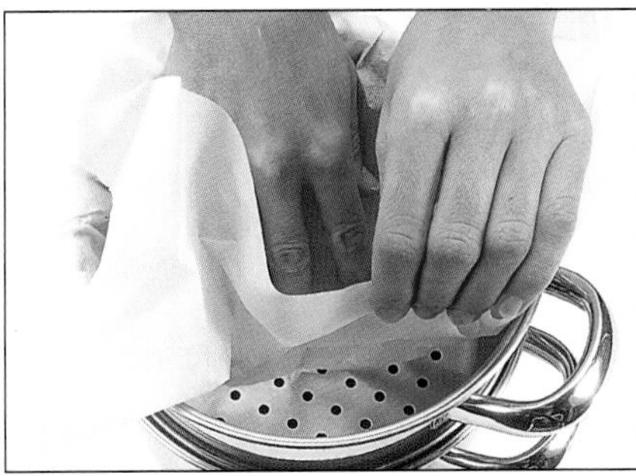

1 Commencez par préparer la salsa. Faites griller les piments sur une plaque en fonte, sans matières grasses, jusqu'à ce que la peau cloque. Veillez à ce que la chair ne brûle pas. Mettez-les dans un sac en plastique résistant, fermez et laissez reposer 20 min.

CONSEIL

Si le bar n'a pas été préparé par votre poissonnier, passez un écailleur de la queue vers la tête du poisson. Les écailles doivent se détacher facilement. Rincez et séchez le poisson avec du papier absorbant.

2 Tranchez le dessus et la base de chaque orange ou pamplemousse, puis ôtez l'écorce et la peau blanche. Séparez les quartiers et mettez-les dans une jatte.

3 Retirez les piments du sac et pelez-les. Coupez les queues, incisez les piments et raclez les graines. Hachez finement la chair. Coupez l'oignon en deux et émincez-le. Incorporez l'oignon et les piments dans la jatte contenant les quartiers d'orange et mélangez délicatement. Assaisonnez et mettez au réfrigérateur.

4 Assaisonnez les filets de bar. Tapissez le compartiment supérieur d'un cuit-vapeur de papier sulfurisé, en faisant dépasser la feuille par-dessus les bords, afin de pouvoir facilement retirer le poisson après cuisson. Placez ce récipient vide sur le compartiment inférieur rempli d'eau, et portez à ébullition.

5 Disposez les filets dans le compartiment supérieur, sans qu'ils se chevauchent. Couvrez et laissez cuire environ 8 min. Décorez avec de la coriandre fraîche et servez le bar avec la salsa, accompagné de légumes.

SOLE AU CITRON VERT

Une recette simple, dont la réussite ne défend que de la fraîcheur et de la qualité du poisson.

Pour 4 personnes

INGRÉDIENTS

- 75 g de farine
- 2 cuil. à café de sel à l'ail
- 1 cuil. à café de poivre noir du moulin
- 4 filets de sole
- huile pour la friture
- le jus de 2 citrons verts
- 1 petit bouquet de persil frais haché, plus quelques brins pour la décoration
- salsa fraîche, pour l'accompagnement

CONSEIL

Vérifiez que l'huile est suffisamment chaude : sinon, les filets de sole s'en imprégneront et ils deviendront trop gras.

1 Mélangez la farine, le sel à l'ail et le poivre. Étalez la farine assaisonnée dans un plat peu profond. Séchez les filets de sole avec du papier absorbant puis farinez-les.

2 Versez 2,5 cm d'huile dans une grande poêle et faites chauffer. Vérifiez la température de l'huile en y plongeant un morceau de pain : il doit remonter à la surface et brunir en 45 à 60 s.

3 Faites frire le poisson dans l'huile 3 à 4 min, par lots si nécessaire. Retirez les filets de l'huile et égouttez-les sur du papier absorbant. Transférez dans un plat de service préchauffé.

4 Pressez le jus d'1/2 citron vert sur chaque filet et parsemez de persil haché. Servez aussitôt, avec une salsa fraîche. Décorez avec des brins de persil. La sole se marie bien avec les pommes de terre nouvelles.

SAUMON À LA SAUCE DE GOYAVES

La goyave a une chair crémeuse, légèrement acide, qui se marie à merveille avec le saumon. Cette sauce convient également pour d'autres poissons grillés, du poulet ou de la dinde.

Pour 4 personnes

INGRÉDIENTS

- 6 goyaves bien mûres
- 3 cuil. à soupe d'huile végétale
- 1 petit oignon finement haché
- 12 cl de bouillon de poulet bien parfumé
- 2 cuil. à café de sauce piquante
- 4 steaks de saumon
- sel et poivre noir du moulin
- lanières de poivron rouge, pour la décoration

CONSEIL

Lorsqu'elles sont mûres, les goyaves ont une peau jaune. Leur chair, succulente, varie du blanc au rose foncé. Les goyaves sont riches en vitamine C. Une fois arrivées à maturité, elles se conservent quelques jours au réfrigérateur. Si elles sont vertes, mettez-les à mûrir dans une pièce chaude.

1 Coupez chaque goyave en deux. À la cuillère, séparez la chair de la peau et mettez-la dans une passoire posée au-dessus d'une jatte. Filtrez la chair, jetez les graines et la peau, réservez la pulpe.

2 Chauffez 2 cuillères à soupe d'huile dans une poêle et faites-y revenir l'oignon haché environ 4 min, sur feu moyen, jusqu'à ce qu'il soit tendre et translucide.

3 Incorporez la pulpe de goyaves, ainsi que le bouillon de poulet et la sauce piquante. Faites cuire, en remuant constamment, jusqu'à ce que la sauce épaississe. Tenez au chaud jusqu'au moment de servir.

4 Badigeonnez une face des steaks de saumon d'un peu d'huile. Salez et poivrez. Portez un gril en fonte à forte température et mettez à cuire les steaks de saumon, côté huilé sur le dessous, jusqu'à ce que le dessous soit doré (2 à 3 min). Puis badigeonnez d'huile le dessus, retournez les steaks et faites-les cuire de l'autre côté. Vérifiez la cuisson en enfonçant la pointe d'un couteau dans la chair : elle doit s'émietter facilement.

5 Transférez les steaks de saumon sur des assiettes préchauffées et servez-les accompagnés de sauce décorée avec des lamelles de poivron rouge et d'une salade verte.

SAUMON À LA CRÈME ET À LA TEQUILA

Préparez la sauce avec de la tequila reposada, légèrement vieillie, à la saveur douce, qui s'associe bien avec la crème.

Pour 4 personnes

INGRÉDIENTS

- 3 piments jalapeño frais
- 3 cuil. à soupe d'huile d'olive
- 1 petit oignon finement haché
- 15 cl de bouillon de poisson
- le zeste râpé et le jus d'1 citron vert
- 12 cl de crème liquide
- sel et poivre blanc du moulin
- 2 cuil. à soupe de tequila reposada
- 1 avocat bien ferme
- 4 filets de saumon
- lanières de poivron vert et persil plat, pour la décoration

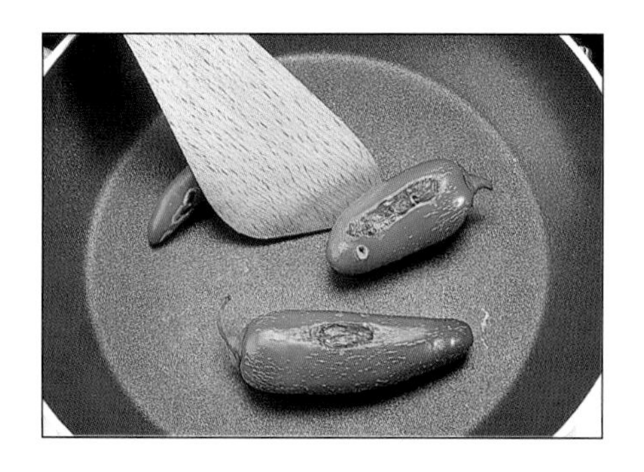

1 Faites griller les piments dans une poêle jusqu'à ce que leur peau cloque. Veillez à ne pas faire brûler la chair. Mettez-les dans un sac en plastique résistant, fermez le sac et laissez reposer 20 min.

2 Dans une casserole, chauffez 1 cuillerée à soupe d'huile et faites-y revenir l'oignon 3 à 4 min, puis ajoutez le bouillon, le zeste et le jus du citron vert. Laissez cuire 10 min, jusqu'à ce que le bouillon commence à réduire. Retirez les piments du sac, pelez-les, incisez-les et raclez les graines.

3 Incorporez la crème dans le bouillon. Taillez le piment en lanières et ajoutez-les dans la casserole. Laissez cuire 2 à 3 min à feu doux, en remuant constamment. Salez et poivrez à votre goût.

4 Incorporez la tequila et laissez mijoter à feu très doux. Pelez l'avocat, ôtez le noyau et émincez la chair. Badigeonnez un côté des filets de saumon d'un peu d'huile.

5 Portez une poêle ou un gril en fonte à forte température. Mettez à cuire le saumon, côté huilé sur le dessous, jusqu'à ce que cette face soit dorée (2 à 3 min). Badigeonnez d'huile le dessus, retournez les filets et faites cuire jusqu'à ce que la chair s'émiette facilement lorsque vous y enfoncez la pointe d'un couteau.

6 Servez les filets de saumon sur une cuillerée de sauce, avec des tranches d'avocat. Décorez avec du poivron vert et du persil frais. Accompagnez de pommes de terre sautées.

STEAKS DE REQUIN À LA YUCATÈQUE

Le requin possède une chair ferme et succulente. Il faut cependant veiller à ne pas la laisser cuire trop longtemps, car elle se dessèche et devient dure.

Pour 4 personnes

INGRÉDIENTS

- le zeste râpé et le jus d'1 orange
- le jus d'1 petit citron vert
- 3 cuil. à soupe de vin blanc
- 2 cuil. à soupe d'huile d'olive
- 2 gousses d'ail écrasées
- 2 cuil. à café de graines d'achiote moulues
- 1/2 cuil. à café de poivre de Cayenne
- 1/2 cuil. à café de marjolaine séchée
- 1 cuil. à café de sel
- 4 steaks de requin
- feuilles d'origan frais, pour la décoration
- 4 tortillas de blé et 1 salsa, pour l'accompagnement

CONSEIL

Le requin supporte bien la congélation : elle n'altère pas sa saveur. Si vous ne trouvez pas de requin frais, remplacez-le par du surgelé.

1 Mettez le zeste et le jus d'orange dans un plat non métallique peu profond, suffisamment grand pour contenir tous les steaks de requin sans qu'ils se chevauchent. Ajoutez le jus de citron vert, le vin blanc, l'huile d'olive, l'ail, les graines d'achiote, le poivre de Cayenne, la marjolaine et le sel. Mélangez.

2 Disposez les steaks de requin dans le plat et nappez-les de marinade. Couvrez et laissez reposer 1 h, en les retournant une fois.

3 Portez un gril en fonte à haute température et faites griller les steaks de requin 2 à 3 min de chaque côté. Vous pouvez également les faire cuire au barbecue, sur des braises pas trop chaudes. Attention à ne pas trop prolonger leur cuisson.

4 Décorez les steaks de requin avec de l'origan. Servez avec des tortillas et une salsa, accompagnés par exemple d'un légume vert.

TACOS D'ESPADON

Cuit correctement, l'espadon est un poisson délicieux. Il permet aussi de varier la garniture des tacos, le plus souvent remplis de bœuf ou de poulet.

Pour 6 personnes

INGRÉDIENTS
3 steaks d'espadon
2 cuil. à soupe d'huile végétale
2 gousses d'ail écrasées
1 petit oignon haché
3 piments verts frais, épépinés et hachés
3 tomates
1 petit bouquet de coriandre fraîche, hachée
6 tortillas de maïs fraîches
1/2 laitue, détaillée en morceaux
sel et poivre noir du moulin
quartiers de citron vert, pour l'accompagnement (facultatif)

1 Préchauffez le gril du four. Placez les steaks d'espadon sur une grille huilée posée sur une plaque du four et passez-les au gril 2 à 3 min de chaque côté. Lorsqu'ils ont suffisamment refroidi, ôtez la peau et émiettez la chair dans d'une jatte.

2 Chauffez l'huile dans une casserole et faites-y revenir l'ail, l'oignon et les piments jusqu'à ce que l'oignon soit tendre et translucide (environ 5 min).

3 Entaillez en croix la base des tomates et couvrez-les d'eau bouillante. Laissez tremper 3 min, puis plongez les tomates dans de l'eau froide. Pelez-les, épépinez-les et hachez la chair en dés d'1 cm.

4 Mettez les tomates et l'espadon dans la casserole contenant la préparation à base d'oignon. Cuisez 5 min à feu doux. Ajoutez la coriandre et prolongez la cuisson pendant 1 à 2 min. Assaisonnez à votre goût.

5 Enveloppez les tortillas dans du papier d'aluminium et placez-les sur une assiette posée sur une casserole d'eau bouillante. Mettez un peu de laitue et de poisson sur chaque tortilla et pliez en deux. Vous pouvez servir les tacos avec des quartiers de citron.

ESPADON GRILLÉ À LA SAUCE AU PIMENT ET AU CITRON VERT

L'espadon fait partie des poissons qui se prêtent volontiers à la cuisson au barbecue. Son goût est ici merveilleusement relevé par une sauce épicée, dont le piquant est tempéré par la crème fraîche.

Pour 4 personnes

INGRÉDIENTS
2 piments serrano frais
4 tomates
3 cuil. à soupe d'huile d'olive
le zeste râpé et le jus d'1 citron vert
4 steaks d'espadon
1/2 cuil. à café de sel
1/2 cuil. à café de poivre noir du moulin
20 cl de crème fraîche
persil plat frais, pour la décoration

1 Faites revenir les piments, sans matières grasses, jusqu'à ce que leur peau cloque. Enfermez-les dans un sac en plastique et laissez reposer 20 min. Pelez-les, coupez-les, ôtez les queues et les graines, et émincez la chair.

2 Entaillez en croix la base des tomates. Mettez-les dans un récipient résistant à la chaleur et couvrez-les d'eau bouillante. Laissez tremper 3 min puis, à l'aide d'une écumoire, plongez-les dans de l'eau froide. Égouttez. Au niveau des entailles, la peau commence à se détacher. Pelez complètement les tomates, puis coupez-les en deux et enlevez les pépins. Hachez la chair en dés d'1 cm.

3 Chauffez 1 cuillerée à soupe d'huile dans une petite casserole et mettez à revenir pendant 2 à 3 min les lanières de piments, le zeste et le jus du citron vert. Incorporez les tomates. Laissez cuire 10 min, en remuant de temps à autre.

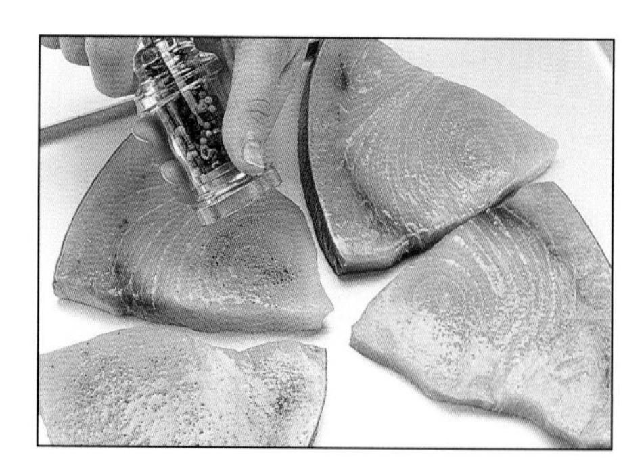

4 Badigeonnez d'huile d'olive les steaks d'espadon et assaisonnez. Passez-les au gril ou au barbecue 3 à 4 min, en les retournant. Pendant ce temps, incorporez la crème fraîche dans la sauce ; chauffez à feu doux, puis versez sur les steaks d'espadon. Décorez de persil. Servez avec des légumes.

CREVETTES À LA SAUCE AUX AMANDES

Les amandes moulues apportent une texture intéressante à la sauce crémeuse et piquante qui accompagne les crevettes.

Pour 6 personnes

INGRÉDIENTS
- 1 piment ancho ou piment séché
- 2 cuil. à soupe d'huile d'olive
- 1 oignon haché
- 3 gousses d'ail grossièrement hachées
- 8 tomates
- 1 cuil. à café de cumin moulu
- 12 cl de bouillon de poulet
- 125 g d'amandes moulues
- 20 cl de crème fraîche
- 1/2 citron vert
- 1 kg de crevettes roses cuites, décortiquées
- sel
- coriandre fraîche et oignons grelots, pour la décoration
- riz cuit et tortillas chaudes, pour l'accompagnement

1 Mettez le piment séché dans un récipient résistant à la chaleur et couvrez d'eau bouillante. Laissez tremper 30 min, jusqu'à ce qu'il ramollisse. Égouttez, coupez la queue, incisez et raclez les graines avec un petit couteau pointu. Hachez grossièrement la chair et réservez.

2 Chauffez l'huile dans une poêle et mettez l'oignon et l'ail à revenir jusqu'à ce qu'ils soient tendres.

VARIANTES

Cette sauce convient également pour le poulet, ainsi que pour d'autres poissons. Si vous lui ajoutez quelques crevettes, vous pouvez, par exemple, en napper une sole cuite à la vapeur.

3 Entaillez en croix la base des tomates; mettez-les dans un récipient résistant à la chaleur, couvrez d'eau chaude et laissez tremper 3 min. À l'aide d'une écumoire, plongez-les dans l'eau froide. Égouttez. Au niveau des entailles, la peau commence à se détacher.

4 Pelez complètement les tomates, coupez-les en deux et épépinez-les. Hachez la chair en dés d'1 cm et ajoutez-les, avec le piment haché, dans la poêle contenant l'oignon et l'ail. Incorporez le cumin moulu, laissez cuire 10 min en remuant de temps à autre.

5 Passez la préparation au mixer, avec le bouillon, à la vitesse maximale, pour obtenir une purée homogène.

6 Versez la purée dans une grande casserole, ajoutez les amandes moulues et remuez sur feu doux pendant 2 à 3 min. Incorporez la crème fraîche; remuez jusqu'à ce qu'elle soit totalement mélangée.

7 Pressez le citron vert et ajoutez son jus à la sauce. Salez à votre goût, puis montez la puissance du feu.

8 Quand la sauce frémit, ajoutez les crevettes et laissez mijoter jusqu'à ce qu'elles soient chaudes (2 à 3 min, selon leur taille). Servez sur un lit de riz et accompagnez d'une assiette de tortillas chaudes.

CREVETTES AU BEURRE D'AIL

Une recette facile et rapide à préparer, pour des invités qui n'ont pas peur de se salir les doigts. Prévoyez un plat pour les déchets. Présentez les crevettes avec des tortillas chaudes, pour saucer un jus succulent.

Pour 6 personnes

INGRÉDIENTS
- 1 kg de grosses crevettes roses, crues, non décortiquées
- 120 g de beurre
- 1 cuil. à soupe d'huile végétale
- 6 gousses d'ail écrasées
- le zeste et le jus de 2 citrons verts
- 1 petit bouquet de coriandre fraîche, hachée
- tortillas chaudes, pour l'accompagnement
- tranches de citron, pour les rince-doigts

1 Après en avoir retiré les têtes, rincez les crevettes et laissez-les s'égoutter. Chauffez le beurre et l'huile dans une poêle et mettez l'ail à revenir 2 à 3 min à feu doux.

2 Ajoutez le zeste et le jus des citrons verts. Poursuivez la cuisson 1 min en remuant.

CONSEIL

Faites cuire les crevettes dans une poêle ou dans un plat en fonte que vous poserez directement sur la table afin de les maintenir au chaud jusqu'au moment de les déguster.

3 Ajoutez les crevettes et faites-les cuire jusqu'à ce qu'elles deviennent roses (2 à 3 min). Retirez du feu, parsemez de coriandre et servez avec des tortillas chaudes. Prévoyez un bol d'eau et une tranche de citron pour chaque convive, ainsi que des serviettes en papier.

SALADE DE CREVETTES

Au Mexique, cette salade figurerait au menu d'un repas de fête. Mais rien ne vous empêche de la proposer en d'autres occasions, pour un déjeuner-buffet, par exemple.

Pour 4 personnes

INGRÉDIENTS
- 450 g de crevettes roses cuites, décortiquées
- le jus d'1 citron vert
- sel et poivre noir du moulin
- 3 tomates
- 1 avocat mûr mais ferme
- 2 cuil. à soupe de sauce aux piments
- 1 cuil. à café de sucre
- 15 cl de crème aigre
- les feuilles de 2 laitues
- feuilles de basilic frais et lanières de poivron vert, pour la décoration

1 Mettez les crevettes dans une grande jatte, ajoutez le jus de citron vert, le sel et le poivre. Mélangez délicatement et laissez mariner.

2 Entaillez en croix la base des tomates. Mettez-les dans un récipient résistant à la chaleur, couvrez d'eau bouillante et laissez tremper 3 min.

3 À l'aide d'une écumoire, plongez les tomates dans de l'eau froide. Égouttez. Au niveau des entailles, la peau commence à se détacher.

4 Pelez complètement les tomates, puis coupez-les en deux et épépinez-les. Hachez la chair en dés d'1 cm, que vous ajouterez dans la jatte des crevettes.

5 Coupez l'avocat en deux, ôtez la peau et le noyau. Taillez sa chair en dés d'1 cm, que vous ajouterez aux crevettes et aux tomates.

6 Dans une autre jatte, mélangez la sauce piquante, le sucre et la crème. Incorporez dans la préparation. Versez le tout dans un saladier tapissé de feuilles de laitue. Couvrez et mettez au réfrigérateur au moins 1 h. Décorez avec du basilic frais et des lanières de poivron vert. Accompagnez de pain croustillant la salade de crevettes.

CRABE AU RIZ VERT

Ce plat est très populaire sur la côte ouest du Mexique. Vous pouvez proposer des tortillas de maïs chaudes en accompagnement et, si vous le souhaitez, remplacer le crabe par des crevettes.

Pour 4 personnes

INGRÉDIENTS
- 225 g de riz blanc à longs grains
- 500 g de tomatillos en conserve égouttés
- 1 gros bouquet de coriandre fraîche
- 1 oignon grossièrement haché
- 3 piments poblano ou autres piments verts frais, épépinés et hachés
- 3 gousses d'ail
- 3 cuil. à soupe d'huile d'olive
- 500 g de chair de crabe
- 30 cl de fumet de poisson
- 4 cuil. à soupe de vin blanc sec
- sel
- oignons grelots émincés, pour la décoration

1 Mettez le riz dans un récipient résistant à la chaleur et couvrez d'eau bouillante. Laissez reposer 20 min. Égouttez bien.

2 Au mixer, réduisez les tomatillos en une purée homogène. Hachez la moitié de la coriandre et ajoutez-la à la purée de tomatillos, avec l'oignon, les piments et l'ail. Mixez jusqu'à l'obtention d'un mélange onctueux.

3 Chauffez l'huile dans une grande casserole et mettez le riz à frire 5 min sur feu moyen, jusqu'à ce que toute l'huile soit absorbée. Remuez de temps à autre afin que le riz ne colle pas.

4 Incorporez la purée de tomatillos, le crabe, le fumet et le vin. Couvrez et faites cuire à feu doux jusqu'à ce que tout le liquide soit absorbé (environ 20 min). Remuez de temps à autre et ajoutez un peu de liquide si le riz adhère à la casserole. Salez à votre goût puis transférez dans un plat de service. Décorez avec le reste de la coriandre et les oignons grelots émincés. Accompagnez le crabe au riz vert d'une salade et de quartiers de citron vert.

NOIX DE SAINT-JACQUES À L'AIL ET À LA CORIANDRE

Au Mexique, les crustacés sont souvent accommodés de façon très simple, par exemple avec de la sauce aux piments et du citron vert.

Pour 4 personnes

INGRÉDIENTS
- 20 noix de Saint-Jacques
- 2 courgettes
- 75 g de beurre
- 1 cuil. à soupe d'huile végétale
- 4 gousses d'ail hachées
- 2 cuil. à soupe de sauce piquante aux piments
- le jus d'1 citron vert
- 1 petit bouquet de coriandre fraîche, finement hachée

CONSEIL

L'huile supporte des températures plus élevées que le beurre, mais celui-ci confère aux aliments une saveur. En mélangeant les deux, comme ici, on établit un excellent compromis.

1 Si vous avez acheté les noix de Saint-Jacques enveloppées dans leurs coquilles, ouvrez-les. Prenez la coquille dans la paume de la main, côté plat vers le haut. Insérez la lame d'un couteau entre les 2 parties, à la charnière, et séparez-les. Détachez la noix de chair avec son corail. Jetez tous les autres éléments, non comestibles. Rincez les noix de Saint-Jacques sous l'eau froide.

2 Coupez les courgettes en deux, puis en quatre. Faites fondre le beurre et l'huile dans une grande poêle. Mettez les courgettes à frire jusqu'à ce qu'elles soient tendres, puis retirez-les de la poêle. Faites dorer l'ail. Incorporez la sauce piquante.

3 Ajoutez les noix de Saint-Jacques et laissez cuire 1 à 2 min, en remuant constamment. Incorporez le jus de citron vert, la coriandre hachée et les morceaux de courgettes. Servez aussitôt, sur des assiettes préchauffées.

TRUITES PUEBLO

Le jus de citron vert est le partenaire idéal de la truite, qui est un poisson gras. La chair marinée du poisson sera délicieusement tendre, une fois cuite.

Pour 4 personnes

INGRÉDIENTS
- 2 piments pasilla frais
- 2 truites arc-en-ciel, vidées
- 4 gousses d'ail
- 2 cuil. à café d'origan séché et de sel
- le jus de 2 citrons verts
- poivre noir du moulin
- 50 g d'amandes effilées

1 Faites griller les piments dans une poêle ou sur un gril en fonte, sans matières grasses, jusqu'à ce que leur peau cloque. Veillez à ne pas faire brûler la chair. Mettez-les dans un sac en plastique résistant, fermez le sac et laissez reposer 20 min.

2 Frottez l'intérieur des truites avec un peu de sel afin de bien les nettoyer, puis rincez-les sous l'eau froide. Égouttez et séchez avec du papier absorbant.

CONSEIL

La cuisson en papillote préserve le moelleux de la chair du poisson. La truite se prête particulièrement bien à cette méthode, que vous pouvez aussi adopter pour des steaks de thon, des petits maquereaux ou des filets de saumon.

3 Retirez les piments du sac et pelez-les. Coupez les queues, incisez et raclez les graines. Hachez grossièrement la chair et mettez-la dans un mortier. Au pilon, écrasez jusqu'à l'obtention d'une pâte.

4 Mettez la pâte de piments dans un plat peu profond, suffisamment grand pour contenir toutes les truites sans qu'elles se chevauchent. Découpez l'ail dans sa longueur et incorporez-le dans le plat.

5 Ajoutez l'origan et le sel, puis incorporez le jus des citrons et poivrez. Déposez les truites dans le plat en les enrobant bien de marinade. Couvrez et laissez reposer au moins 30 min, en retournant une fois les poissons.

6 Préchauffez le four à 200 °C (th. 7). Préparez 4 morceaux de papier d'aluminium, suffisamment larges pour entourer chacun une truite. Doublez les feuilles de papier sulfurisé découpé aux mêmes dimensions.

7 Placez une truite au centre du papier, arrosez-la d'un peu de marinade, parsemez-la d'1/4 des amandes.

8 Ramenez les bords du papier sulfurisé autour de la truite, puis entourez du papier d'aluminium. Procédez de même pour chaque truite. Disposez dans un plat à rôtir.

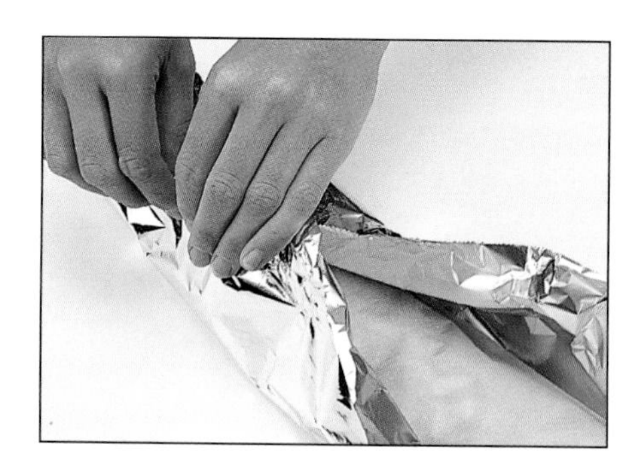

9 Faites cuire les truites en papillotes 25 min au four. Placez les papillotes sur les assiettes de service, ou bien sortez les truites de leur emballage avant de servir. Accompagnez de pommes de terre nouvelles et de légumes de saison.

RAGOÛT DU PÊCHEUR

Un plat unique, comme on imagine que les pêcheurs s'en préparent avec les prises du jour et quelques légumes de saison.

Pour 6 personnes

INGRÉDIENTS
- 500 g de moules
- 3 oignons
- 2 gousses d'ail émincées
- 30 cl de fumet de poisson
- 12 noix de Saint-Jacques
- 450 g de filets de cabillaud
- sel et poivre noir du moulin
- 2 cuil. à soupe d'huile d'olive
- 1 grosse pomme de terre (environ 200 g)
- quelques brins de thym frais, hachés
- 1 poivron rouge et 1 poivron vert
- 12 cl de vin blanc sec
- 25 cl de crème fraîche
- 250 g de crevettes roses crues
- 75 g de cheddar affiné ou de comté, râpé
- quelques brins de thym frais, pour la décoration

1 Nettoyez les moules et ôtez les barbes ; jetez celles qui ne se referment pas lorsque vous les heurtez. Rincez sous l'eau froide.

2 Versez 2,5 cm d'eau dans une grande poêle. Hachez 1 oignon et mettez-le dans la poêle, avec l'ail émincé. Portez à ébullition, puis ajoutez les moules et couvrez la poêle avec un couvercle bien ajusté.

3 Faites cuire les moules 5 à 6 min, en secouant la poêle de temps à autre. Au fur et à mesure qu'elles s'ouvrent, retirez-les de la poêle. Jetez celles qui restent fermées. Évidez les coquilles et réservez.

4 Filtrez le liquide de cuisson dans une passoire tapissée de mousseline, afin d'éliminer tout grain de sable. Complétez avec du fumet de poisson, jusqu'à l'obtention de 30 cl de liquide.

5 Si vous avez acheté des noix de Saint-Jacques dans leurs coquilles, ouvrez-les. Tenez une coquille dans la paume de la main, côté plat sur le dessus. Insérez la lame d'un couteau près de la charnière et séparez les 2 parties. Détachez la noix de chair et le corail. Jetez tous les autres éléments, non comestibles. Rincez les noix de Saint-Jacques sous l'eau froide afin éliminer tout grain de sable, puis mettez-les dans une jatte et réservez.

6 Coupez le cabillaud en morceaux et mettez-les dans une jatte. Salez et poivrez, puis réservez.

7 Taillez les oignons restants en tranches. Faites chauffer l'huile d'olive dans une grande casserole et mettez les oignons à revenir 2 à 3 min. Coupez la pomme de terre en tranches d'environ 1 cm que vous mettrez dans la casserole, avec le thym frais haché. Couvrez et laissez cuire jusqu'à ce que la pomme de terre soit tendre (environ 15 min).

8 Épépinez les poivrons, coupez-les en dés que vous ajouterez dans la casserole contenant la pomme de terre et l'oignon. Laissez cuire quelques minutes. Incorporez le fumet de poisson, le vin et la crème fraîche.

9 Portez à la limite du point d'ébullition, puis ajoutez le cabillaud et les noix de Saint-Jacques. Baissez le feu et laissez cuire 5 min à feu doux. Ajoutez les crevettes. Laissez mijoter encore 3 à 4 min, jusqu'à ce que tous les crustacés soient cuits. Incorporez les moules et poursuivez la cuisson 1 à 2 min. Si nécessaire, assaisonnez la sauce. Transférez le ragoût dans des bols. Décorez de brins de thym et parsemez de fromage râpé. Accompagnez de pain croustillant.

LES LÉGUMES

Lorsque les Espagnols arrivèrent au Mexique, ils découvrirent que les autochtones cultivaient toute une gamme de légumes, dont le maïs doux, l'avocat, le poivron, le haricot vert, ainsi que diverses variétés de courges et de citrouilles. La plupart de ces légumes nous sont maintenant familiers depuis longtemps – les haricots verts, par exemple, ont fait leur apparition en Angleterre sous le règne de la reine Élisabeth Ire. Certains, en revanche – comme la jicama, ce légume croquant qui se mange cru ou cuit –, ne sont apparus dans notre alimentation que plus tard, par le biais d'autres cuisines, notamment celle venue de Chine. Les recettes répertoriées dans les pages qui suivent se dégustent telles quelles ou en accompagnement. Le riz, jaune ou vert, les pommes de terre frites ou les petits pois à la mexicaine, par exemple, apporteront sur votre table une note de couleur et compléteront la saveur des plats auxquels vous les associerez. L'éventail des préparations présentées dans ce chapitre témoigne de la diversité des légumes mexicains.

PETITS POIS À LA MEXICAINE

Une délicieuse manière d'accommoder les petits pois frais, l'accompagnement idéal pour tous les types de repas. La saveur de ce plat n'est due qu'à la qualité des légumes ; utilisez donc, de préférence, des tomates et des petits pois biologiques.

Pour 4 personnes

INGRÉDIENTS
- 2 tomates
- 50 g de beurre
- 2 gousses d'ail coupées en deux
- 1 oignon de taille moyenne, coupé en deux et finement émincé
- 400 g de petits pois frais écossés
- sel et poivre noir du moulin
- ciboule fraîche, pour la décoration

1 Entaillez en croix la base des tomates. Mettez-les dans un récipient résistant à la chaleur et couvrez-les d'eau bouillante. Laissez-les tremper 3 min puis, à l'aide d'une écumoire, plongez-les dans l'eau froide. Égouttez. Au niveau des entailles, la peau commence à se détacher.

2 Pelez complètement les tomates, coupez-les en deux et épépinez-les. Hachez la chair en dés d'1 cm.

3 Faites fondre le beurre dans une casserole et mettez l'ail à dorer. Attention de ne pas le laisser trop cuire, car il donnerait au beurre un goût amer. À l'aide d'une écumoire, retirez l'ail de la casserole et jetez-le. Faites revenir l'oignon émincé jusqu'à ce qu'il devienne translucide.

4 Ajoutez les tomates, mélangez bien puis incorporez les petits pois. Versez 2 cuillerées à soupe d'eau, baissez le feu et couvrez la casserole avec un couvercle bien hermétique. Laissez cuire 10 min, en secouant la casserole de temps à autre afin que les ingrédients n'attachent pas.

5 Vérifiez la cuisson des petits pois, salez et poivrez. Décorez avec de la ciboule fraîche et servez dans un plat préchauffé.

CHAMPIGNONS AUX PIMENTS CHIPOTLE

Les piments chipotle sont des jalapeños séchés et fumés. Dans cette salade toute simple, leur saveur fumée se marie à merveille avec les champignons.

Pour 6 personnes

INGRÉDIENTS
- 2 piments chipotle
- 450 g de champignons de Paris
- 4 cuil. à soupe d'huile végétale
- 1 oignon finement haché
- 2 gousses d'ail écrasées ou hachées
- sel
- 1 petit bouquet de coriandre fraîche, pour la décoration

CONSEIL

Si vous en trouvez, prenez des mini-champignons de Paris : ils conviennent parfaitement pour ce plat. Cependant, tous les champignons de couche blancs feront l'affaire. S'ils sont vraiment gros, coupez-les éventuellement en quatre.

1 Faites tremper les piments séchés dans de l'eau très chaude jusqu'à ce qu'ils ramollissent (environ 10 min). Égouttez, coupez les queues, incisez les piments et raclez les graines. Hachez finement la chair.

2 Triez les champignons, nettoyez-les avec un torchon humide ou du papier absorbant. S'ils sont gros, coupez-les en deux.

3 Chauffez l'huile dans une poêle et mettez-y l'oignon, l'ail, les piments et les champignons. Remuez jusqu'à ce que tout soit bien enrobé d'huile. Faites frire, en remuant de temps à autre, jusqu'à ce que l'oignon et les champignons soient tendres (6 à 8 min). Salez et transférez dans un plat de service. Décorez avec des feuilles de coriandre hachées et des brins de coriandre entiers. Servez très chaud.

PIMENTS FARCIS À LA SAUCE AUX NOIX

La farce à base de pommes de terre et de viande se marie bien avec la sauce riche et crémeuse qui recouvre les piments.

Pour 4 personnes

INGRÉDIENTS
- 8 piments ancho
- 1 grosse pomme de terre (environ 200 g)
- 3 cuil. à soupe d'huile végétale
- 125 g de porc maigre haché
- sel
- 1 oignon haché
- 1 cuil. à café de cannelle moulue
- 125 g de noix grossièrement hachées
- 150 g de fromage frais à tartiner
- 50 g de fromage de chèvre à pâte molle
- 12 cl de crème liquide
- 12 cl de xérès sec
- 50 g de farine
- 1/2 cuil. à café de poivre blanc du moulin
- 2 œufs, blancs et jaunes séparés
- huile pour la friture
- herbes fraîches hachées, pour la décoration

1 Faites tremper les piments séchés dans de l'eau très chaude jusqu'à ce qu'ils ramollissent (environ 30 min). Égouttez, coupez les queues et incisez les piments sur un côté. Raclez les graines avec un petit couteau pointu, en veillant à ne pas endommager les piments.

2 Pelez la pomme de terre et taillez-la en dés d'1 cm. Chauffez 1 cuillerée à soupe d'huile dans une grande poêle et mettez à revenir le porc haché, en remuant, jusqu'à ce qu'il brunisse sur toutes ses faces.

CONSEIL

La pomme de terre ne doit pas se casser ni devenir trop farineuse. Pour obtenir un résultat parfait, achetez de la pomme de terre à chair ferme et ne la faites pas trop cuire.

3 Ajoutez les dés de pommes de terre et mélangez bien. Couvrez et faites cuire 25 à 30 min à feu doux, en remuant de temps à autre. Ne vous inquiétez pas si la pomme de terre adhère au fond de la poêle. Salez, retirez du feu et réservez.

4 Chauffez le reste d'huile dans une autre poêle et mettez à revenir l'oignon et la cannelle jusqu'à ce que l'oignon devienne tendre (3 à 4 min). Incorporez les noix et faites frire encore 3 à 4 min.

5 Ajoutez les deux sortes de fromages, la crème et le xérès. Mélangez bien. Réduisez le feu au minimum et laissez cuire jusqu'à ce que le fromage fonde et que la sauce commence à épaissir. Goûtez et rectifiez l'assaisonnement si nécessaire.

6 Étalez la farine sur une assiette ou dans un plat peu profond. Assaisonnez de poivre blanc. Battez les jaunes d'œufs dans une jatte jusqu'à ce qu'ils aient pâli et épaissi.

7 Dans une autre jatte, battez les blancs en neige. Ajoutez une grosse pincée de sel puis incorporez peu à peu les blancs dans les jaunes.

8 Farcissez les piments avec une cuillère. Essuyez l'extérieur des piments avec du papier absorbant. Portez un bain d'huile à forte température (180 °C).

9 Farinez un piment, puis plongez-le dans les œufs battus de façon qu'il soit enrobé. Égouttez-le, puis immergez-le dans le bain d'huile. Ajoutez d'autres piments en veillant à ce que la friteuse ne soit pas pleine. Laissez-les frire jusqu'à ce qu'ils soient dorés ; égouttez-les sur du papier absorbant et maintenez-les au chaud pendant que vous préparez les suivants.

10 Réchauffez la sauce à feu doux. Disposez les piments farcis sur des assiettes, nappez-les d'un peu de sauce. Servez-les aussitôt, parsemés d'herbes fraîches hachées et accompagnés d'une salade verte.

POMMES DE TERRE AU CHORIZO ET AUX PIMENTS VERTS

Les Mexicains fabriquent eux-mêmes le chorizo. Ils l'utilisent frais ou le font sécher, sous forme de saucisses semblables au chorizo espagnol connu dans le monde entier. À base de pommes de terre et de viande fortement relevée, ce plat paysan est idéal pour un brunch.

Pour 4 à 6 personnes

INGRÉDIENTS

- 1 kg de pommes de terre pelées et coupées en dés
- 2 cuil. à soupe d'huile végétale
- 2 gousses d'ail écrasées
- 4 oignons grelots hachés
- 2 piments jalapeño frais
- 300 g de saucisse de chorizo sans la peau
- sel (facultatif)
- 150 g de monterey jack ou de cheddar, râpé

1 Portez une grande casserole d'eau à ébullition et mettez-y les pommes de terre. Quand l'eau recommence à bouillir, baissez le feu et faites cuire très doucement pendant 5 min. Transférez les pommes de terre dans une passoire et égouttez-les bien.

CONSEIL

Utilisez des pommes de terre à chair ferme, par exemple des BF 15, des violas ou des belles de Fontenay. Si vous ne trouvez pas de monterey jack, remplacez-le par un gouda affiné ou un cheddar moyennement affiné.

2 Chauffez l'huile dans une grande poêle. Mettez à revenir 3 à 4 min l'ail, les oignons grelots et les piments coupés en dés. Ajoutez les pommes de terre et faites-les cuire jusqu'à ce qu'ils commencent à brunir.

3 Coupez le chorizo en petits dés et ajoutez-les dans la poêle. Faites cuire jusqu'à ce que le chorizo soit bien chaud (environ 5 min).

4 Salez si nécessaire, puis ajoutez le fromage. Mélangez rapidement et délicatement, en veillant à ne pas casser les dés de pommes de terre. Servez aussitôt, alors que le fromage est en train de fondre.

CHOU-FLEUR ROUGE

Les Mexicains ne consomment que rarement des légumes nature. Ici, par exemple, le chou-fleur est rehaussé par une tomato salsa *et du fromage frais. Vous pouvez aussi choisir une autre salsa : les* tomatillos *se marient particulièrement bien avec le chou-fleur : ils relèvent sa saveur et créent un contraste avec sa texture.*

Pour 6 personnes

INGRÉDIENTS

- 1 petit oignon
- 1 citron vert
- 1 chou-fleur de taille moyenne
- 400 g de tomates concassées en conserve
- 4 piments serrano frais, épépinés et finement hachés
- 2 pincées de sucre en poudre
- sel
- 75 g de feta émiettée
- persil plat frais, haché, pour la décoration

CONSEIL

Le zesteur permet de prélever de minuscules filaments de zeste, sans entamer la peau blanche. Si vous n'en possédez pas, utilisez un économe.

1 Hachez l'oignon très finement et mettez-le dans une jatte. À l'aide d'un zesteur, prélevez des filaments d'écorce de citron vert et ajoutez-les dans la jatte.

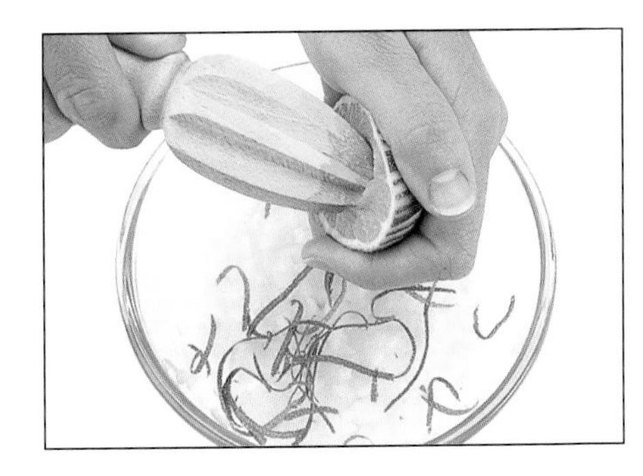

2 Coupez le citron vert en deux, pressez-le et versez le jus dans la jatte. Réservez, afin que le jus de citron vert attendrisse l'oignon. Divisez le chou-fleur en bouquets.

3 Mettez les tomates dans une casserole, avec les piments et le sucre. Faites cuire à feu doux. Pendant ce temps, placez le chou-fleur dans une casserole d'eau bouillante et faites-le cuire jusqu'à ce qu'il soit tendre (5 à 8 min).

4 Ajoutez l'oignon dans la tomato salsa, salez à votre goût, mélangez puis transférez environ 1/3 de cette préparation dans un plat de service.

5 Disposez les bouquets de chou-fleur égouttés sur la salsa, et nappez-les du reste de sauce.

6 Parsemez de feta, qui ramollira légèrement au contact des légumes chauds. Servez aussitôt, en décorant de persil plat, haché.

HARICOTS DE LIMA EN SAUCE

Un accompagnement tout simple, dans lequel les haricots de Lima ou les fèves sont mis en valeur par les tomates et les piments frais.

Pour 4 personnes

INGRÉDIENTS
- 450 g de haricots de Lima frais ou de fèves fraîches
- 2 cuil. à soupe d'huile d'olive
- 1 oignon finement haché
- 2 gousses d'ail écrasées
- 400 g de tomates olivettes en conserve, égouttées et hachées
- 25 g de tranches de piments jalapeño au vinaigre, égouttées et hachées
- sel
- coriandre fraîche et tranches de citron, pour la décoration

CONSEIL

Les piments au vinaigre sont souvent plus piquants que les piments grillés. Mieux vaut les goûter avant de s'en servir et ajuster les proportions en fonction de vos goûts.

1 Portez une casserole d'eau légèrement salée à ébullition. Mettez à cuire les haricots de Lima, ou les fèves, jusqu'à ce qu'ils (elles) soient juste tendres (environ 15 min).

2 Chauffez l'huile dans une poêle et faites-y revenir l'oignon et l'ail, jusqu'à ce que l'oignon devienne translucide. Ajoutez les tomates et poursuivez la cuisson, en remuant, jusqu'à épaississement.

3 Ajoutez les tranches de piments et laissez cuire 1 à 2 min. Salez à votre goût.

4 Égouttez les haricots, ou les fèves, et remettez-les dans la casserole. Ajoutez la préparation de tomates et laissez cuire quelques minutes en remuant. Si la sauce épaissit trop, ajoutez un peu d'eau. Servez les haricots, ou les fèves, en sauce dans un plat en décorant de coriandre et de tranches de citron.

HARICOTS MANGE-TOUT AUX ŒUFS

Une façon inhabituelle, mais délicieuse, d'accommoder les haricots verts. Servez ce plat pour un souper léger ou en accompagnement d'un rôti.

Pour 6 personnes

INGRÉDIENTS
- 300 g de haricots mange-tout, équeutés et coupés en deux
- 2 cuil. à soupe d'huile végétale
- 1 oignon coupé en deux et finement émincé
- 3 œufs
- sel et poivre noir du moulin
- 50 g de monterey jack, de cheddar doux ou d'emmental, râpé
- filaments d'écorce de citron, pour la décoration

VARIANTE

Pour un goût plus soutenu, remplacez le monterey jack ou le cheddar par du parmesan fraîchement râpé.

1 Portez une casserole d'eau à ébullition et mettez à cuire les haricots jusqu'à ce qu'ils soient tendres (5 à 6 min). Égouttez-les dans une passoire, rincez sous l'eau froide pour préserver leur couleur, égouttez à nouveau.

2 Chauffez l'huile dans une poêle et mettez les tranches d'oignon à revenir jusqu'à ce qu'elles soient tendres et translucides (3 à 4 min). Cassez les œufs dans une jatte, battez-les en incorporant du sel et du poivre.

3 Versez les œufs dans la poêle contenant les oignons et faites cuire à feu moyen, en remuant constamment, de façon que les œufs soient brouillés. Attention, ils doivent être baveux, ne les faites pas trop cuire.

4 Ajoutez les haricots dans la poêle et laissez cuire quelques minutes. Transférez dans un plat préchauffé, saupoudrez de fromage râpé. Servez les haricots aux œufs décorés de filaments d'écorce de citron.

COURGETTES AU FROMAGE ET AUX PIMENTS VERTS

Cette recette relève la saveur de la courgette, un légume généralement assez fade. Un mets végétarien très appétissant, à servir en plat principal ou en accompagnement.

Pour 6 personnes, en accompagnement

INGRÉDIENTS

- 2 cuil. à soupe d'huile végétale
- 1/2 oignon finement émincé
- 2 gousses d'ail écrasées
- 1 cuil. à café d'origan séché
- 2 tomates
- 500 g de courgettes
- 50 g de tranches de piments jalapeño au vinaigre, hachées
- 125 g de fromage frais à tartiner
- sel et poivre noir du moulin
- brins d'origan frais, pour la décoration

1 Chauffez l'huile dans une poêle et mettez l'oignon, l'ail et l'origan séché à revenir jusqu'à ce que l'oignon soit tendre et translucide (3 à 4 min).

2 Entaillez en croix la base des tomates. Placez-les dans un récipient résistant à la chaleur et couvrez-les d'eau bouillante. Laissez tremper 3 min puis, à l'aide d'une écumoire, plongez-les dans l'eau froide. Égouttez. Au niveau des entailles, la peau commence à se détacher. Pelez complètement les tomates, coupez-les en deux et épépinez-les. Taillez la chair en lanières.

3 Coupez les extrémités des courgettes, puis débitez-les dans la longueur en lamelles d'1 cm de large, puis en allumettes.

4 Incorporez les courgettes dans la préparation à base d'oignon et faites frire, jusqu'à ce que les courgettes soient juste tendres (environ 10 min). Ajoutez les tomates et les jalapeños, laissez cuire 2 à 3 min.

5 Ajoutez le fromage. Réduisez le feu au minimum. Quand le fromage commence à fondre, remuez délicatement pour en enrober les courgettes. Salez, transférez dans un plat de service et décorez avec de l'origan frais. Si vous servez les courgettes en plat principal, accompagnez-les de pain de campagne.

TARTE À LA COURGETTE

Un plat qui ressemble à une omelette espagnole, traditionnellement consommée à température ambiante. Servez la tarte chaude ou bien préparez-la à l'avance et laissez-la refroidir, mais ne la mettez en aucun cas au réfrigérateur.

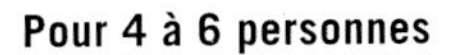

Pour 4 à 6 personnes

INGRÉDIENTS
- 500 g de courgettes
- 4 cuil. à soupe d'huile végétale
- 1 petit oignon
- 3 piments jalapeño frais, épépinés et taillés en lanières
- 3 gros œufs
- 50 g de farine « à gâteaux »
- 125 g de monterey jack, de cheddar doux ou d'emmental, râpé
- 1/2 cuil. à café de poivre de Cayenne
- sel
- 15 g de beurre

1 Préchauffez le four à 180 °C (th. 6). Après avoir coupé les extrémités des courgettes, émincez-les. Chauffez l'huile dans une poêle et mettez à frire les courgettes quelques minutes, en les retournant au moins une fois, jusqu'à ce qu'elles soient tendres et légèrement brunes. À l'aide d'une écumoire, transférez-les dans une jatte.

2 Émincez l'oignon et déposez-le dans l'huile restant dans la poêle, avec les lanières de jalapeño, moins quelques-unes que vous réserverez pour la décoration. Faites revenir jusqu'à ce que l'oignon soit tendre et doré. Avec une écumoire, transférez dans la jatte contenant les courgettes.

3 Battez les œufs dans une jatte. Ajoutez la farine, le fromage et le poivre de Cayenne. Remuez, puis incorporez dans la préparation à base de courgettes. Salez à votre goût.

4 Beurrez un moule rond de 23 cm de diamètre et versez-y la préparation à base de courgettes. Faites cuire au four, jusqu'à ce que la tarte ait gonflé, qu'elle soit ferme au toucher et dorée (environ 30 min). Laissez refroidir.

5 Servez des grosses parts de tarte, décorées de lanières de jalapeños. Vous pouvez, par exemple, accompagner la tarte aux courgettes d'une salade de tomates parsemée de brins de ciboule.

CITROUILLE ÉPICÉE

Quand elle est rôtie, la citrouille développe des saveurs très riches. Vous pouvez la servir directement en tranches dans ce cas, on consomme aussi sa peau. Ou bien mélangez la chair de la cucurbitacée avec une cuillerée de salsa et garnissez-en des tortillas chaudes. Cette préparation se prête aussi à des soupes et des sauces très parfumées.

Pour 6 personnes

INGRÉDIENTS

- 1 kg de citrouille
- 50 g de beurre fondu
- 2 cuil. à café de sauce aux piments
- 1/2 cuil. à café de sel
- 1/2 cuil. à café de poivre de la Jamaïque moulu
- 1 cuil. à café de cannelle moulue
- herbes fraîches hachées, pour la décoration
- tomato salsa et crème fraîche, pour l'accompagnement

CONSEIL

Les citrouilles à peau verte, grise ou orange se prêtent bien à la cuisson au four. Une fois cuites, les variétés à chair orange offrent cependant une plus jolie couleur.

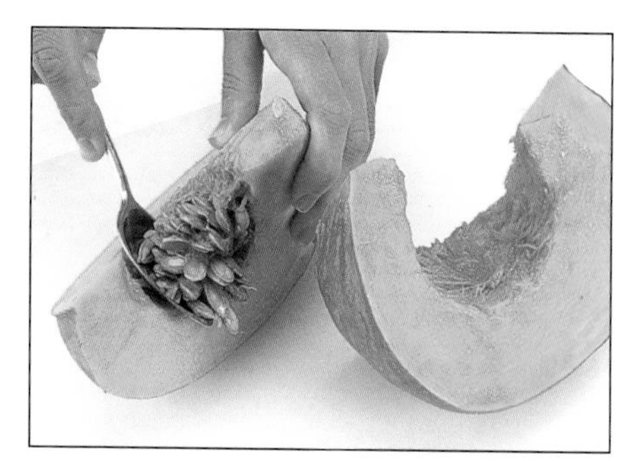

1 Préchauffez le four à 220 °C (th. 8). Découpez la citrouille en grosses tranches. Supprimez les graines et les fibres, puis mettez les tranches de citrouille dans un plat à rôtir.

2 Mélangez le beurre fondu et la sauce piquante aux piments. Nappez les tranches de citrouille de ce mélange.

3 Mélangez le sel et les épices dans une petite jatte et saupoudrez-en la citrouille.

4 Faites cuire au four jusqu'à ce que la chair de la citrouille soit légèrement souple au toucher (environ 25 min). Transférez sur un plat de service préchauffé et servez avec de la tomato salsa et de la crème fraîche, présentées dans des soucoupes à part.

GALETTES DE POMMES DE TERRE

Faciles et rapides à confectionner, ces galettes de pommes de terre ont un petit goût de revenez-y. Servez-les avec de la salsa, pour un repas léger, ou en accompagnement d'une viande cuite au four ou poêlée.

Pour 10 galettes

INGRÉDIENTS
- 600 g de pommes de terre
- 125 g de cheddar ou de gruyère, râpé
- 1/2 cuil. à café de sel
- 50 g de tranches de piments jalapeño au vinaigre, égouttées et finement hachées (facultatif)
- 1 œuf battu
- 1 petit bouquet de coriandre fraîche, finement hachée
- farine
- huile pour la friture
- salsa d'agrumes fraîche, pour l'accompagnement

1 Pelez les pommes de terre. Si elles sont grosses, coupez-les en deux. Mettez-les dans une casserole d'eau froide, portez à ébullition et faites-les cuire environ 30 min. Égouttez-les et, dans la casserole, écrasez-les en une purée grumeleuse.

2 Transférez la purée dans une jatte et incorporez le fromage râpé, le sel et, éventuellement, les jalapeños. Ajoutez l'œuf battu et presque toute la coriandre hachée. Mélangez jusqu'à l'obtention d'une pâte.

3 Lorsque la pâte a suffisamment refroidi, transférez-la sur une planche. Saupoudrez vos mains de farine et divisez-la en 10 morceaux égaux. Roulez chaque morceau en boule, puis aplatissez-le en forme de galette.

4 Chauffez l'huile dans une poêle et mettez à frire les galettes 2 à 3 min sur feu moyen. Retournez-les et faites-les cuire jusqu'à ce qu'elles soient dorées. Transférez les galettes de pommes de terre sur un plat de service. Salez, saupoudrez du reste de coriandre hachée et servez avec une salsa.

BANANES PLANTAINS FRITES

Le parfait accompagnement pour des plats très épicés, qui trancheront avec la saveur sucrée des bananes.

Pour 4 personnes

INGRÉDIENTS
- 4 bananes plantains bien mûres
- 75 g de beurre
- 2 cuil. à café d'huile végétale
- lanières d'oignons grelots et de poivron rouge, pour la décoration

CONSEIL
Lorsqu'elles sont mûres, les bananes plantains ont une peau foncée, presque noire. Choisissez-les avec soin, car les bananes pas assez mûres ont une chair très dure, qui ne s'attendrit pas à la cuisson.

1 Pelez les bananes, coupez-les en deux dans la longueur, et taillez chaque moitié en deux. Dans une grande poêle, faites fondre le beurre et l'huile.

2 Disposez les bananes plantains dans la poêle, sans qu'elles se chevauchent. Faites-les frire 8 à 10 min en les retournant. Transférez dans un plat préchauffé, décorez de lanières d'oignons-grelots et de poivron rouge. Servez.

POMMES DE TERRE SAUTÉES

L'accompagnement idéal pour du chorizo ou des œufs au bacon.

Pour 4 personnes

INGRÉDIENTS
- 6 piments jalapeño frais
- 4 cuil. à soupe d'huile végétale
- 1 oignon finement haché
- 450 g de pommes de terre à chair ferme, coupées en dés d'1 cm
- brins d'origan frais, hachés, plus quelques brins pour la décoration
- 75 g de parmesan fraîchement râpé (facultatif)

1 Faites revenir les jalapeños sur un gril en fonte, en les retournant fréquemment, jusqu'à ce que leur peau noircisse. Attention, elle ne doit pas brûler. Mettez les piments dans un sac en plastique résistant, fermez le sac et laissez reposer 20 min.

2 Retirez les jalapeños du sac, pelez-les et coupez les queues. Coupez-les en deux, raclez les graines et hachez la chair.

CONSEIL
Si vous ne possédez pas de couvercle adapté à votre poêle, recouvrez-la de papier d'aluminium.

3 Chauffez la moitié de l'huile dans une poêle à fond épais. Faites-y revenir l'oignon, en remuant de temps à autre, jusqu'à ce qu'il devienne translucide (3 à 4 min), puis ajoutez les dés de pommes de terre.

4 Remuez pour enduire les pommes de terre d'huile, couvrez la poêle et cuisez à feu moyen jusqu'à ce que les pommes de terre soient tendres (20 à 25 min). Secouez la poêle de temps à autre afin que les pommes de terre n'attachent pas.

5 Quand les pommes de terre sont tendres, repoussez-les sur le côté de la poêle, puis ajoutez le reste de l'huile.

6 Lorsque l'huile est chaude, répartissez à nouveau les pommes de terre sur toute la surface de la poêle et ajoutez les jalapeños hachés. Faites cuire 5 à 10 min à feu vif, en remuant délicatement afin que les pommes de terre dorent sur toutes les faces mais ne se cassent pas.

7 Ajoutez l'origan haché et, éventuellement, le parmesan râpé. Mélangez délicatement et transférez sur un plat de service préchauffé. Décorez les pommes de terre sautées de brins d'origan et servez à l'occasion d'un brunch copieux.

MAÏS À LA CRÈME

Au Mexique, on prépare ce plat avec de la crème épaisse. La préparation a toutefois une consistance plus agréable si on utilise du fromage gras à pâte molle.

Pour 6 personnes, en accompagnement

4 épis de maïs doux
50 g de beurre
1 petit oignon finement haché
125 g de tranches de piments jalapeño au vinaigre, égouttées
125 g de fromage gras à pâte molle
25 g de parmesan fraîchement râpé, plus quelques copeaux, pour la décoration
sel et poivre noir du moulin

1 Enlevez les feuilles et les soies des épis de maïs. Mettez les épis dans une jatte d'eau froide et, à l'aide d'une brosse à légumes, éliminez les soies restantes. Posez chacun des épis sur une planche et, tour à tour, détachez les grains en passant le couteau le plus près possible du cœur de l'épi.

2 Faites fondre le beurre dans une casserole et mettez à revenir l'oignon haché, en remuant de temps à autre, jusqu'à ce qu'il soit tendre et translucide (4 à 5 min).

3 Ajoutez les grains de maïs et faites-les cuire jusqu'à ce qu'ils soient juste tendres (4 à 5 min). Hachez finement les jalapeños et incorporez-les au maïs.

4 Incorporez le fromage à pâte molle et le parmesan râpé. Faites cuire à feu doux jusqu'à ce que les 2 fromages aient fondu et que les grains de maïs en soient bien enrobés. Assaisonnez à votre goût, transférez dans un plat de service préchauffé et servez le maïs décoré avec des copeaux de parmesan.

VARIANTE

Au Mexique, les marchands ambulants vendent une version simplifiée de cette préparation. Les épis sont cuits entiers ; avant d'être dégustés, ils sont trempés dans de la crème et saupoudrés de fromage frais : une recette à essayer à l'occasion d'un barbecue. Vous pouvez aussi les mettre dans un plat peu profond et les cuire au four préchauffé à 200 °C (th. 7) jusqu'à ce qu'ils soient tendres et dorés (environ 30 min). Versez 12 cl de crème aigre ou de crème fraîche sur les épis, puis saupoudrez-les de parmesan. Ou encore badigeonnez-les de beurre et cuisez-les au gril ; mais pour que le maïs ne brûle pas il faut un espace important entre les épis et la source de chaleur.

FRIJOLES DE OLLA

Les personnes qui ont séjourné au Mexique déclarent souvent que, dans aucun autre lieu au monde, les « haricots en cocotte », traduction des frijoles de olla, *n'ont le goût qu'ils possèdent dans leur pays d'origine. Le secret réside en fait dans le récipient de cuisson, une marmite en terre qui apporte aux haricots une merveilleuse saveur, légèrement « terreuse ». Au Mexique, les* frijoles de olla *figurent au menu des repas de réception.*

Pour 4 personnes

INGRÉDIENTS
- 250 g de haricots roses secs, trempés 1 nuit
- 1,75 l d'eau
- 2 oignons
- 10 gousses d'ail entières, pelées
- 1 petit bouquet de coriandre fraîche
- sel

Pour les garnitures
- 2 piments fresno rouges, frais
- 1 tomate pelée et hachée
- 2 oignons grelots finement hachés
- 4 cuil. à soupe de crème aigre
- 50 g de feta

CONSEIL

Au Mexique, on utilise pour la garniture du fromage frais local, le queso fresco. La feta constitue toutefois un équivalent assez proche.

1 Égouttez les haricots, rincez-les sous l'eau froide, égouttez à nouveau. Portez une grande casserole d'eau à ébullition et mettez-y les haricots.

2 Coupez les oignons en deux, mettez-les dans la casserole avec les gousses d'ail entières. Quand l'ébullition reprend, baissez le feu et faites cuire à feu doux, jusqu'à ce que les haricots soient tendres et qu'il ne reste presque plus de liquide (environ 1 h et 1/2).

3 Pendant que les haricots cuisent, préparez les garnitures. Enfilez les piments sur une longue broche métallique et faites-les griller sur la flamme jusqu'à ce que la peau cloque et noircisse. Attention de ne pas faire brûler la chair. Autre possibilité : faites griller les piments sur une plaque en fonte jusqu'à ce que la peau soit carbonisée. Mettez les piments grillés dans un sac en plastique résistant, fermez le sac et laissez reposer 20 min.

4 Retirez les piments du sac et pelez-les. Coupez les queues, incisez les piments et raclez les graines. Coupez la chair en fines lamelles et mettez-les dans un bol. Déposez chaque ingrédient de garniture dans un bol séparé.

5 À la louche, transférez 1 tasse de haricots et de liquide de cuisson dans un mixer, puis réduisez en une purée homogène. Ou bien écrasez les haricots avec un presse-purée.

6 Remettez la purée de haricots dans la casserole et incorporez-la aux haricots. Réservez quelques feuilles de coriandre pour la décoration, hachez le reste et intégrez-le au mélange. Salez et mélangez bien. À la louche, transférez les haricots dans des bols individuels préchauffés.

7 Servez les haricots avec les garnitures. Décorez de coriandre. Traditionnellement, chaque convive ajoute un peu de piment, de tomate et d'oignons ainsi qu'une cuillerée de crème aigre sur ses haricots. On peut également y émietter un peu de feta.

HARICOTS « REFRITS »

Ces haricots ne sont pas réellement frits deux fois, mais ils sont cuits à deux reprises. Dans un premier temps, ils sont préparés à la manière des frijoles de olla, *puis on les fait revenir dans du saindoux. Les haricots « refrits » en conserve sont assez fades ; préparés maison, ils constituent un véritable régal !*

Pour 4 personnes

INGRÉDIENTS

- 25 g de saindoux
- 2 oignons finement hachés
- 1 cuil. à café de cumin moulu
- 1 cuil. à café de coriandre moulue
- 1 plat de frijoles de olla, sans les garnitures
- 3 gousses d'ail écrasées
- sel
- 1 petit bouquet de coriandre fraîche ou 4 à 5 feuilles d'avocatier séchées
- 50 g de feta

1 Faites fondre le saindoux dans une grande poêle. Ajoutez les oignons, le cumin et la coriandre moulue. Faites cuire à feu doux jusqu'à ce que les oignons soient caramélisés et tendres (environ 30 min).

2 Ajoutez 1 louche de haricots cuits et faites-les revenir quelques minutes, juste pour les réchauffer. Pendant qu'ils sont sur le feu, écrasez les haricots dans les oignons à l'aide d'une fourchette. Incorporez de cette façon tous les haricots puis ajoutez l'ail écrasé.

3 Baissez le feu et laissez cuire les haricots jusqu'à ce qu'ils aient la consistance d'une pâte épaisse. Salez et transférez dans un plat de service préchauffé. Hachez la coriandre ou émiettez les feuilles d'avocatier, réservez-en une petite partie, et parsemez le reste sur les haricots. Émiettez la feta sur les haricots puis décorez avec les feuilles de coriandre ou d'avocatier réservées.

FRIJOLES CHARROS

Ces « haricots à la cow-boy » ressemblent un peu, en plus relevés, aux haricots de Boston. Préparez-les un jour à l'avance : leur saveur n'en sera que meilleure.

Pour 6 personnes

INGRÉDIENTS
- 2 boîtes de 400 g de haricots roses
- 12 cl de bière mexicaine
- 125 g de tranches de piments jalapeño au vinaigre, égouttées
- 2 tomates pelées et hachées
- 1 cuil. à café de cannelle moulue
- 175 g de couenne de lard
- 1 oignon haché
- 2 gousses d'ail écrasées
- 175 g de lard maigre fumé, sans couenne, coupé en dés
- 3 cuil. à soupe de cassonade
- tortillas de blé, pour l'accompagnement

1 Mettez les haricots égouttés dans une casserole. Incorporez la bière et cuisez à feu vif, jusqu'à ce que la bière soit partiellement absorbée (environ 5 min).

2 Baissez légèrement le feu et incorporez les tranches de jalapeños, puis ajoutez les tomates et la cannelle. Laissez cuire environ 10 min, en remuant de temps à autre.

3 Chauffez la couenne de lard dans une poêle, jusqu'à ce que la graisse fonde. Vous devez obtenir environ 3 cuillerées à soupe de graisse liquide.

4 Jetez la couenne, ajoutez l'oignon et l'ail dans la poêle et faites-les frire jusqu'à ce qu'ils brunissent (environ 5 min). À l'aide d'une écumoire, incorporez l'ail et l'oignon dans les haricots.

5 Mettez les dés de lard fumé dans la poêle et faites-les frire jusqu'à ce qu'ils soient croquants, puis transférez-les, avec la graisse restante, dans les haricots. Mélangez bien.

6 Incorporez la cassonade. Faites cuire les haricots et le lard à feu doux, en remuant constamment, jusqu'à ce que le sucre soit dissous, et servez aussitôt. Ou bien transférez dans une jatte, laissez refroidir, couvrez, et mettez au réfrigérateur jusqu'au lendemain. Réchauffez les haricots, servez-les avec des tortillas de blé chaudes.

RIZ VERT

Rares sont les restaurants mexicains où ce plat figure sur la carte. Pourtant les Mexicains en consomment souvent en famille. Si vous le souhaitez, ajoutez des dés de piment et de poivron vert en fin de cuisson.

Pour 4 personnes

INGRÉDIENTS

2 piments verts frais, de préférence poblano
1 petit poivron vert
200 g de riz blanc à longs grains
1 gousse d'ail grossièrement hachée
1 gros bouquet de coriandre fraîche
1 petit bouquet de persil plat frais
50 cl de bouillon de poulet
2 cuil. à soupe d'huile végétale
1 petit oignon finement haché
sel

1 Faites revenir les piments et le poivron sur un gril en fonte, en les retournant souvent, jusqu'à ce que la peau noircisse, mais sans faire brûler la chair. Mettez-les dans un sac en plastique résistant, fermez le sac et laissez reposer 20 min.

2 Mettez le riz dans un récipient résistant à la chaleur, couvrez d'eau bouillante et laissez reposer 20 min.

3 Égouttez le riz, rincez-le sous l'eau froide et égouttez à nouveau. Retirez les piments et le poivron du sac, et pelez-les. Coupez les queues, incisez et raclez les graines avec un couteau pointu.

4 Mettez les piments et le poivron pelés, ainsi que l'ail, dans un mixer. Réservez quelques feuilles de coriandre et de persil pour la décoration et ajoutez le reste dans le mixer. Incorporez la moitié du bouillon de poulet et actionnez le mixer jusqu'à l'obtention d'une purée homogène. Versez le reste du bouillon et faites à nouveau fonctionner le mixer.

5 Chauffez l'huile dans une casserole et mettez à revenir l'oignon et le riz sur feu moyen, jusqu'à ce que le riz soit doré et l'oignon translucide (5 min). Incorporez la purée. Baissez le feu, couvrez et faites cuire jusqu'à ce que le riz ait absorbé le liquide et soit juste tendre (environ 30 min). Salez, décorez avec les herbes réservées et servez le riz avec des quartiers de citron vert. Ce plat se marie à merveille avec le poisson.

RIZ JAUNE

Ce plat doit sa couleur et sa saveur, très caractéristique, aux graines d'achiote, une épice provenant du rocouyer.

Pour 6 personnes

INGRÉDIENTS

200 g de riz blanc à longs grains
2 cuil. à soupe d'huile végétale
1 cuil. à café de graines d'achiote moulues
1 petit oignon finement haché
2 gousses d'ail écrasées
50 cl de bouillon de poulet
50 g de tranches de piments jalapeño au vinaigre, égouttées et hachées
sel
feuilles de coriandre fraîche, pour la décoration

CONSEIL

L'achiote, la graine du rocouyer, est employée dans toute l'Amérique latine pour colorer et parfumer les aliments. Vous en trouverez dans les épiceries exotiques et chez les marchands d'épices.

1 Versez le riz dans un récipient résistant à la chaleur et couvrez d'eau bouillante. Laissez reposer 20 min. Égouttez, rincez le riz sous l'eau froide et égouttez à nouveau.

2 Chauffez l'huile dans une casserole et mettez à revenir les graines d'achiote moulues pendant 2 à 3 min. Ajoutez l'oignon et l'ail et faites frire jusqu'à ce que l'oignon soit translucide (3 à 4 min). Incorporez le riz et laissez cuire 5 min.

3 Versez le bouillon de poulet dans la casserole, mélangez et portez à ébullition. Baissez le feu, couvrez avec un couvercle hermétique et laissez mijoter jusqu'à ce que tout le liquide ait été absorbé (25 à 30 min).

4 Ajoutez les jalapeños hachés et remuez pour bien les répartir dans la préparation. Salez à votre goût, puis transférez le riz dans un plat de service préchauffé. Décorez de feuilles de coriandre fraîche. Servez aussitôt.

CHAYOTES AU MAÏS ET AUX PIMENTS

En forme de poire ou d'avocat, la chayote appartient à la famille des courges. Si son goût est assez fade, elle se marie extrêmement bien avec des ingrédients tels le maïs et les jalapeños grillés.

Pour 6 personnes

INGRÉDIENTS
- 4 piments jalapeño frais
- 3 chayotes
- huile pour la friture
- 1 oignon rouge finement haché
- 3 gousses d'ail écrasées
- 225 g de grains de maïs doux, décongelés si congelés
- 150 g de fromage frais à tartiner
- 1 cuil. à café de sel (facultatif)
- 25 g de parmesan fraîchement râpé

1 Faites griller les jalapeños sur une plaque en fonte, sans matières grasses, en les retournant fréquemment, jusqu'à ce que leur peau noircisse. Attention, elle ne doit pas brûler. Mettez les piments dans un sac en plastique, fermez le sac et laissez reposer 20 min.

2 Pendant ce temps, pelez les chayotes, coupez-les en deux et ôtez les graines. Taillez la chair en dés d'1 cm.

CONSEIL

Les chayotes sont parfois appelées christophines ou chokos. Enfermées dans un sac en plastique, elles peuvent se conserver 1 mois au réfrigérateur.

3 Chauffez l'huile dans une poêle et mettez à frire l'oignon, l'ail, les dés de chayotes et le maïs, 10 min à feu moyen, en remuant régulièrement.

4 Retirez les jalapeños du sac, pelez-les et enlevez les queues. Coupez les piments en deux, raclez les graines et taillez la chair en lanières.

5 Ajoutez les piments et le fromage dans la poêle. Remuez délicatement jusqu'à ce que le fromage fonde.

6 Incorporez éventuellement le sel, puis transférez dans un plat préchauffé. Saupoudrez de parmesan et servez en accompagnement d'une viande froide.

SALADE D'ÉPINARDS

Agréable changement par rapport à la laitue trop connue, les jeunes feuilles d'épinards sont excellentes en salade. L'ail rôti relève agréablement la sauce.

Pour 6 personnes

INGRÉDIENTS
- 6 gousses d'ail rôties
- 12 cl de vinaigre de vin blanc
- 1/2 cuil. à café de poivre blanc moulu
- 1 feuille de laurier
- 1/2 cuil. à café de poivre de la Jamaïque moulu
- 2 cuil. à soupe de thym frais haché, plus quelques brins pour la décoration
- 500 g de jeunes feuilles d'épinards
- 50 g de graines de sésame
- 50 g de beurre
- 2 cuil. à soupe d'huile d'olive
- 6 échalotes émincées
- 8 piments serrano frais, épépinés et coupés en lanières
- 4 tomates coupées en tranches

CONSEIL

Pour faire rôtir les gousses d'ail, passez-les 15 min au four, thermostat moyen, jusqu'à ce qu'elles soient tendres.

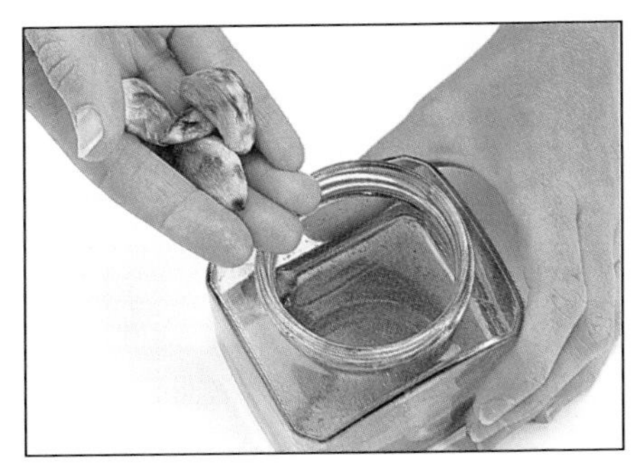

1 Commencez par préparer la sauce. Pelez les gousses d'ail après les avoir rôties, puis hachez leur chair et mélangez-la, dans un bocal à couvercle vissé, avec le vinaigre, le poivre blanc, la feuille de laurier, le poivre de la Jamaïque et le thym haché. Fermez le bocal, secouez bien, puis mettez la sauce au réfrigérateur.

2 Lavez les feuilles d'épinards et essorez-les dans un panier à salade ou un torchon. Mettez-les dans un sac plastique, que vous placerez au réfrigérateur.

3 Faites griller les graines de sésame dans une poêle, sans matières grasses, jusqu'à ce qu'elles soient dorées. Réservez.

4 Chauffez le beurre et l'huile dans une poêle et mettez à revenir les échalotes 4 à 5 min. Incorporez les lanières de piments et faites frire 2 à 3 min.

5 Dans un saladier, alternez les couches d'épinards, d'échalotes et de piments avec les tranches de tomates. Arrosez de sauce et parsemez de graines de sésame. Décorez la salade de brins de thym et servez.

SALADE DE NOPALITOS

Les nopalitos – des lanières de feuilles de cactus marinées dans le vinaigre – se vendent en boîte ou en bocal. Voici une recette de salade simple et rapide à préparer.

Pour 4 personnes

INGRÉDIENTS

- 300 g de nopalitos en conserve égouttés
- 1 poivron rouge
- 2 cuil. à soupe d'huile d'olive
- 2 gousses d'ail émincées
- 1/2 oignon rouge finement émincé
- 12 cl de vinaigre de cidre
- 1 petit bouquet de coriandre fraîche hachée
- sel

1 Préchauffez le gril du four. Mettez les nopalitos dans une jatte. Couvrez d'eau et laissez tremper 30 min. Égouttez, changez l'eau et laissez tremper encore 30 min.

2 Coupez le poivron rouge en deux et placez les moitiés, face coupée vers le bas, sur une grille du four. Faites-le griller jusqu'à ce que la peau cloque et noircisse. Mettez-le dans un sac en plastique résistant, fermez le sac et laissez reposer 20 min.

3 Chauffez l'huile dans une petite poêle et mettez l'ail à revenir sur feu moyen jusqu'à ce qu'il soit doré. À l'aide d'une écumoire, transférez-le dans un saladier. Versez l'huile parfumée à l'ail dans un bocal et réservez au frais.

4 Mettez les tranches d'oignon rouge dans le saladier, puis versez le vinaigre. Retirez le poivron rouge du sac, pelez-le, coupez la chair en fines lanières et ajoutez-les dans le saladier.

5 Égouttez soigneusement les nopalitos et ajoutez-les dans la salade, avec l'huile parfumée à l'ail. Salez à votre goût. Mélangez délicatement puis mettez la salade au réfrigérateur. Juste avant de servir, parsemez de coriandre hachée. Accompagnez la salade de pain croustillant.

SALADE DE JICAMA, PIMENT ET CITRON VERT

La jicama *est un légume croquant, au goût prononcé, que les Mexicains appellent parfois « patate ». Contrairement à la pomme de terre, on peut toutefois la déguster crue, en salade ou à l'apéritif.*

Pour 4 personnes

INGRÉDIENTS

- 1 jicama
- 1/2 cuil. à café de sel
- 2 piments serrano frais
- 2 citrons verts

1 Pelez la jicama avec un économe ou un couteau. Taillez-la en dés de 2 cm que vous mettrez dans une grande jatte avec le sel. Mélangez bien.

2 Coupez les piments en deux, raclez les graines, taillez la chair en fines lanières. Prélevez le zeste d'un citron vert, en coupant des filaments aussi fins que possible, sans entamer la peau blanche. Coupez le citron vert en deux, pressez-le.

3 Incorporez les piments, le zeste et le jus de citron vert dans la jatte contenant la jicama. Mélangez bien pour enduire tous les dés de jicama de sauce. Coupez l'autre citron vert en quartiers.

4 Couvrez et mettez au réfrigérateur au moins 1 h. Servez avec des quartiers de citron vert. Si vous offrez la salade à l'apéritif, transférez les dés de jicama dans des petits bols et présentez-les avec des pique-olives.

CONSEIL

Vous trouverez des jicamas dans les supermarchés asiatiques car ce légume, parfois aussi appelé igname, est très utilisé dans la cuisine chinoise.

SALADE DE CHAYOTES

Une salade rafraîchissante, à consommer seule ou bien en accompagnement d'un plat de poisson ou de poulet. La chair tendre des chayotes s'imprègne délicieusement de la saveur de la sauce.

Pour 4 personnes

INGRÉDIENTS

2 chayotes
2 tomates bien fermes
1 petit oignon finement haché
fines lanières de piments vert et rouge frais, pour la décoration

Pour la sauce

1/2 cuil. à café de moutarde de Dijon
1/2 cuil. à café de graines d'anis moulues
6 cuil. à soupe de vinaigre de vin blanc
4 cuil. à soupe d'huile d'olive
sel et poivre noir du moulin

1 Portez une casserole d'eau à ébullition. Pelez les chayotes, coupez-les en deux et ôtez les graines. Mettez les chayotes dans l'eau bouillante. Baissez le feu et faites cuire jusqu'à ce qu'elles soient tendres (environ 20 min). Égouttez et laissez refroidir.

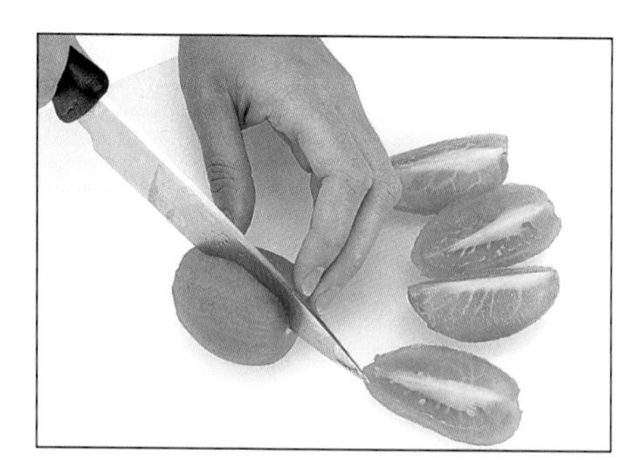

2 Pendant ce temps, pelez les tomates. Entaillez en croix la base des tomates. Mettez-les dans un récipient résistant à la chaleur et couvrez d'eau bouillante. Laissez tremper 3 min puis, à l'aide d'une écumoire, plongez-les dans l'eau froide. Égouttez. Au niveau des entailles, la peau commence à se détacher. Pelez complètement les tomates et coupez-les en quartiers.

3 Dans un bocal à couvercle vissé, mélangez tous les ingrédients de la sauce. Fermez le bocal et secouez-le vigoureusement.

4 Coupez les chayotes en quartiers. Mettez-les dans un saladier, avec les tomates et l'oignon. Arrosez de sauce et servez la salade décorée de lanières de piments vert et rouge frais.

SALADE CÉSAR

Souvent considérée comme américaine, la salade César est en fait originaire du Mexique. Elle doit son nom au cuisinier César Cardini, qui créa la recette dans son restaurant de Tijuana en 1924.

Pour 4 personnes

INGRÉDIENTS
- 2 grosses gousses d'ail entières, pelées
- 4 cuil. à soupe d'huile d'olive vierge extra
- 4 tranches de pain sans la croûte, coupées en dés
- 1 salade romaine
- 6 filets d'anchois en conserve, égouttés

Pour la sauce
- 1 œuf
- 2 cuil. à café de moutarde de Dijon
- 1 généreux filet de sauce Worcestershire
- 2 cuil. à soupe de jus de citron
- 2 cuil. à soupe d'huile d'olive vierge extra
- sel et poivre noir du moulin
- copeaux de parmesan, pour la décoration

1 Coupez une gousse d'ail en deux et frottez-la sur les parois d'un saladier. Mettez le reste d'ail dans une grande poêle, ajoutez l'huile et faites revenir 5 min à feu doux, puis jetez l'ail. Mettez les dés de pain dans l'huile chaude, par lots si nécessaire, et faites-les frire jusqu'à ce qu'ils soient croustillants sur toutes les faces. Égouttez sur du papier absorbant.

2 Nettoyez la romaine et tapissez le saladier avec ses feuilles. Coupez les filets d'anchois en deux dans la longueur et répartissez-les dans la salade. Mélangez afin que la saveur des anchois se diffuse.

3 Cassez l'œuf dans un mixer, ajoutez la moutarde, la sauce Worcestershire et le jus de citron. Assaisonnez et actionnez brièvement le mixer puis, sans arrêter le moteur, ajoutez l'huile.

4 Versez la sauce sur la salade et mélangez. Ajoutez le pain à l'ail. Transférez dans des bols individuels ou présentez la salade dans le saladier, parsemée de copeaux de parmesan.

LES DESSERTS ET ENTREMETS

Les Mexicains adorent les sucreries. Depuis que Hernán Cortés a introduit la canne à sucre dans leur pays, les desserts ont acquis une place de choix, et la gamme des gâteaux et pâtisseries proposés par les pastelerias *mexicaines peut affronter sans complexe les produits des pâtisseries européennes.*

Les jours de fête, notamment à la Toussaint ou lors de la « Douzième Nuit », donnent lieu à la confection de gâteaux et de biscuits spéciaux ; le 6 janvier, à l'occasion de l'Épiphanie, la tradition veut que l'on déguste la brioche des Rois ; et les épousailles sont toujours accompagnées de force cookies de mariage, généreusement enrobés de sucre glace. Le flan, *une crème renversée au caramel également très populaire en Espagne, demeure le dessert mexicain le plus connu, et les gâteaux de riz, parfois agrémentés de citrouille ou de banane plantain, font partie des entremets préférés des enfants.*

Pourtant, malgré ce bel assortiment, plus d'un repas mexicain s'achève sur une simple assiette de fruits frais, servis avec du sel, de la poudre de piments et du jus de citron vert – comme dans ces temps lointains où les cuisiniers français et espagnols n'avaient pas encore étendu leur influence sur les desserts mexicains.

CHURROS

Ces délicieux beignets sont traditionnellement confectionnés avec une churrera, *un ustensile muni d'un piston en bois. À défaut, une poche à douille terminée par un gros embout cannelé fera toutefois l'affaire. En général, on trempe les* churros *dans un* cafe de olla *ou un chocolat chaud avant de les déguster.*

Pour environ 24 churros

INGRÉDIENTS
- 350 g de farine
- 1 cuil. à café de levure chimique
- 1/2 cuil. à café de sel
- 25 g de cassonade
- 2 jaunes d'œufs
- huile pour la friture
- 2 citrons verts coupés en quartiers
- sucre en poudre

CONSEIL
Dégustez les churros le jour même, de préférence tant qu'ils sont chauds.

1 Tamisez la farine et la levure au-dessus d'une jatte et réservez. Dans une casserole, portez 60 cl d'eau à ébullition, ajoutez le sel et la cassonade, et remuez jusqu'à ce que ces 2 ingrédients soient dissous. Retirez la casserole du feu, ajoutez la farine et la levure, et battez la pâte jusqu'à ce qu'elle devienne homogène.

2 Incorporez les jaunes d'œufs l'un après l'autre, sans cesser de battre, jusqu'à ce que la pâte soit lisse et brillante. Laissez refroidir. Préparez une poche à douille munie d'un gros embout en étoile, qui donnera aux churros leur forme traditionnelle.

3 Versez 5 cm d'huile dans une friteuse ou une casserole à bord haut et portez-la à haute température (190 °C). Pour vous assurer que le bain d'huile est suffisamment chaud, plongez dedans un petit morceau de pain sec : il doit flotter en surface et dorer en 1 min.

4 Incorporez la pâte dans la poche à douille et faites glisser 5 ou 6 boudins de pâte de 10 cm de long dans l'huile chaude (coupez les boudins au couteau au fur et à mesure qu'ils sortent de l'embout). Cuisez les *churros* jusqu'à ce qu'ils soient brun doré (3 à 4 min). Égouttez-les sur du papier absorbant pendant que vous préparez les suivants. Disposez les churros chauds sur un plat, avec des quartiers de citron vert, et saupoudrez-les de sucre avant de servir.

SOPAIPILLAS

Ces coussinets dorés de pâte feuilletée se servent en dessert, avec du miel, ou nature, en accompagnement d'un potage. Ils ont aussi tout à fait leur place dans un buffet.

Pour environ 30 *sopaipillas*

INGRÉDIENTS
- 225 g de farine
- 1 cuil. à café de levure chimique
- 1 cuil. à café de sel
- 25 g de margarine
- huile pour la friture
- miel liquide
- cannelle moulue
- crème fraîche ou crème épaisse, pour l'accompagnement

VARIANTE
Au lieu de napper les sopaipillas de miel, parsemez-les d'un mélange de 50 g de sucre en poudre et de 2 cuillerées à café de cannelle moulue.

1 Tamisez la farine, la levure et le sel au-dessus d'une jatte. Incorporez la margarine en malaxant, pour que la pâte s'émiette. Ajoutez peu à peu suffisamment d'eau pour obtenir une pâte ferme. Enveloppez la pâte dans du film plastique et laissez reposer pendant 1 h.

2 Séparez la pâte en deux et étalez chaque moitié en un carré aussi régulier et fin que possible. À l'intérieur, découpez des carrés de 7,5 cm de côté. Réservez.

3 Chauffez l'huile à 190 °C : un cube de pain sec doit y flotter et dorer en 1 min. À l'aide de pinces de cuisine, plongez quelques carrés de pâte dans l'huile. Faites frire les sopaipillas par lots, jusqu'à ce qu'elles soient dorées, en les retournant une fois. Égouttez-les sur du papier absorbant.

4 Quand toutes les sopaipillas sont cuites, disposez-les sur un grand plat de service. Arrosez de miel, saupoudrez de cannelle et servez chaud, avec de la crème fraîche ou de la crème épaisse.

CRÈME CARAMEL

Quand elle se transporte en Espagne et au Mexique, où elle est extrêmement populaire, notre très classique crème caramel met un masque et prend le nom de flan...

Pour 6 personnes

INGRÉDIENTS
- 250 g de sucre en poudre
- 1 l de lait
- 1 gousse de vanille fendue
- 6 œufs
- 1 cuil. à café d'extrait naturel de vanille

1 Mettez 6 ramequins ou moules à dariole dans l'évier rempli d'eau très chaude. Préparez le caramel en étalant 150 g de sucre au fond d'une grande casserole. Chauffez à feu doux, sans remuer, en inclinant la casserole vers l'avant et vers l'arrière jusqu'à ce que le sucre fonde.

2 Retirez les ramequins de l'eau et séchez-les. Surveillez attentivement le sucre fondu : dès qu'il prend une riche couleur dorée, versez-le dans les ramequins. Faites tourner les récipients pour bien enduire leurs parois de caramel, ou bien badigeonnez celles-ci avec un pinceau. Réservez.

3 Préchauffez le four à 180 °C (th. 6). Versez le lait dans une casserole, ajoutez la gousse de vanille et chauffez jusqu'à ce que le lait frémisse. Versez dans une jatte et laissez refroidir.

4 Battez légèrement les œufs dans une jatte, puis, tout en continuant, incorporez peu à peu le sucre restant. Retirez la vanille du lait. Ajoutez petit à petit le lait aux œufs.

5 Filtrez la préparation au-dessus des ramequins caramélisés et déposez-les dans un plat à rôtir. Versez de l'eau bouillante à mi-hauteur du plat, puis mettez-le au four.

6 Faites cuire les crèmes caramel pendant environ 40 min. Pour savoir si elles sont prêtes, plongez la lame d'un couteau dans la préparation : elle doit en ressortir sèche.

7 Retirez les ramequins du bain-marie et mettez-les pour quelques heures au réfrigérateur.

8 Décollez les crèmes caramel avec un couteau à bout rond, posez une assiette sur le ramequin et retournez d'un coup sec. Retirez le ramequin : le caramel se répand autour de la crème renversée. Servez avec des fruits frais.

VARIANTES

Remplacez la vanille par de la cannelle, du cacao ou du rhum. Dans la région de Tabasco, où il y a beaucoup de châtaigniers, on ajoute parfois une purée de châtaignes à ce dessert.

RIZ AU LAIT

Au Mexique, le riz entre dans la composition de nombreux desserts. On peut par exemple le faire cuire dans du lait, puis le rouler en boulettes. Celles-ci seront enduites d'un mélange œufs-chapelure avant d'être plongées dans la friture ; au moment de les déguster, on roule les boulettes dans du sucre parfumé à la cannelle. Mais voici une autre recette, facile à préparer, pour un riz au lait riche en saveur.

Pour 4 personnes

INGRÉDIENTS
- 75 g de raisins secs
- 5 cuil. à soupe de xérès sec
- 100 g de riz rond
- 3 ou 4 lanières d'écorce de citron
- 50 cl de lait
- 4 bâtons de cannelle
- 225 g de sucre
- 1 pincée de sel
- 2 jaunes d'œufs
- 15 g de beurre coupé en dés
- amandes effilées grillées, pour la décoration
- quartiers d'orange réfrigérés, pour l'accompagnement

CONSEIL
Coupez des lanières d'écorce de citron et incorporez-les dans le riz.

1 Mettez les raisins secs et le xérès dans une petite casserole. Placez sur feu doux jusqu'à ce que les ingrédients soient chauds et laissez reposer, afin que les raisins gonflent.

2 Dans une casserole à fond épais, mélangez le riz, l'écorce de citron et 25 cl d'eau. Portez à ébullition. Baissez le feu, couvrez et faites cuire doucement jusqu'à ce que le riz ait absorbé tout le liquide (environ 20 min). Retirez l'écorce de citron.

3 Ajoutez le lait et le bâton de cannelle. Remuez jusqu'à ce que le riz ait absorbé le lait. Incorporez le sucre et le sel. Ajoutez les jaunes d'œufs et le beurre. Mélangez jusqu'à ce que le beurre ait fondu.

4 Égouttez les raisins secs et incorporez-les au riz au lait. Faites cuire 2 à 3 min. Parsemez d'amandes grillées et servez avec des quartiers d'orange. Placez un bâton de cannelle dans chaque coupelle.

ŒUFS À LA NEIGE AUX AMANDES

Un dessert très proche de l'île flottante, qui remonte peut-être à l'occupation du Mexique par les Français. Mais dans cette recette, les blancs en neige sont pochés dans la crème anglaise. Délicieux et très léger, c'est l'entremets idéal pour terminer en beauté un bon repas.

Pour 6 personnes

INGRÉDIENTS
- 15 g de gélatine en poudre
- 275 g de sucre
- 1/2 cuil. à café d'extrait d'amandes
- 6 œufs, blancs et jaunes séparés
- 1 pincée de sel
- 50 cl de crème liquide
- 1/2 cuil. à café d'extrait naturel de vanille
- cannelle moulue

1 Mettez 25 cl d'eau dans une casserole et versez dessus la gélatine. Lorsqu'elle est devenue molle, ajoutez 225 g de sucre et posez la casserole sur feu doux. Remuez jusqu'à ce que la gélatine et le sucre soient dissous, incorporez ensuite l'extrait d'amandes. Versez dans une jatte et placez au réfrigérateur jusqu'à ce que la préparation commence à épaissir.

2 Montez les blancs en neige très fermes. Fouettez le mélange gélatine-sucre jusqu'à ce qu'il devienne mousseux, puis incorporez-le délicatement aux blancs en neige. Déposez la préparation au réfrigérateur.

3 Préparez la crème anglaise. Mettez les jaunes d'œufs, le reste de sucre et le sel dans une casserole à fond épais. Incorporez la crème et l'extrait de vanille. Faites cuire à feu très doux, en remuant constamment, jusqu'à ce que la crème épaississe et nappe la cuillère.

4 Versez la crème anglaise dans des assiettes à dessert. Recouvrez d'une feuille de papier sulfurisé jusqu'au moment de servir, afin d'éviter la formation d'une peau.

5 Déposez quelques cuillerées de blancs en neige dans la crème anglaise, saupoudrez de cannelle moulue et servez.

CITROUILLE CARAMÉLISÉE

Très agréable à l'œil, ce dessert d'hiver riche et doux est aussi très facile à préparer.

Pour 6 personnes

INGRÉDIENTS
- 1 petite citrouille d'environ 800 g
- 350 g de cassonade
- 1 cuil. à café de clous de girofle moulus
- 12 bâtons de cannelle d'environ 10 cm de long
- brins de menthe fraîche, pour la décoration
- yaourt au lait entier ou crème fraîche, pour l'accompagnement

1 Coupez la citrouille en deux, ôtez les graines et les fibres. Taillez-la en quartiers et placez ceux-ci dans une cocotte ou une casserole peu profonde à fond épais. Déposez la cassonade entre les tranches.

2 Versez doucement 12 cl d'eau dans le récipient, en veillant à ne pas faire tomber tout le sucre en bas. Assurez-vous que l'eau atteint le fond de la casserole, afin que la citrouille ne brûle pas. Saupoudrez de clous de girofle moulus et ajoutez 2 bâtons de cannelle.

3 Couvrez le récipient avec un couvercle hermétique et cuisez à feu doux jusqu'à ce que la citrouille soit tendre, et que l'eau et le sucre forment un sirop (environ 30 min). Vérifiez de temps à autre que la citrouille ne se dessèche pas et qu'elle n'attache pas.

4 Disposez les tranches de citrouille sur les assiettes de service et nappez de sirop. Décorez avec des feuilles de menthe et des bâtons de cannelle. Servez avec du yaourt au lait entier ou de la crème fraîche.

CONSEIL

Si votre citrouille est très grosse, faites-la cuire en entier et utilisez le surplus pour garnir des empanadas.

CRÈME À LA NOIX DE COCO

Un entremets léger et crémeux, très agréable après un plat épicé. Les enfants adorent ce dessert, qui offre un avantage supplémentaire : on peut le préparer la veille et le garder au réfrigérateur.

2 Ajoutez la noix de coco et laissez cuire à feu doux 5 min, en remuant régulièrement. Incorporez le lait jusqu'à ce que la préparation épaississe légèrement. Retirez le bâton de cannelle et ôtez la casserole du feu.

3 Fouettez les œufs. Une fois légers et mousseux, incorporez-les peu à peu à la noix de coco. Transférez dans une autre casserole.

Pour 6 personnes

INGRÉDIENTS

- 225 g de sucre
- 1 bâton de cannelle d'environ 7,5 cm
- 175 g de noix de coco râpée
- 75 cl de lait
- 4 œufs
- 20 cl de crème fraîche
- 50 g d'amandes hachées, grillées
- filaments d'écorce d'orange, pour la décoration

VARIANTE

Cette recette peut être préparée avec 125 g de noix de coco fraîche. Vous la passerez au mixer, pour la réduire en poudre, avant de l'ajouter au sirop de cannelle.

1 Pour le sirop de cannelle, mettez le sucre et 25 cl d'eau dans une très grande casserole. Ajoutez le bâton de cannelle et portez à ébullition. Baissez le feu et faites cuire doucement 5 min à découvert.

4 Faites cuire à feu doux, en remuant, jusqu'à ce que la préparation ait une consistance épaisse. Laissez refroidir puis mettez au réfrigérateur. Avant de servir, fouettez la crème fraîche. Versez la crème à la noix de coco dans des assiettes, nappez de crème fouettée, saupoudrez d'amandes hachées et décorez avec des filaments d'orange.

BUÑUELOS

Des beignets tout petits, auxquels on a bien du mal à résister ! Servez-les pour le brunch, ou tout simplement avec une tasse de cafe con leche *ou de* cafe de olla.

Pour 12 buñuelos

INGRÉDIENTS
- 225 g de farine
- 1 pincée de sel
- 1 cuil. à café de levure chimique
- 1/2 cuil. à café de graines d'anis moulues
- 120 g de sucre en poudre
- 1 gros œuf
- 12 cl de lait
- 50 g de beurre
- huile pour la friture
- 2 cuil. à café de cannelle moulue
- bâtons de cannelle, pour la décoration

1 Tamisez la farine, le sel, la levure et l'anis moulu au-dessus d'une jatte. Ajoutez 2 cuillerées à soupe de sucre en poudre.

2 Mettez l'œuf et le lait dans une petite jatte et fouettez vigoureusement à la fourchette. Faites fondre le beurre dans une petite casserole.

CONSEIL

Délicieux quand ils sont nature, les buñuelos se dégustent parfois aussi trempés dans du sirop. Pour réaliser celui-ci, mélangez 175 g de cassonade et 45 cl d'eau dans une casserole. Ajoutez 1 bâton de cannelle ; faites chauffer en remuant jusqu'à ce que le sucre soit dissous. Portez à ébullition, puis baissez le feu et laissez cuire doucement 15 min, sans remuer. Laissez le sirop légèrement refroidir avant de le présenter avec les buñuelos.

3 Versez peu à peu la préparation lait-œuf dans la farine, sans cesser de remuer, jusqu'à ce que le mélange devienne homogène. Incorporez le beurre fondu. Mélangez avec une cuillère en bois, puis travaillez avec les doigts jusqu'à l'obtention d'une pâte souple.

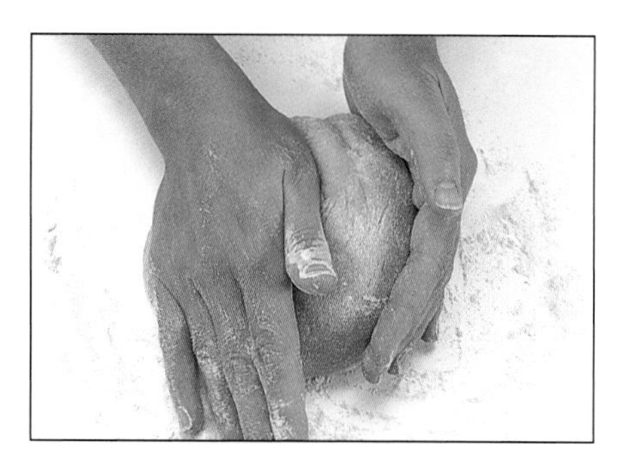

4 Placez la pâte sur une surface légèrement farinée et pétrissez-la jusqu'à ce qu'elle devienne bien lisse (environ 10 min).

5 Divisez la pâte en 12 morceaux et formez des boules. À la main, aplatissez légèrement chacune d'elles. Faites un trou au centre à l'aide du manche fariné d'une cuillère en bois.

6 Chauffez l'huile à 190 °C : un cube de pain sec doit remonter à la surface et dorer en 30 à 60 s. Faites frire les buñuelos par petits lots. Retournez-les 2 fois en cours de cuisson. Dès qu'ils ont gonflé et sont devenus dorés, sortez-les de l'huile avec une écumoire et égouttez-les sur une double épaisseur de papier absorbant.

7 Dans une petite jatte, mélangez le reste de sucre et la cannelle moulue. Quand les buñuelos sont encore chauds, plongez-les un par un dans ce mélange et retournez-les pour qu'ils soient bien enrobés. Servez aussitôt ou laissez refroidir. Décorez avec des bâtons de cannelle.

CAPIROTADA

À l'origine, ce dessert avait pour but d'éviter de jeter les éventuels restes de nourriture avant le carême. Aujourd'hui, on le déguste en toute occasion.

Pour 6 personnes

INGRÉDIENTS
- 1 baguette un peu rassise
- 125 g de beurre ramolli
- 200 g de cassonade
- 1 bâton de cannelle
- 3 cuil. à soupe de xérès sec
- 100 g d'amandes effilées
- 75 g de raisins secs
- 125 g de monterey jack, de cheddar doux ou d'emmental, râpé
- crème liquide

1 Coupez le pain en 30 rondelles d'1 cm d'épaisseur. Beurrez légèrement les tranches de chaque côté et faites-les griller par lots dans une poêle chaude, en les retournant une fois, jusqu'à ce qu'elles brunissent. Réservez.

2 Mettez la cassonade, le bâton de cannelle et 40 cl d'eau dans une casserole. Chauffez à feu doux, en remuant constamment, jusqu'à ce que le sucre soit dissous. Portez à ébullition, baissez le feu et laissez cuire doucement 15 min, sans remuer. Retirez le bâton de cannelle et ajoutez le xérès.

CONSEIL

Cette recette se prépare avec du pain sec. Si vous n'avez que du pain frais, passez-le quelques minutes à four doux, après l'avoir tranché.

3 Préchauffez le four à 180 °C (th. 6). Beurrez un plat à rôtir rectangulaire et déposez dedans les tranches de pain. Ajoutez 75 g d'amandes, les raisins secs et le fromage. Versez le sirop sur le pain. Laissez le pain absorber le sirop, puis laissez cuire 30 min au four jusqu'à ce que le dessert soit brun doré.

4 Retirez du four, laissez reposer 5 min, puis coupez en carrés. Servez froid, nappé de crème liquide et décoré d'amandes effilées.

BANANES PLANTAINS AU RHUM

Le Mexique possède une étonnante variété de fruits, et sa gastronomie a su en tirer profit. Voici un dessert délicieux, facile et rapide à préparer.

Pour 6 personnes

INGRÉDIENTS
- 3 bananes plantains bien mûres
- 50 g de beurre coupé en dés
- 3 cuil. à soupe de rhum
- le zeste râpé et le jus d'1 petite orange
- 1 cuil. à café de cannelle moulue
- 50 g de cassonade
- 50 g d'amandes entières, avec la peau
- brins de menthe fraîche, pour la décoration
- crème fraîche ou crème épaisse, pour l'accompagnement

1 Préchauffez le four à 180 °C (th. 6). Pelez les bananes et coupez-les en deux dans la longueur. Placez les moitiés de bananes dans un plat à rôtir peu profond. Parsemez de dés de beurre, arrosez de rhum et de jus d'orange.

2 Dans une jatte, mélangez le zeste d'orange, la cannelle et la cassonade. Saupoudrez les bananes de ce mélange.

3 Faites cuire au four jusqu'à ce que les bananes deviennent tendres et que le sucre se soit dissous dans le jus d'orange et le rhum pour former une sauce (25 à 30 min).

4 Émincez les amandes et faites-les griller dans une poêle à fond épais, sans matières grasses, jusqu'à ce que la tranche soit dorée. Disposez les bananes plantains dans des coupelles individuelles et nappez de sauce. Parsemez d'amandes, décorez de brins de menthe fraîche. Proposez, à part, un bol de crème fraîche ou de crème épaisse.

ASSIETTE DE FRUITS

Les Mexicains dégustent parfois des fruits en entrée avec du piment et du jus de citron vert – une association rafraîchissante qui peut tout aussi bien clore le repas. L'assortiment de fruits proposé ici n'est qu'une simple suggestion : selon les saisons, tous les mélanges peuvent être envisagés pourvu que l'œil et le palais y trouvent leur compte.

Pour 6 personnes

INGRÉDIENTS
- 1/2 petite pastèque
- 2 mangues
- 2 papayes
- 1 petit ananas
- 1 noix de coco fraîche
- 1 jicama
- 4 citrons verts
- sel marin
- poudre de piments rouges doux

1 Coupez la pastèque en fines tranches et débitez-les en petits triangles. Ôtez les graines. Prélevez une tranche épaisse de chaque côté des mangues et incisez-les en croisillons ; retournez les tranches de mangues pour que les dés de chair se séparent. Détachez-les de la peau et mettez-les dans une jatte.

2 Séparez les papayes en deux, extrayez les graines et coupez chaque moitié en morceaux, en laissant la peau. Enlevez l'extrémité feuillue de l'ananas, puis tranchez la base. Avec un couteau bien aiguisé, prélevez la peau en spirale, sur une épaisseur suffisante pour enlever la plus grande partie des « yeux ». Avec un petit couteau pointu, supprimez les « yeux » restants. Coupez l'ananas en quatre dans la longueur, enlevez la partie centrale sur chacun des quartiers et débitez-les en petites portions.

3 À l'aide d'un clou et d'un marteau, percez un trou dans 2 des « yeux » au sommet de la noix de coco. Enlevez le lait. Cassez la noix de coco au marteau. Retirez la coque extérieure dure puis, à l'aide d'un économe, enlevez la membrane marron. Coupez la chair en petits morceaux.

4 Pelez et tranchez la jicama. Disposez tous les fruits sur un plat, arrosez avec le jus de 2 citrons verts. Dans des petites coupelles, mettez le sel marin, la poudre de piments et des quartiers de citrons verts à la disposition des convives.

CONSEIL

Découpez les fruits en petites bouchées afin qu'ils puissent être attrapés avec des pique-olives.

CRÈME GLACÉE AU CHOCOLAT MEXICAIN

Une glace au chocolat riche et crémeuse, parfumée à la cannelle et aux amandes.

Pour 4 personnes

INGRÉDIENTS
- 2 gros œufs
- 125 g de sucre en poudre
- 2 disques de chocolat mexicain (environ 120 g au total)
- 40 cl de crème épaisse
- 20 cl de lait
- copeaux de chocolat, pour la décoration

1 Cassez les œufs dans une jatte et battez-les au fouet électrique jusqu'à l'obtention d'un mélange épais, pâle et mousseux. Incorporez peu à peu le sucre, sans cesser de fouetter.

2 Dans une casserole à fond épais, faites fondre le chocolat à feu doux. Ajoutez-le dans le mélange œufs-sucre en remuant. Au fouet, incorporez peu à peu la crème, puis le lait. Laissez refroidir, placez au réfrigérateur. Versez dans une sorbetière et mettez à glacer jusqu'à ce que la crème épaississe.

3 Si vous n'avez pas de sorbetière, versez la crème dans un récipient en plastique et placez plusieurs heures au congélateur, jusqu'à ce que des paillettes de glace se forment. Mélangez pour briser les cristaux de glace, puis remettez au congélateur. Servez la crème glacée décorée de copeaux de chocolat.

GÂTEAU GARBANZO

Un biscuit moelleux, parfumé à l'orange et à la cannelle, dont la consistance se rapproche de celle du pudding de Noël anglais. Servez-le en tranches fines, accompagnées de mangue ou d'ananas frais et d'une cuillerée de yaourt. À noter : ce gâteau ne contient pas de farine.

Pour 6 personnes

INGRÉDIENTS

- 2 boîtes de 275 g de pois chiches égouttés
- 4 œufs battus
- 225 g de sucre en poudre
- 1 cuil. à café de levure chimique
- 2 cuil. à café de cannelle moulue
- le zeste râpé et le jus d'1 orange
- sucre parfumé à la cannelle (voir « Conseil »)

CONSEIL

Pour réaliser le sucre à la cannelle, mélangez 50 g de sucre en poudre et 1 cuillerée à café de cannelle moulue.

1 Préchauffez le four à 180 °C (th. 6). Versez les pois chiches dans une passoire, égouttez-les bien, puis frottez-les dans les paumes de vos mains afin d'enlever les peaux. Au mixer, réduisez les pois chiches en une purée homogène.

2 Mettez la purée dans une jatte et incorporez les œufs, le sucre, la levure, la cannelle, le zeste et le jus de l'orange. Beurrez et tapissez un moule à pain de papier sulfurisé.

3 Versez la préparation dans le moule, lissez la surface et faites cuire au four 1 h et 1/2. Vérifiez la cuisson en insérant une brochette dans le gâteau : elle doit en ressortir sèche.

4 Retirez le gâteau du four et laissez reposer dans le moule environ 10 min. Démoulez, posez le gâteau sur une grille et saupoudrez-le de sucre parfumé à la cannelle. Laissez complètement refroidir avant de servir. Vous pouvez l'accompagner de tranches d'ananas frais.

GÂTEAU AUX NOIX DE PECAN

Un gâteau d'inspiration française, que l'on sert traditionnellement avec de la cajeta, du lait bouilli et sucré. Vous pouvez aussi le présenter avec de la crème fouettée ou de la crème fraîche. Quelques groseilles égayeront les assiettes.

Pour 8 à 10 personnes

INGRÉDIENTS
- 125 g de noix de pecan
- 125 g de beurre ramolli
- 120 g de cassonade
- 1 cuil. à café d'extrait naturel de vanille
- 4 gros œufs, blancs et jaunes séparés
- 75 g de farine
- 1 pincée de sel
- 12 noix de pecan entières, pour la décoration
- cajeta, ou crème fouettée, ou crème fraîche, pour l'accompagnement

Pour le nappage
- 50 g de beurre
- 12 cl de miel liquide

1 Préchauffez le four à 180 °C (th. 6). Beurrez un moule à gâteau rond à fond détachable de 20 cm. Faites griller les noix de pecan 5 min dans une poêle, sans matières grasses, en secouant souvent. Hachez les noix au mixer, puis transférez dans une jatte.

2 Dans une jatte, travaillez le beurre et le sucre. Incorporez au fouet l'extrait de vanille et les jaunes d'œufs.

3 Incorporez la farine dans les noix de pecan moulues, et mélangez soigneusement. Battez les blancs d'œufs en neige, avec le sel. Incorporez les blancs au mélange beurre-sucre. Mélangez avec la préparation farine-noix. Transférez la pâte dans le moule et faites cuire 30 min au four. Vérifiez la cuisson en insérant une brochette, au centre du gâteau : elle doit en ressortir sèche.

4 Laissez le gâteau 5 min dans le moule puis soulevez les bords du moule. Posez le gâteau sur une grille et laissez refroidir.

5 Soulevez le gâteau de la base du moule puis remettez-le sur la grille et décorez de noix de pecan. Transférez sur un plat. Préparez le nappage : faites fondre le beurre dans une casserole, ajoutez le miel et portez à ébullition, en remuant. Baissez le feu et laissez chauffer 3 min. Versez sur le gâteau, que vous servirez avec de la cajeta, de la crème fouettée ou de la crème fraîche.

BRIOCHE DES ROIS

La « douzième nuit » – le 6 janvier –, les Mexicains offrent des cadeaux aux enfants pour commémorer le moment où les Rois mages apportèrent leurs présents à l'Enfant Jésus. Cette brioche garnie de fruits confits occupe une place centrale dans les festivités. Une figurine et un haricot y sont cachés : la personne qui trouve la fève doit organiser une fête le 2 février ; celle qui découvre le haricot apportera les boissons.

Pour 8 personnes

INGRÉDIENTS
- 2 cuil. à café de levure du boulanger déshydratée
- 6 œufs
- 275 g de farine
- 1/2 cuil. à café de sel
- 50 g de sucre cristallisé
- 150 g de beurre
- 225 g de fruits et d'écorces d'agrumes confit(e)s
- 200 g de sucre glace
- 2 cuil. à soupe de crème liquide
- fruits confits et cerises glacées, pour la décoration

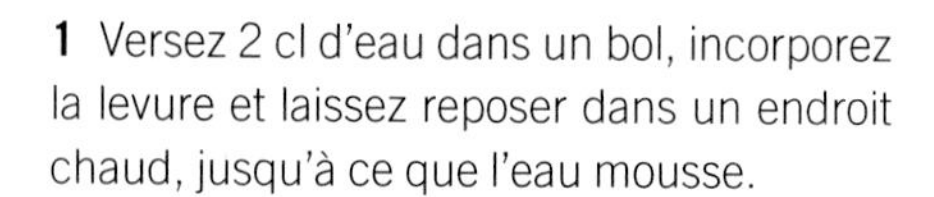

1 Versez 2 cl d'eau dans un bol, incorporez la levure et laissez reposer dans un endroit chaud, jusqu'à ce que l'eau mousse.

2 Cassez 4 œufs. Mettez les jaunes dans une petite jatte, jetez les blancs.

3 Versez 150 g de farine dans une jatte. Ajoutez le sel et le sucre. Cassez les 2 œufs restants dans la jatte, ajoutez les 4 jaunes d'œufs.

4 Ajoutez 125 g de beurre, ainsi que le mélange eau-levure. Mélangez intimement tous les ingrédients.

5 Mettez les fruits confits et les écorces d'agrumes dans une autre jatte. Ajoutez 50 g de farine et mélangez pour enrober les fruits.

6 Ajoutez les fruits farinés dans la préparation aux œufs, ainsi que le reste de farine. Mélangez pour obtenir une pâte souple, qui ne colle pas. Sur une surface farinée, pétrissez la pâte 10 min, jusqu'à ce qu'elle soit lisse.

7 Ramassez la pâte en boule et faites un trou au centre, à l'aide du manche d'une cuillère en bois que vous aurez fariné. Agrandissez le trou.

8 Mettez la couronne sur une plaque du four graissée. Couvrez de film plastique huilé. Laissez-la reposer au chaud jusqu'à ce qu'elle ait doublé de volume (environ 2 h).

9 Préchauffez le four à 180 °C (th. 6). Badigeonnez la couronne de beurre fondu et faites-la cuire 30 min au four, jusqu'à ce qu'elle ait gonflé, qu'elle soit bien cuite et moelleuse.

10 Dans une jatte, mélangez le sucre glace et la crème. Lorsque la brioche est froide, arrosez-la de crème sucrée. Décorez avec des cerises et des fruits confits. Saupoudrez de sucre glace.

PAN DULCE

Dans tout le Mexique, ces petits pains au sucre se dégustent sur le pouce au cours de la journée, ou bien avec de la confiture pour le petit déjeuner.

Pour 12 petits pains

INGRÉDIENTS
- 12 cl de lait tiédi
- 2 cuil. à café de levure du boulanger déshydratée
- 450 g de farine de gluten
- 75 g de sucre en poudre
- 25 g de beurre ramolli
- 4 gros œufs battus
- huile, pour graisser les plaques

Pour la garniture
- 75 g de beurre ramolli
- 120 g de sucre cristallisé
- 1 jaune d'œuf
- 1 cuil. à café de cannelle moulue
- 125 g de farine

1 Versez le lait dans une jatte, incorporez la levure et laissez reposer au chaud jusqu'à ce que le lait devienne mousseux.

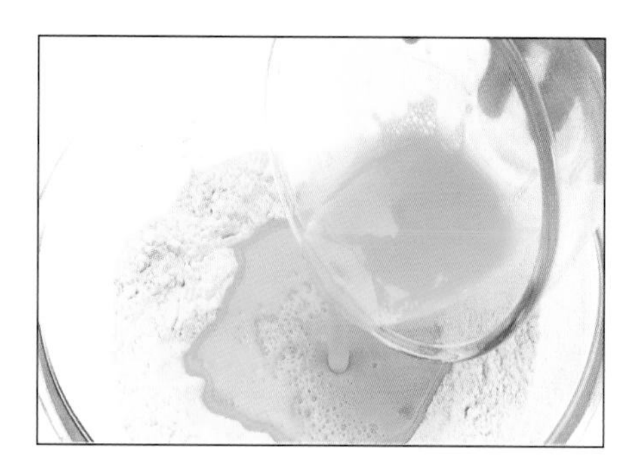

2 Versez la farine et le sucre dans une jatte, ajoutez le beurre et les œufs battus. Mélangez pour obtenir une pâte souple.

3 Transférez la pâte sur une surface légèrement farinée et saupoudrez-la de farine. Farinez-vous les mains et retournez la pâte jusqu'à ce qu'elle soit complètement enrobée d'une fine couche de farine. Couvrez de film plastique huilé et laissez reposer 20 min.

4 Pendant ce temps, préparez la garniture. Dans une jatte, travaillez le beurre et le sucre, puis incorporez le jaune d'œuf, la cannelle et la farine. Le mélange doit avoir une consistance légèrement friable.

5 Divisez la pâte en 12 morceaux égaux et formez des boules. Disposez-les sur des plaques du four graissées, en les espaçant bien. Saupoudrez les petits pains de garniture puis pressez légèrement pour qu'elle pénètre à l'intérieur de la pâte.

6 Laissez reposer les petits pains environ 30 min dans un endroit chaud, jusqu'à ce que leur volume ait augmenté d'environ 1 fois et 1/2. Préchauffez le four à 200 °C (th. 7) et mettez à cuire les petits pains environ 15 min. Laissez légèrement refroidir avant de servir.

BISCUITS AUX AMANDES

Le mélange de sucre glace et de beurre confère à ces biscuits une texture légère et délicate. Vous pouvez les préparer plusieurs jours à l'avance. Servez-les en dessert ou avec le café.

Pour environ 24 biscuits

INGRÉDIENTS
- 125 g de farine
- 200 g de sucre glace
- 1 pincée de sel
- 50 g d'amandes hachées
- 1/2 cuil. à café d'extrait d'amandes
- 120 g de beurre ramolli
- moitiés d'amandes, pour la décoration

CONSEIL

Vous pouvez utiliser des emporte-pièce fantaisie, en forme de cœur ou de croissant de lune, par exemple.

1 Préchauffez le four à 180 °C (th. 6). Dans une jatte, mélangez la farine, 175 g de sucre glace, le sel et les amandes hachées. Ajoutez l'extrait d'amandes.

2 Mettez le beurre ramolli au centre de la jatte et travaillez avec les doigts ou un couteau pour faire pénétrer les ingrédients secs dans le beurre, jusqu'à obtention d'une pâte bien ferme, que vous ramasserez en boule.

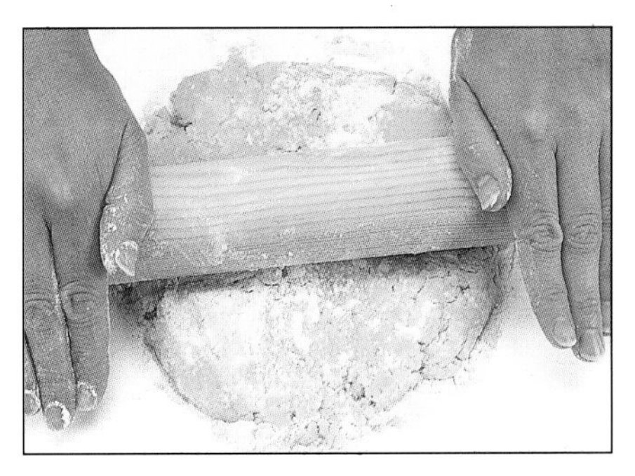

3 Transférez la pâte sur une surface légèrement farinée et étalez-la sur une épaisseur d'environ 3 mm. Avec un emporte-pièce de 7,5 cm de diamètre, découpez 24 disques. Placez les disques de pâte sur des plaques du four, en les espaçant bien. Cuisez 25 à 30 min au four, jusqu'à ce que les biscuits blondissent.

4 Laissez reposer 10 min puis mettez les biscuits à refroidir sur une grille. Saupoudrez généreusement de sucre glace et servez les biscuits décorés de moitiés d'amandes.

COOKIES DE MARIAGE

Dissimulés sous leur voile de sucre glace, ces petits biscuits absolument délicieux sont présents à presque tous les mariages. Servez-les avec le café, ou éventuellement avec un verre de Kahlúa, la liqueur de café mexicaine.

Pour 30 cookies

INGRÉDIENTS
- 225 g de beurre ramolli
- 175 g de sucre glace
- 1 cuil. à café d'extrait naturel de vanille
- 300 g de farine
- 1 pincée de sel
- 150 g de noix de pecan finement hachées

1 Préchauffez le four à 190 °C (th. 6). Dans une grande jatte, battez le beurre jusqu'à ce qu'il devienne léger et mousseux puis, sans cesser de battre, incorporez 110 g de sucre glace, ainsi que l'extrait de vanille.

2 Ajoutez peu à peu une partie de la farine et le sel, jusqu'à ce que le mélange forme une pâte bien ferme. Incorporez les noix de pecan hachées, ainsi que le reste de farine. Pétrissez légèrement la pâte.

3 Divisez la pâte en 30 morceaux égaux que vous ramasserez en boules et que vous disposerez, en les espaçant de 5 mm, sur des plaques du four. Aplatissez légèrement chaque boule avec le pouce.

4 Cuisez les biscuits 10 à 15 min au four, jusqu'à ce qu'ils commencent à brunir. Laissez refroidir 10 min sur les plaques, puis transférez sur des grilles et laissez refroidir complètement.

5 Mettez le reste de sucre glace dans une jatte, déposez-y les biscuits et secouez jusqu'à ce qu'ils soient bien enrobés. Servez, ou conservez-les dans un récipient hermétique.

BISCUITS À L'ORANGE ET AUX AMANDES

L'association du saindoux et des amandes donne à ces biscuits une consistance fondante. Dégustez-les avec un café ou un chocolat chaud.

Pour 36 biscuits

INGRÉDIENTS
- 250 g de saindoux
- 125 g de sucre en poudre
- 2 œufs battus
- le zeste râpé et le jus d'1 petite orange
- 300 g de farine tamisée avec 1 cuil. à café de levure chimique
- 200 g d'amandes moulues
- 50 g de sucre glace
- 1 cuil. à café de cannelle moulue

CONSEIL

Si vous n'avez pas le temps d'étaler la pâte, divisez-la en 36 morceaux que vous ramasserez en boules. Placez les boules sur les plaques du four et aplatissez-les avec une fourchette

1 Préchauffez le four à 200 °C (th. 7). Mettez le saindoux dans une grande jatte et battez-le au fouet électrique jusqu'à ce qu'il ait une consistance légère et aérée. Sans cesser de battre, incorporez le sucre en poudre.

2 Sans cesser de battre, incorporez les œufs, le zeste et le jus d'orange. Fouettez encore 3 à 4 min, puis ajoutez la farine et les amandes moulues. Travaillez jusqu'à l'obtention d'une pâte ferme.

3 Sur une surface légèrement farinée, étalez la pâte sur 1 cm d'épaisseur. Découpez 36 disques avec l'emporte-pièce. Étalez à nouveau la pâte si nécessaire. Transférez délicatement les disques de pâte sur les plaques du four.

4 Faites cuire au four jusqu'à ce que les biscuits soient dorés (environ 10 min). Laissez reposer 10 min sur les plaques.

5 Mélangez le sucre glace et la cannelle. Transférez le mélange dans une petite passoire ou un passe-thé et saupoudrez-en les biscuits. Laissez refroidir complètement.

EMPANADAS AUX FRUITS

Une pâte au beurre croustillante, pleine d'une garniture de fruits parfumés à l'orange et à la cannelle. Un dessert comme on ose à peine en rêver !

Pour 12 empanadas

INGRÉDIENTS
- 275 g de farine
- 25 g de sucre cristallisé
- 90 g de beurre froid, coupé en dés
- 1 jaune d'œuf
- 25 g de beurre
- 3 bananes plantains bien mûres, pelées et écrasées
- 1/2 cuil. à café de clous de girofle moulus
- 1 cuil. à café de cannelle moulue
- 225 g de raisins secs
- le zeste râpé et le jus de 2 oranges
- lait
- sucre en poudre
- amandes entières et quartiers d'orange, pour l'accompagnement

1 Dans une jatte, mélangez la farine et le sucre. Ajoutez les dés de beurre froid et travaillez le mélange avec les doigts jusqu'à ce qu'il s'effrite finement.

2 Battez le jaune d'œuf et ajoutez-le au mélange farine-beurre-sucre. Ajoutez de l'eau glacée jusqu'à obtention d'une pâte ferme et lisse que vous ramasserez en boule.

3 Faites fondre le beurre pour la garniture dans une casserole et mettez à revenir les bananes, les clous de girofle et la cannelle 2 à 3 min sur feu moyen. Incorporez les raisins secs, le zeste et le jus d'orange. Baissez le feu : la préparation doit à peine frémir. Laissez cuire jusqu'à ce que les raisins gonflent et que le jus s'évapore (environ 15 min). Laissez refroidir.

4 Préchauffez le four à 200 °C (th. 7). Étalez la pâte sur une surface légèrement farinée et découpez des disques de 10 cm. Déposez-les sur une plaque du four et placez dessus un peu de garniture aux fruits. Humectez les bords des disques, repliez la pâte au-dessus de la garniture et plissez les bords pour les souder.

5 Badigeonnez de lait les empanadas et faites-les cuire au four jusqu'à ce qu'elles soient dorées (environ 15 min). Laissez refroidir un peu, saupoudrez de sucre et servez les empanadas chaudes avec des amandes entières et des quartiers d'orange.

CONSEIL

Pour le glaçage, vous pouvez, si vous le souhaitez, remplacer le lait par du blanc d'œuf.

COOKIES DE NOËL AUX NOIX

Au moment de Noël, ces biscuits sont enveloppés dans du papier de soie aux couleurs vives, puis rangés dans de grands saladiers. Vous pouvez vous inspirer de cette tradition mexicaine en présentant ces cookies comme des petits cadeaux joliment emballés.

Pour 24 cookies

INGRÉDIENTS
- 125 g de saindoux
- 75 g de sucre glace
- 1 cuil. à café d'extrait de vanille
- 150 g de farine non traitée
- 75 g de cerneaux de noix finement hachés
- 50 g de sucre glace
- 2 cuil. à café de cannelle moulue

CONSEIL

Polvo signifie « poussière » : les cookies doivent être légers et friables. Vous pouvez éventuellement remplacer les noix par des noix de pecan.

1 Préchauffez le four à 190 °C (th. 6). Mettez le saindoux dans une grande jatte et battez-le au fouet électrique jusqu'à ce qu'il ait une consistance légère et aérée.

2 Sans cesser de battre, incorporez peu à peu 25 g de sucre glace, puis ajoutez l'extrait de vanille et battez vigoureusement.

3 À la main, incorporez la farine et faites-la pénétrer délicatement dans la pâte. N'utilisez pas une cuillère, la pâte serait trop collante. Ajoutez les noix et mélangez soigneusement.

4 Divisez la pâte en 24 morceaux égaux. Formez des boules et disposez, de manière suffisamment espacée, sur les plaques du four. Faites cuire au four jusqu'à ce que les biscuits soient dorés (10 à 15 min). À mi-cuisson, intervertissez la position des plaques afin que les cookies cuisent uniformément. Mettez les cookies à refroidir sur des grilles.

5 Versez le reste de sucre glace dans une jatte et ajoutez la cannelle. Déposez quelques biscuits dans la jatte ; secouez pour qu'ils soient enrobés de sucre, mais sans excès. Présentez les cookies dans du papier coloré.

LES BOISSONS

Depuis les jus de fruits frais jusqu'au chocolat chaud, étancher sa soif au Mexique relève presque de la gourmandise. Si le pulque, *la boisson nationale tirée de l'agave, a un goût qui surprend, la tequila est consommée dans le monde entier, pure, à la manière traditionnelle, ou bien en cocktails comme la margarita ou le bloody mary.*

Les aguas frescas, *les jus de fruits vendus par les marchands ambulants, sont particulièrement délectables durant la canicule. Comme les* licuados *et les* preparados, *elles sont simples à préparer, et cent fois meilleures que les boissons gazeuses si sucrées que nous consommons habituellement en Europe. Par une chaude soirée d'été, un pichet d'*agua fresca *de citron vert, par exemple, ravira vos amis.*

Le chocolat mexicain contient généralement des amandes et de la cannelle, deux ingrédients très utilisés dans la cuisine mexicaine et qui transforment en pures délices les boissons chocolatées. Quant aux boissons à base de maïs ou le café à la cannelle, ils peuvent avantageusement remplacer les sucreries en cas de petit creux de milieu de journée.

Enfin, le lait de poule riche et crémeux, appelé rompope, *paraît plus inoffensif qu'il ne l'est en réalité, mais après une journée stressante il procure un merveilleux bien-être.*

TEQUILA

La tequila, l'alcool national du Mexique, existe sous plusieurs formes. Elles sont commercialisées sous différentes marques, chacune possédant son goût propre, déterminé par le type de sol, la teneur en sucre de l'agave, le climat, les méthodes de distillation et de fermentation.

La tequila se déguste de diverses manières, mais la plus connue consiste à avaler une gorgée d'alcool, à lécher une pincée de sel, puis à sucer une rondelle de citron vert. La tequila joven (jeune) ou reposada (reposée) est généralement servie à température ambiante, dans des petits verres étroits et hauts portant le nom de *caballitos*. On la sirote très lentement, de manière à apprécier pleinement sa saveur. La tequila anejo (vieillie) se boit dans un verre ballon (une coupe laisserait s'échapper trop d'arôme). On peut la couper avec un peu d'eau, mais en aucun cas lui adjoindre des glaçons.

Tequila frappée

Les Mexicains ont depuis toujours un goût prononcé pour le sel et le citron vert venant accompagner aliments et boissons. La bière elle-même se boit de cette manière.

INGRÉDIENTS

- tequila glacée
- sel
- quartiers de citron vert

Comment servir la tequila

Versez un doigt de tequila dans un petit verre à bord haut. Léchez votre peau entre le pouce et l'index de la main gauche, puis saupoudrez-la de sel. En veillant à ne pas faire tomber le sel, prenez dans cette main un quartier de citron vert. De la main droite, soulevez votre verre de tequila. Léchez le sel, avalez une gorgée de tequila, sucez le citron vert et terminez votre verre. Certains amateurs parviennent à tenir la tequila, le citron vert et le sel dans la même main, mais il faut déjà un certain entraînement pour parvenir à ce résultat !

TEQUILA SUNRISE

Ce cocktail doit son nom – « lever de soleil » – à l'effet produit par la grenadine, qui descend d'abord au fond du verre rempli de jus d'orange, puis regagne lentement la surface.

Pour 1 verre

INGRÉDIENTS
- 2,5 cl de tequila dorée
- 6 cl de jus d'orange fraîchement pressé
- le jus d'1 citron vert
- 0,5 cl de grenadine

1 Remplissez à moitié un verre à cocktail de glace pilée. Versez la tequila, puis le jus d'orange et de citron vert, tous deux fraîchement pressés. N'utilisez pas de jus de fruits en pack ou en bouteille, ils gâcheraient la saveur de votre cocktail.

2 Ajoutez rapidement la grenadine, en la faisant couler sur le dos d'une cuillère à café afin qu'elle descende au fond du cocktail. Servez aussitôt.

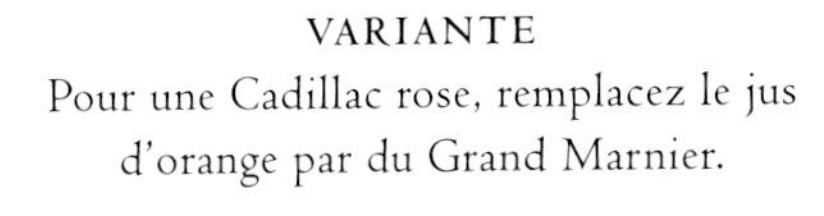

VARIANTE

Pour une Cadillac rose, remplacez le jus d'orange par du Grand Marnier.

TEQUILA ANANAS

La tequila blanco ou reposada est parfois parfumée aux amandes ou bien aux coings. Certains barmen créent en outre des saveurs uniques en faisant mariner divers ingrédients, comme du piment, dans de la tequila blanco. La recette que nous vous proposons ici donne un cocktail doux et fruité.

Pour 6 personnes

INGRÉDIENTS

- 1 gros ananas
- 50 g de cassonade
- 1 l de tequila blanco
- 1 gousse de vanille

1 Choisissez une grande bouteille en verre résistant (environ 2 litres) à goulot évasé, ou une dame-jeanne, et stérilisez-la en la passant 20 min au four à 110 °C (th. 3). Retirez la bouteille du four en utilisant un gant et laissez-la refroidir.

2 Coupez les feuilles de l'ananas et pelez-le en veillant à bien supprimer toutes les écailles. Coupez-le en deux, évidez-le et jetez le cœur. Taillez la chair en morceaux assez petits pour traverser le goulot de la bouteille.

3 Lorsque la bouteille est complètement refroidie, glissez à l'intérieur les morceaux d'ananas. Dans un pichet, mélangez la cassonade et la tequila jusqu'à ce que le sucre soit dissous, puis versez ce sirop dans la bouteille. Fendez la gousse de vanille et mettez-la dans la bouteille.

4 Plusieurs fois par jour, secouez doucement la bouteille afin que les ingrédients se mélangent. Attendez au moins 1 semaine avant de consommer. Quand vous aurez bu la tequila, utilisez le fruit pour préparer, par exemple, une glace à l'ananas ; ou réchauffez-le avec du beurre et de la cannelle, puis servez avec de la crème.

VARIANTE

Vous pouvez ajouter un morceau d'ananas frais et un peu de glace dans chaque verre.

MARGARITA

C'est le plus connu des cocktails à base de tequila. Servez-le sur des glaçons ou mélangez-le à de la glace pilée dans un shaker, pour obtenir une sorte de sorbet liquide.

Pour 1 verre

INGRÉDIENTS
- 1 quartier de citron vert
- sel
- 4,5 cl de tequila
- 2,5 cl de triple sec
- 2,5 cl de jus de citron vert fraîchement pressé

CONSEIL

La margarita se prépare traditionnellement avec de la tequila blanco. Cependant beaucoup préfèrent aujourd'hui la confectionner avec de la tequila reposada, à la saveur plus douce.

1 Givrez un verre à cocktail en frottant le pourtour avec un quartier de citron vert. Retournez ensuite le verre sur une soucoupe de sel. Le sel ne doit pas tomber à l'intérieur du verre, c'est pourquoi vous veillerez à ne passer du citron vert que sur le bord.

2 Dans un shaker, mélangez la tequila, le triple sec et le jus de citron vert. Ajoutez éventuellement de la glace pilée et secouez. Versez délicatement dans le verre givré. Si vous n'utilisez pas de glace pilée, mettez des glaçons au fond du verre et versez ensuite le liquide dessus.

MARGARITA À LA MANGUE ET À LA PÊCHE

Additionnée d'une purée de fruits, la margarita classique acquiert une consistance surprenante, qui évoque un peu celle du milk-shake. Les effets sont cependant passablement plus violents !

Pour 4 personnes

INGRÉDIENTS
- 2 mangues pelées et émincées
- 3 pêches pelées et émincées
- 12 cl de tequila
- 6 cl de triple sec
- 6 cl de jus de citron vert fraîchement pressé
- tranches de mangue, avec la peau, pour la décoration

CONSEIL

Assurez-vous que votre mixer peut être utilisé pour piler de la glace. En cas de doute, placez les glaçons dans un sac en plastique résistant et brisez-les à l'aide d'un maillet.

1 Hachez finement au mixer les tranches de mangues et de pêches. Remettez au centre du bac ce qui adhère à ses parois, puis actionner l'appareil pour obtenir une purée parfaitement homogène.

2 Ajoutez la tequila, le triple sec et le jus de citron vert. Actionnez le mixer quelques secondes, puis ajoutez 10 glaçons. Remettez le mixer en marche jusqu'à ce que la boisson prenne la consistance d'un milk-shake.

3 Versez dans des verres à cocktail, décorez avec des tranches de mangues et servez.

LICUADO DE MELON

Classés parmi les boissons mexicaines les plus rafraîchissantes, les licuados *sont préparés avec de la pulpe de fruits, du miel et de l'eau glacée.*

Pour 4 personnes

INGRÉDIENTS
- 1 pastèque
- le jus de 2 citrons verts
- miel

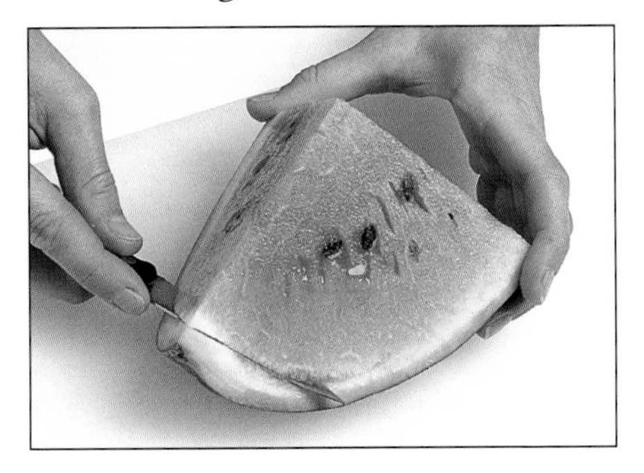

1 Enlevez la peau de la pastèque, retirez les graines noires et coupez la chair en morceaux.

2 Placez les morceaux de pastèque dans une grande jatte, versez dessus 1 litre d'eau glacée et laissez reposer 10 min.

3 Transférez dans une grande passoire posée au-dessus d'une jatte. Avec une cuillère en bois, pressez délicatement la pastèque pour en extraire tout le jus.

4 Incorporez le jus de citron vert et sucrez avec du miel, à votre goût.

5 Versez dans un pichet, ajoutez des glaçons et remuez. Servez dans des verres droits.

SANGRITA

Alterner les gorgées de sangrita *et de tequila est une expérience gustative qui mérite d'être tentée. La saveur « chaude » de la* sangrita *atténue en effet l'âpreté de la tequila. Cette association de boissons est souvent proposée à l'apéritif, avec des* antojitos *(amuse-gueules).*

Pour 8 personnes

INGRÉDIENTS
- 450 g de tomates bien mûres
- 1 petit oignon finement haché
- 2 petits piments fresno verts, frais, épépinés et hachés
- 12 cl de jus d'orange fraîchement pressé
- le jus de 3 citrons verts
- 1/2 cuil. à café de sucre en poudre
- 1 pincée de sel
- 1 petit verre, par personne, de tequila dorée ou vieillie

1 Entaillez en croix la base des tomates. Mettez-les dans un récipient résistant à la chaleur et couvrez d'eau bouillante. Laissez tremper 3 min.

2 À l'aide d'une écumoire, plongez les tomates dans l'eau froide. Au niveau des entailles, la peau commence à se détacher. Pelez complètement les tomates, coupez-les en deux et épépinez-les.

3 Hachez la chair des tomates et passez-la au mixer. Ajoutez l'oignon, les piments, le jus d'orange et de citron vert, le sucre et le sel.

4 Actionnez le mixer jusqu'à l'obtention d'un mélange liquide. Versez dans un pichet et mettez au réfrigérateur pendant au moins 1 h. Offrez à chaque convive un verre de tequila, à siroter en alternance avec la sangrita.

CONSEIL

Vous pouvez remplacer les tomates fraîches par 400 g de tomates en conserve. La saveur de la sangrita n'en sera presque pas modifiée.

SANGRIA

Héritage des Espagnols, cette boisson très populaire est souvent servie dans de grands pichets, avec de la glace et des tranches d'agrumes.

Pour 6 personnes

INGRÉDIENTS
- 75 cl de vin rouge sec
- le jus de 2 citrons verts
- 12 cl de jus d'orange fraîchement pressé
- 12 cl de cognac
- 50 g de sucre en poudre
- 1 citron vert, coupé en rondelles, pour la décoration

VARIANTE

Dans certaines régions du Mexique, on prépare une sangria moins forte, mais tout aussi rafraîchissante. Versez des glaçons dans de grands verres. Remplissez chaque verre aux 2/3 de jus de citron vert fraîchement pressé, allongé avec de l'eau et sucré. Complétez avec du vin rouge. On ajoute parfois de la tequila au jus de citron vert.

1 Dans un grand pichet en verre, mélangez le vin, le jus de citron vert, le jus d'orange et le cognac.

2 Incorporez le sucre et remuez jusqu'à ce qu'il soit complètement dissous.

3 Servez dans des grands verres, avec de la glace. Décorez chaque verre avec une rondelle de citron vert.

AGUA FRESCA D'AGRUMES

À tous les coins de rue, au Mexique, des marchands ambulants proposent des aguas frescas, *jus de fruits frais qui diffèrent au fil des saisons.*

Pour 4 personnes

INGRÉDIENTS
- 12 citrons verts
- 3 oranges
- 2 pamplemousses
- 75 g de sucre en poudre
- quartiers d'agrumes, pour la décoration

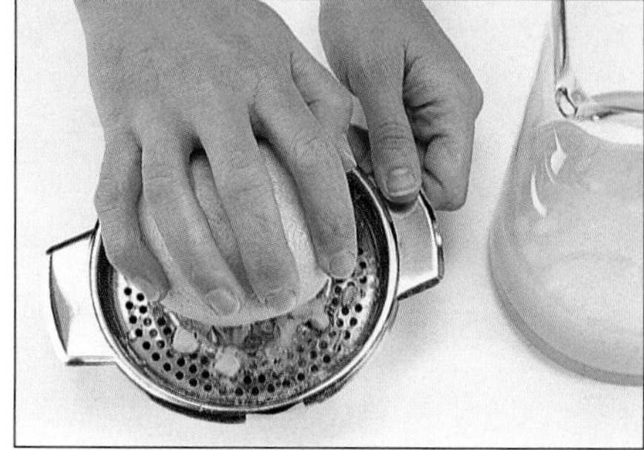

1 Pressez les citrons verts, les oranges et les pamplemousses. Si le jus contient un peu de pulpe, inutile de l'enlever, mais supprimez tous les pépins. Versez le jus dans un grand pichet.

2 Ajoutez 60 cl d'eau et le sucre. Remuez jusqu'à ce que le sucre soit dissous.

3 Mettez au réfrigérateur au moins 1 h. Servez avec des glaçons et des quartiers d'agrumes. Une fois couvert, ce jus de fruits se conserve pendant 1 semaine.

VARIANTE

Des pamplemousses roses apporteront une saveur plus sucrée à la boisson et lui donneront une couleur plus intense.

AGUA FRESCA DE TAMARIN

Parfois appelé « datte indienne », le tamarin, originaire d'Asie ou d'Afrique du Nord, a été introduit au Mexique via l'Inde. Sa pulpe, qui possède des vertus médicinales et antiseptiques, a un goût à la fois acidulé et sucré. La boisson que l'on en tire ressemble un peu au citron pressé.

Pour 4 personnes

INGRÉDIENTS
- 225 g de gousses de tamarin
- 25 g de sucre en poudre

CONSEIL

Dans les épiceries indiennes et asiatiques, on trouve de la pulpe et de la pâte de tamarin en bocal, ainsi que de la pulpe séchée compacte. Tous ces produits doivent être trempés et filtrés, mais ils vous dispenseront de peler les gousses.

1 Chauffez 1 litre d'eau dans une casserole, puis versez-la dans une jatte. Pelez les gousses de tamarin et faites tremper la pulpe dans l'eau chaude pendant au moins 4 h.

2 Posez une passoire au-dessus d'une jatte. Versez l'eau et la pulpe de tamarin dans la passoire et passez la pulpe à travers la passoire, à l'aide du dos d'une cuillère en bois, afin de supprimer les graines.

3 Ajoutez le sucre dans le jus de tamarin et remuez jusqu'à ce qu'il soit dissous. Versez dans un pichet et mettez au réfrigérateur. Servez dans des verres droits, avec des glaçons.

AGUA FRESCA D'ANANAS ET DE CITRON VERT

Une boisson fraîche, aux couleurs éclatantes et alléchantes. À boire comme rafraîchissement dans l'après-midi, ou en guise de remontant en fin de journée.

Pour 4 personnes

INGRÉDIENTS
- 2 ananas
- le jus de 2 citrons verts
- 50 cl d'eau minérale
- 50 g de sucre en poudre

CONSEIL

Pour peler l'ananas, coupez le haut et la base du fruit, puis prélevez la peau en spirale, en veillant à enlever la plus grande partie des « yeux ». Ôtez les « yeux » restants avec un petit couteau.

1 Pelez les ananas, évidez-les, ôtez les « yeux » et hachez la chair. Vous devez obtenir environ 450 g de chair. Passez cette chair au mixer avec le jus de citron vert et la moitié de l'eau minérale, jusqu'à l'obtention d'une pulpe onctueuse. Arrêtez 1 ou 2 fois le moteur pour remettre au centre de l'appareil ce qui adhère à ses parois.

2 Posez une passoire au-dessus d'une grande jatte. Versez dedans la pulpe d'ananas. Avec une cuillère en bois, faites-la passer au travers de la passoire. Versez le jus filtré dans un grand pichet, couvrez et laissez au moins 1 h au réfrigérateur.

3 Incorporez le reste de l'eau minérale et sucrez à votre goût. Servez avec des glaçons.

AGUA FRESCA DE CITRON VERT

Voici la version « citron vert » du citron pressé européen. Traditionnellement, on moud le zeste au molcajete *pour en extraire l'essence. Les citrons verts mexicains –* limones *– sont plus durs et plus acides que les variétés à peau lisse vendues dans les supermarchés occidentaux.*

Pour 6 personnes

INGRÉDIENTS
- 75 g de sucre en poudre
- 10 citrons verts, plus quelques tranches pour la décoration

1 Versez 1,75 litre d'eau dans un pichet, ajoutez le sucre et remuez jusqu'à ce qu'il soit dissous. Laissez au réfrigérateur au moins 1 h.

2 À l'aide d'un zesteur ou d'une râpe, prélevez le zeste des citrons verts, en veillant à ne pas entamer la peau blanche. Pressez les citrons et intégrez le jus dans l'eau sucrée. Ajoutez le zeste. Mélangez bien et mettez au réfrigérateur jusqu'au moment de servir. Servez dans des grands verres décorés avec des tranches de citron vert et des glaçons.

CONSEIL

Pour extraire le maximum de jus des citrons verts, roulez-les fermement entre les paumes de vos mains. Ou bien percez-les, placez-les dans une jatte et passez-les 10 à 15 s au micro-ondes à la puissance maximale, avant de les presser. Cette méthode s'applique à tous les agrumes.

PREPARADO DE FRAISES ET DE BANANES

Une boisson fruitée, épaisse et crémeuse, que vous pouvez préparer avec ou sans alcool.

Pour 4 personnes

INGRÉDIENTS
- 200 g de fraises, plus quelques-unes pour la décoration
- 2 bananes
- 125 g de pulpe de noix de coco
- 17,5 cl de rhum blanc
- 6 cl de grenadine

1 Équeutez les fraises et coupez-les en deux, ou en quatre si elles sont grosses. Pelez les bananes et taillez-les en grosses rondelles.

2 Passez au mixer les fraises, les bananes, la pulpe de coco émiettée et 12 cl d'eau afin d'obtenir une purée homogène. Raclez les parois du bac chaque fois que cela est nécessaire.

3 Ajoutez le rhum, la grenadine et 10 glaçons, que vous pouvez briser avant de les verser dans le bac. Réduisez le tout en une boisson épaisse et onctueuse. Servez aussitôt, dans des verres décorés avec des fraises.

BLOODY MARY

Si vous aimez la sangrita, vous apprécierez ce cocktail à base de tequila et de jus de tomates.

Pour 2 personnes

INGRÉDIENTS
- 25 cl de jus de tomates glacé
- 1 cuil. à café de sauce Worcestershire
- 6 cl de tequila
- quelques gouttes de Tabasco
- le jus d'1/2 citron
- 1 pincée de sel au céleri
- sel et poivre noir du moulin
- 2 branches de céleri, coupées en bâtonnets, pour l'accompagnement

1 Versez le jus de tomates dans un grand pichet et incorporez la tequila. Ajoutez la sauce Worcestershire ; remuez bien.

2 Ajoutez quelques gouttes de Tabasco et le jus de citron. Goûtez et assaisonnez de sel au céleri, de sel et de poivre. Servez sur des glaçons, avec des bâtonnets de céleri.

CAFE CON LECHE

C'est avec ce café au lait épicé que la plupart des Mexicains débutent leur journée. Et si le repas de midi a été copieux, ils retrouvent, au moment de la merienda, *le* cafe con leche *simplement accompagné d'une pâtisserie.*

Pour 4 personnes

INGRÉDIENTS
- 50 g de café moulu
- 50 cl de lait
- 4 bâtons de cannelle
- sucre, à votre goût

1 Mettez le café moulu dans une cafetière à piston ou un pichet. Versez dessus 50 cl d'eau bouillante et attendez quelques minutes que le café retombe au fond.

2 Poussez le piston de la cafetière ou bien filtrez le café à travers une passoire pour séparer le liquide des grains.

3 Versez le lait dans une casserole à fond épais, ajoutez la cannelle et portez à ébullition, en remuant régulièrement.

4 À l'aide d'une écumoire, retirez la cannelle, mais pressez les bâtons contre l'écumoire avec une petite cuillère pour extraire le liquide qu'ils ont absorbé. Réservez les bâtons de cannelle.

5 Incorporez le café dans le lait chaud, puis versez le cafe con leche dans des tasses. Ajoutez un bâton de cannelle dans chaque tasse. Chacun sucrera son café à son goût.

HORCHATA

À base de riz, cette boisson très parfumée est délicieusement crémeuse bien qu'elle ne contienne pas une goutte de lait. Les Mexicains soutiennent qu'elle calme les maux d'estomac et soulage la « gueule de bois ». Beaucoup la dégustent au petit déjeuner.

Pour 4 personnes

INGRÉDIENTS
- 450 g de riz à longs grains
- 150 g d'amandes entières, blanchies
- 2 cuil. à café de cannelle moulue
- le zeste finement râpé d'1 citron vert, plus quelques filaments pour la décoration
- 50 g de sucre

1 Versez le riz dans une passoire et rincez-le soigneusement sous l'eau froide. Égouttez, transférez dans une grande jatte et ajoutez 75 cl d'eau. Couvrez et laissez tremper 2 h au minimum, et de préférence jusqu'au lendemain.

2 Égouttez le riz et réservez 60 cl du liquide de trempage. Au mixer, hachez le riz aussi finement que possible.

3 Incorporez les amandes et actionnez le mixer pour les moudre finement.

4 Ajoutez la cannelle, le zeste de citron vert, le sucre, l'eau de trempage du riz, et remuez jusqu'à ce que le sucre soit dissous.

5 Servez la horchata dans des grands verres, avec des glaçons, décorée de filaments de citron vert.

CAFE DE OLLA

L'une des boissons mexicaines les plus populaires, et dont le nom signifie « café au pot », en référence au récipient servant à sa préparation. Traditionnellement, ce café est sucré avec du piloncillo, *le sucre brun local, non raffiné, que vous pouvez remplacer par de la cassonade. Le* cafe de olla *ne se déguste jamais avec du lait.*

Pour 4 personnes

INGRÉDIENTS
- 110 g de piloncillo ou de cassonade
- 4 bâtons de cannelle d'environ 15 cm
- 50 g de grains de café torréfiés, fraîchement moulus

1 Mettez 1 litre d'eau, le sucre et la cannelle dans une casserole. Chauffez à feu doux, en remuant de temps à autre afin de dissoudre le sucre, puis portez à ébullition et laissez bouillir à feu vif jusqu'à ce que le sirop ait réduit d'1/4 (environ 20 min).

2 Ajoutez le café moulu et remuez bien. Portez à nouveau à ébullition. Retirez du feu, couvrez et laissez reposer environ 5 min.

3 Passez le café à travers une passoire fine, versez-le dans des tasses et servez aussitôt.

CONSEIL

Si vous ne possédez pas de passoire à grille très fine, tapissez votre passoire d'un filtre à café en papier. Quand vous recevez des amis, servez ce café avec des bâtons de cannelle trempés dans du chocolat ; ils serviront à remuer le cafe de olla.

ATOLE

Une boisson à base de masa *de maïs blanc, traditionnellement agrémentée de* piloncillo *(le sucre brun mexicain, non raffiné) et de cannelle moulue, à la consistance d'un épais milk-shake. On y ajoute aussi parfois des purées de fruits frais, des amandes moulues ou du lait.*

Pour 6 personnes

INGRÉDIENTS
- 200 g de masa harina blanche
- 1 gousse de vanille
- 50 g de piloncillo ou de cassonade
- 1/2 cuil. à café de cannelle moulue
- 125 g de fraises fraîches, d'ananas haché et de quartiers d'orange (facultatif)

1 Mettez la masa harina dans une casserole à fond épais. Incorporez peu à peu 1,2 litre d'eau, en fouettant pour obtenir une pâte lisse.

2 Posez la casserole sur feu moyen, ajoutez la gousse de vanille et portez à ébullition, en remuant constamment, jusqu'à ce que la préparation épaississe. Incorporez le sucre et la cannelle en mélangeant jusqu'à ce que le sucre soit dissous. Retirez du feu.

3 Si vous souhaitez ajouter les fruits, réduisez-les au mixeur en une purée onctueuse que vous filtrerez dans une passoire.

4 Incorporez la purée dans la préparation à base de maïs et remettez sur le feu, puis ôtez la gousse de vanille et servez.

CAFÉ-KAHLÚA

Un café pour finir un repas en beauté. Le Kahlúa, liqueur de café mexicaine, se déguste aussi dans un verre à liqueur, avec un nuage de crème.

1 Mettez le café moulu dans un pichet résistant à la chaleur ou une cafetière à piston. Versez dessus 50 cl d'eau bouillante et laissez reposer jusqu'à ce que le café retombe au fond.

2 Filtrez le café à travers une passoire ou bien poussez le piston de la cafetière, afin de séparer le liquide des grains. Transvasez le café filtré dans un pichet résistant à la chaleur.

3 Ajoutez la tequila, le Kahlúa et l'extrait de vanille. Mélangez bien. Incorporez la cassonade et remuez jusqu'à ce qu'elle soit complètement dissoute.

4 Versez dans des petites tasses à café, dans des verres à liqueur ou dans des grands verres résistant à la chaleur.

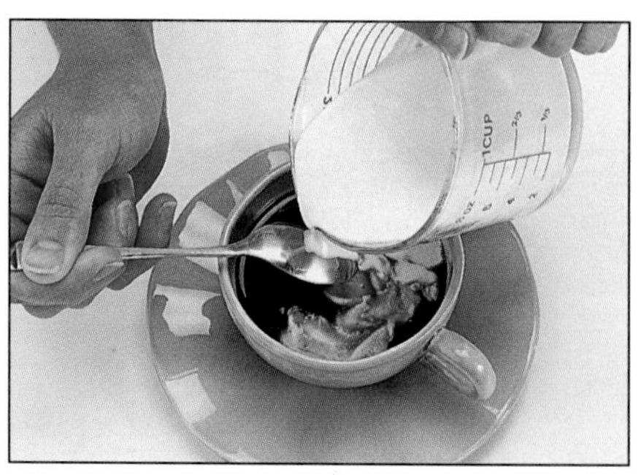

5 Placez une cuillère à café au-dessus de la surface d'un des récipients. Versez la crème très doucement le long du dos de la cuillère, afin qu'elle reste en suspension sur le café. Procédez de la même manière pour les autres récipients à café. Servez aussitôt.

Pour 4 personnes

INGRÉDIENTS
- 50 g de café torréfié, moulu
- 12 cl de tequila
- 12 cl de Kahlúa
- 1 cuil. à café d'extrait naturel de vanille
- 25 g de cassonade
- 15 cl de crème épaisse

VARIANTES

Remplacez le Kahlúa par du Tia Maria ou de la liqueur de chocolat.

ROMPOPE

La légende veut que ce lait de poule ait été inventé dans les cuisines d'un couvent de Puebla. Cette boisson est parfois épaissie par des amandes moulues, ou encore servie avec des fruits frais, par exemple des framboises. Traditionnellement, les bouteilles de rompope *sont fermées avec un rouleau de feuilles de maïs ou le cœur d'un épi de maïs.*

Pour 1,5 l de rompope

INGRÉDIENTS
- 1 l de lait
- 350 g de sucre
- 1/2 cuil. à café de bicarbonate de soude
- 1 bâton de cannelle d'environ 15 cm
- 12 gros jaunes d'œufs
- 30 cl de rhum brun

1 Versez le lait dans une casserole et incorporez le sucre et le bicarbonate de soude. Ajoutez le bâton de cannelle. Posez la casserole sur feu moyen et portez à ébullition, en remuant constamment. Transvasez aussitôt dans une jatte et laissez refroidir à température ambiante. Ôtez le bâton de cannelle et pressez-le délicatement pour en extraire le liquide.

2 Placez les jaunes d'œufs dans un récipient résistant à la chaleur posé sur une casserole d'eau frémissante. Fouettez jusqu'à ce que la préparation pâlisse et devienne épaisse.

3 Incorporez peu à peu les jaunes fouettés dans le lait, en battant après chaque ajout.

4 Transvasez la préparation dans une casserole et chauffez à feu moyen jusqu'à ce que la boisson épaississe : si vous passez le doigt sur le dos d'une cuillère nappée du mélange, il doit laisser une trace.

5 Incorporez le rhum, versez la boisson dans des bouteilles stérilisées que vous boucherez hermétiquement. Servez très froid. Au réfrigérateur, le rompope peut se conserver 1 semaine.

CHAMPURRADA

*Une version populaire de l'*atole*, préparée avec du chocolat mexicain. Normalement, on utilise un* molinollo, *le fouet en bois traditionnel, pour faire mousser cette boisson.*

Pour 6 personnes

INGRÉDIENTS
- 125 g de chocolat mexicain, soit environ 2 disques
- 1,2 l d'eau ou de lait, ou d'un mélange lait-eau
- 200 g de masa harina
- 2 cuil. à soupe de cassonade

CONSEIL

Si vous ne parvenez pas à trouver du chocolat mexicain, préparez-le vous-même : passez au mixer, jusqu'à obtention d'une poudre fine, 125 g de chocolat noir amer (minimum 70 % de cacao), 25 g d'amandes moulues, 50 g de sucre en poudre et 2 cuillerées à café de cannelle moulue.

1 Dans un mortier, écrasez le chocolat au pilon pour obtenir une poudre fine. Vous pouvez éventuellement passer le chocolat au mixer.

2 Mettez la masa harina dans une casserole à fond épais et incorporez l'eau ou le lait (ou un mélange des deux) jusqu'à obtenir une pâte homogène. Si vous n'avez pas de molinollo, utilisez un fouet métallique pour rendre la boisson mousseuse.

3 Posez la casserole sur feu moyen et portez à ébullition, en remuant constamment, jusqu'à ce que la boisson mousseuse épaississe.

4 Incorporez le chocolat moulu, puis ajoutez la cassonade. Servez aussitôt.

CHOCOLAT CHAUD MEXICAIN

Le chocolat mexicain est parfumé avec des amandes, de la cannelle et de la vanille. Il est aussi additionné de sucre. Après avoir été moulus dans un mortier spécial, tous ces ingrédients sont cuits au charbon de bois. Avec la poudre ainsi obtenue, on façonne des disques. La fabrication du chocolat nécessite une certaine expérience. Heureusement, vous trouverez du chocolat mexicain dans les épiceries spécialisées.

Pour 4 personnes

INGRÉDIENTS
- 1 l de lait
- 60 à 125 g de chocolat mexicain (1 à 2 disques)
- 1 gousse de vanille

VARIANTE

Remplacez le chocolat mexicain par du chocolat noir amer. Réduisez légèrement les proportions, car ce chocolat a une saveur plus intense que le mexicain.

1 Versez le lait dans une casserole et ajoutez le chocolat. Choisissez la quantité en fonction de vos goûts. La première fois, préparez cette boisson avec un disque, puis augmentez les proportions la fois suivante.

2 Avec un couteau, fendez la gousse de vanille dans la longueur et mettez-la dans le lait.

3 Chauffez le lait chocolaté à feu doux, en remuant, jusqu'à ce que tout le chocolat soit dissous. Puis fouettez avec un molinollo ou un fouet métallique jusqu'à ce que la préparation commence à bouillir. Retirez la gousse de vanille et servez aussitôt le chocolat chaud, dans des grandes tasses ou des verres résistant à la chaleur.

INDEX